FEDERER
— CONTRE —
NADAL

Catalogage avant publication de Bibliothèque et Archives nationales du Québec et Bibliothèque et Archives Canada

Wertheim, L. Jon

Federer contre Nadal : l'affrontement ultime

Traduction de : Strokes of Genius.

ISBN 978-2-89585-081-6

1. Federer, Roger, 1981- . 2. Nadal, Rafael, 1986- . 3. Tournoi de Wimbledon (Tennis). 4. Tennis - Tournois - Angleterre. I. Titre.

GV999.W4714 2010 796.342'64094212 C2009-942279-4

Titre original :
Strokes of Genius
Federer, Nadal, and the Greatest Match Ever Played
Copyright © 2009 by L. Jon Wertheim

© 2010 Les Éditeurs réunis (LÉR) pour la traduction française.
Photos de la couverture : Presse canadienne
Photo de la couverture arrière : Chris Eason,
http://creativecommons.org/licenses/by-sa/2.0

Les Éditeurs réunis bénéficient du soutien financier de la SODEC et du Programme de crédits d'impôt du gouvernement du Québec.

Nous remercions le Conseil des Arts du Canada de l'aide accordée à notre programme de publication.

Édition :
LES ÉDITEURS RÉUNIS
www.lesediteursreunis.com

Distribution au Canada :
PROLOGUE
www.prologue.ca

Distribution en Europe :
DNM
www.librairieduquebec.fr

Imprimé au Québec (Canada)

Dépôt légal : 2010
Bibliothèque et Archives nationales du Québec
Bibliothèque nationale du Canada

L. JON WERTHEIM

FEDERER

— CONTRE —

NADAL

L'AFFRONTEMENT ULTIME

Traduit de l'américain par Jean-Louis Morgan

PRÉFACE

J'ai toujours pensé que le sport avait énormément de points communs avec la dramaturgie. On peut relever de nombreux parallèles entre les athlètes et les artistes de la scène : les innombrables heures de préparation pour chaque représentation, le souci du détail, le désir de « donner un bon *show* », la superstition, la confiance, le doute, le trac qui paralyse ou qui survolte… Et lorsque nous sommes spectateurs d'un match comme d'une œuvre théâtrale, le déroulement de l'action nous tient en haleine, on accorde notre sympathie à l'un des protagonistes de telle sorte que l'on partage ses émotions. Dans le sport, toutefois, la pièce n'a jamais été jouée, elle s'écrit là, sous nos yeux.

Quand Roger Federer et Rafael Nadal ont foulé le gazon du court central de Wimbledon le 6 juillet 2008, tous les ingrédients étaient rassemblés pour que s'écrive une page importante de l'histoire du tennis. En fait, il y a trois éléments clés qui influencent la charge dramatique de toute rencontre sportive. D'abord, l'importance de l'enjeu. Ici, difficile de demander mieux. Wimbledon constituant le championnat par excellence en tennis, cette finale pouvait y établir le record de six victoires consécutives de Federer… ou l'en priver et voir Nadal réussir une performance extrêmement rare en tennis, soit remporter les Internationaux de France et Wimbledon coup sur coup. Dans les deux cas, ce sont les exploits de Bjorn Borg qui étaient visés, lui qui, comme Federer, avait été vainqueur à Wimbledon cinq fois de suite et, aussi, le dernier à avoir remporté les Internationaux de France et Wimbledon la même année.

Ensuite, la personnalité des adversaires. Il faut bien admettre que Federer et Nadal sont des êtres aussi différents que l'on puisse imaginer. Cela amène habituellement les spectateurs à s'identifier à l'un ou à l'autre. La précision suisse contre le sang latin, la finesse contre la force brute, l'intelligence contre l'instinct… Des clichés ? Peut-être, mais il est fascinant de voir comment ces clichés se vérifient en voyant ces joueurs à l'œuvre. Seul point commun : les deux sont de parfaits gentlemen. Enfin, la qualité du jeu offert. On a déjà épuisé tous les superlatifs pour parler de ce match et je vous suggère simplement, si vous ne l'avez pas vu, de mettre la main sur l'enregistrement vidéo. Pour les connaisseurs comme pour les profanes, la réaction est la même : l'incrédulité.

Le génie de l'auteur Jon Wertheim est d'avoir écrit la narration de ce match d'anthologie en prenant bien soin que chaque renseignement, chaque circonstance, chaque anecdote ajoutent à l'intensité dramatique. D'ailleurs, il ratisse beaucoup plus large que le match lui-même, et c'est un grand bonheur que d'apprendre mille et un détails non seulement sur Federer et Nadal (leur enfance, leurs parents, leur entourage, leurs traits de caractère), mais aussi sur une multitude de personnages secondaires (l'arbitre du match, le responsable de l'entretien du gazon de Wimbledon, des joueurs du circuit, le responsable des reprises vidéo, les agents, les fabricants de raquettes, etc.). Tous ont leur rôle à jouer dans l'ultime duel auquel on assiste.

Mais assez parlé. Je ne veux pas retarder votre plaisir de revivre ce que tous les observateurs ont indiscutablement reconnu comme « le plus grand match de l'histoire du tennis ».

Le rideau s'ouvre. Les joueurs sont prêts. Au jeu !

EUGÈNE LAPIERRE
Directeur de la Coupe Rogers à Montréal

INTRODUCTION

Lorsque des athlètes rivaux ne sont pas des ennemis, ils sont, par définition, des adversaires. Ils se battent, se poursuivent ou essaient de déjouer leurs balles respectives. Dans les cas les plus raffinés, on peut dire qu'ils représentent différents styles, différentes sensibilités, différentes valeurs et différents héritages. La plupart du temps, on décèle chez eux quelques traces d'inimitié. Toute cette compétition, ces comparaisons et cette familiarité ne peuvent qu'engendrer un certain mépris mutuel.

Il existe aussi entre eux des liens assez forts. Enchaînés comme ils le sont par la compétition, la plupart de ces rivaux ont le bon sens d'être conscients du fait qu'ils se maintiennent au sommet par l'existence propre de leur Némésis personnelle, cette déesse du sort malheureux que les dieux envoyaient aux hommes pour les ramener à leurs justes proportions. Bien sûr, au golf, Jack Nicklaus a privé Arnold Palmer d'un tas de trophées, de la même manière que Magic Johnson a dépouillé Larry Bird de quelques titres dans l'Association américaine de basket-ball (et vice versa), mais cela n'a pas empêché ces personnages de se voir catapultés vers les sommets. Bien sûr, des champions d'échecs tels que Boris Spassky et Bobby Fisher ont réussi à mettre en évidence certaines de leurs faiblesses, qu'ils auraient préféré passer sous silence, mais cette exposition publique les a forcés mutuellement à s'améliorer et à innover. Il est certain qu'un certain Joe Frazier aurait préféré ne pas se faire rectifier le portrait par Mohamed Ali, mais cette mésaventure a réussi à replacer les réalisations de chacun de ces athlètes dans un certain contexte et à leur conférer de la substance. À la fin, tels des galériens, les rivaux finissent par être enchaînés l'un à l'autre. Bref, nous savons qu'Ali était *the greatest* parce qu'il a battu Frazier, qui pouvait à son tour être fier d'avoir déjà donné du fil à retordre à Ali.

Au tennis, les dimensions particulières de la rivalité, la distance nécessaire ainsi que la non moins nécessaire proximité à conserver sont mises à nu. De chaque côté du filet, les concurrents marquent des points, en perdent, y vont de leurs savantes ripostes et se tendent des pièges. Ils sont seuls, isolés des influences extérieures. Contrairement à la boxe, il n'y a pas de soigneur dans le coin du terrain pour les enduire de vaseline ou leur prodiguer des encouragements et des instructions entre les manches. Contrairement au golf, l'action est simultanée. Un tennisman ne peut déambuler sur le vert gazon du court pendant que son rival prépare son élan. En vérité, le tennis est un sport qui ressemble le plus à un combat de gladiateurs.

Par la même occasion, ce sport comporte une collégialité intrinsèque, car les concurrents peuvent avoir à se faire face une demi-douzaine de fois par année et davantage. Ils se rencontrent presque toujours dans le même hall de tel ou tel hôtel de Cincinnati ou dans tel ou tel restaurant de Monte-Carlo. Ils jouent sur les mêmes terrains et, souvent, font affaire avec la même équipe de direction ou sont commandités par le même fabricant de vêtements. Et que se passe-t-il entre les échanges sur les courts ? Avant le match, les joueurs passent une dizaine de minutes à se réchauffer ! Essayer, pour vous amuser, de vous imaginer cela dans d'autres sports, par exemple Ali demandant à Frazier : « Avant que nous en venions aux choses sérieuses, aurais-tu quelque objection si je t'envoyais un petit direct de mon poing gauche ? » Et l'autre de répondre : « Vas-y Mohamed, ne te gêne pas, voyons… » Notons tout de même qu'à la fin d'un match les joueurs se serrent rituellement la main par-dessus le filet.

Cette intimité, aussi conventionnelle soit-elle, est particulièrement prononcée à Wimbledon. Au chic All England Lawn Tennis and Croquet Club, les joueurs de haut niveau, la plupart d'anciens champions, partagent un vestiaire séparé de ceux des joueurs de moindre calibre. Cela peut se comparer aux salons VIP que l'on réserve dans les aéroports à ceux qui peuvent se payer la première classe avec les halls encombrés où se bousculent les autres voyageurs. Ces vestiaires comportent des casiers en ébénisterie fine et abritent des récepteurs de télévision en haute définition. Ils ne sont toutefois guère plus spacieux qu'un salon moyen. Bref, si un joueur éternue ou émet un bruit incongru, les autres s'en aperçoivent. C'est là que les joueurs de top niveau se rassemblent lorsqu'ils ne sont pas sur le court. Les lutteurs d'écoles secondaires, les escrimeurs de collèges ou les joueurs de football universitaire ne penseraient jamais partager leur vestiaire avec des adversaires. Pourtant, à Wimbledon, les champions s'habillent en compagnie de leurs homologues qu'ils affronteront l'après-midi même !

Il était donc 13 heures, heure de Greenwich, le 6 juillet 2008, soit 60 minutes avant qu'ils ne règlent leurs comptes dans le 122e tournoi de Wimbledon, au cours du match le plus crucial du tournoi le plus important de l'année, lorsque le Suisse Roger Federer et l'Espagnol Rafael Nadal se sont rencontrés. Federer était assis sur un banc en pin devant son casier, le n° 66, lorsque Nadal fit irruption dans le vestiaire et se dirigea résolument vers son propre casier portant le n° 101, à une douzaine de pas de là. Même si l'un des hommes considérait l'autre comme un intrus – comme une sorte de fiancé qui veut à tout prix voir la mariée dans ses plus beaux atours avant la cérémonie de mariage –, ils se gardèrent de manifester quelque hostilité l'un envers l'autre. Federer eut un sourire taquin comme pour dire :

«J'ai l'impression que nous allons nous mesurer à nouveau…» Il semblait tout simplement génial et nullement menaçant. Nadal, en guise de réponse, fit un signe de tête comme si cela ne lui faisait ni chaud ni froid. Puis chacun se livra à ses occupations, comme s'il s'était trouvé seul dans le vestiaire.

Federer et Nadal représentent la rivalité la plus dynamique, non seulement dans le domaine du tennis, mais dans toutes les disciplines sportives actuelles. Ensemble, ils ont formé comme un pare-feu qui les sépare de tous les autres joueurs. En effet, l'un ou l'autre ont remporté 14 des 16 derniers championnats majeurs. Depuis plus d'un siècle, deux adversaires ne s'étaient pas affrontés simultanément la même année dans les Internationaux de France et le tournoi de Wimbledon. Nadal et Federer l'ont fait trois années de suite. En 2008, le tournoi de Wimbledon a marqué leur 18e rencontre. À ce moment précis, Nadal menait les affrontements directs onze à six, incluant les trois matchs qu'ils avaient disputés cette année-là. Il convient toutefois de préciser que la plupart des matchs furent disputés sur sa surface de prédilection : la terre battue. Quatre dimanches plus tôt, Nadal avait flanqué une déculottée à Federer dans la finale des Internationaux de France, une victoire si radicale (6-1, 6-3, 6-0) et si peu digne de leur rivalité que les deux joueurs s'en retrouvèrent embarrassés. De crainte de froisser Federer, à la suite de ses performances, Nadal évita de se rendre directement au vestiaire. Immédiatement après le match, Federer fit bonne figure en public mais, dans les jours qui suivirent, il qualifia sa défaite de «brutale». L'analyse de Nadal fut plus charitable. Il se contenta de déclarer : «J'ai joué un match quasi parfait et Roger a commis plus d'erreurs que d'habitude…»

Malgré cette brillante performance, Nadal se retrouva confiné à la deuxième place, car Federer trônait au sommet depuis plus de 230 semaines consécutives – un record dans le monde du tennis. Qui plus est, Federer avait battu Nadal au cours des deux précédents tournois de Wimbledon. L'édition 2007 consistait en une rencontre classique en cinq manches. Cette défaite avait déprimé Nadal qui se demandait s'il n'avait pas raté la meilleure occasion de remporter le titre qu'il convoitait le plus.

Au-delà des records, leur rivalité était accentuée par des styles résolument différents sur lesquels les observateurs pourraient discuter des heures durant. La rencontre de Federer avec Nadal représente pour certains l'affrontement typique du droitier contre le gaucher, la technique classique contre la technique ultramoderne, la souplesse du félin contre la charge du taureau, la retenue et la méticulosité de l'Européen aux influences germaniques contre la passion et la fougue ibériques, la puissance tranquille contre la brutalité triomphante et sans excuse. Federer contre Nadal, c'est Zeus contre Hercule, le génie permanent contre la volonté inflexible, la finesse contre la détermination, la métrosexualité contre le machisme musclé, le citoyen du monde multilingue contre le quidam provincial et fier de l'être, le propriétaire de jet privé contre le passager de ces lignes aériennes où vous voyagez en position fœtale, le conducteur d'une Mercedes contre celui d'une Kia.

Les journalistes sportifs qui comparent le raffinement de Federer à l'approche plus rude de Nadal, qu'ils font passer pour un homme de Néanderthal, ne rendent pas justice aux deux champions et ne sont pas exempts de méchanceté. On peut plutôt dire que les deux joueurs sont des artistes issus d'écoles différentes. Federer pourrait être un peintre impressionniste aux touches de couleurs délicates et Nadal un expressionniste abstrait qui applique généreusement ses couleurs en toute liberté.

Même si cinq années les séparent (Federer est né le 8 août 1981 et Nadal le 6 juin 1986), ils se trouvent à faire l'objet d'un certain conflit de générations. Ainsi Federer compte parmi ses amis un gestionnaire de fonds suisse, marié et frisant la quarantaine, alors que les *gran amigos* de Nadal sont des garçons dans la jeune vingtaine, fanatiques de jeux vidéo. Curieusement, les deux champions ont exactement les mêmes mensurations – 1,85 m et 85 kg –, mais toute comparaison s'arrête là. Federer est souple et nerveux, avec des muscles bien dessinés, aux réactions rapides. Nadal, pour sa part, s'il n'avait pas entrepris une carrière aussi brillante au tennis, aurait pu fort bien réussir comme demi dans la Ligue nationale de football américain ou lutteur dans l'Ultimate Fighting Championship – la lutte dite « extrême » ou « ultime ».

Même au vestiaire, où ils passaient le temps ensemble sans fraterniser, alors que la pluie retardait le début de leur troisième rencontre décisive à Wimbledon, les différences entre les deux rivaux apparaissaient nettement. Federer représentait le joueur prêt à prendre part à la finale pour la sixième année consécutive, l'homme qui n'avait pas été battu depuis 2002. Il affichait un calme olympien et, comme le signala plus tard un observateur impartial : « Il avait l'air d'un gars stone… » Assis sur son banc, il faisait des blagues anodines. Après avoir bu son demi-litre de Pepsi et mangé ses pâtes à la *primavera*, il croquait l'une de ses tablettes de chocolat favorites, une Kit-Kat. À sa demande, le club lui en avait mis de côté une bonne quantité dans son casier, ainsi que des bananes, que consomment également les joueurs d'autres catégories. Près du champion, on pouvait voir le capitaine suisse de la Coupe Davis, Séverin Lüthi, faisant office de coach non officiel. Toutefois, ils s'entretenaient de tout autre chose que de tennis. Oublieux des considérations psychologiques sur ce sport, remontant à une bonne décennie, Federer se gardait de pratiquer la visualisation ou tout autre exercice mental du genre. Il ressemblait à une star du rock se reposant en coulisse avant de chanter une chanson qu'il a interprétée un nombre incalculable de fois.

Le soir précédent, dans la maison qu'il avait louée près des courts, dans son lit, Nadal revoyait les deux dernières finales de Wimbledon qui s'étaient soldées par un score décevant et par une défaite cinglante aux mains de Federer. Même s'il essayait d'oublier ces mauvais souvenirs, ceux-ci revenaient le hanter douloureusement. Il écouta de la musique, se leva pour regarder des films, s'endormit finalement à 4 heures du matin pour se réveiller à 9 h 30. Lorsque Nadal se rendit prendre son petit déjeuner, il constata que, pour la première fois du tournoi, il pleuvait. « Nous voilà donc finalement à Wimbledon », remarqua-t-il en plaisantant.

Maintenant, Nadal agitait sauvagement ses bras et pratiquait ses coups de raquette à quelques pieds de la tête de Federer. Il avait tout du guerrier se préparant à la bataille. Il venait tout juste de prendre une douche froide et, avec son système nerveux sympathique en vitesse surmultipliée, il était en mode *Mortal Kombat*. Le cœur battant la chamade, les hormones circulant dans son corps, les pupilles dilatées, il s'étirait, faisait les cent pas, allait faire pipi en s'assurant que son urine était claire et inodore, signe que son corps était suffisamment hydraté. Même en essayant de ménager son énergie, il ne pouvait s'empêcher de jouer avec les bandes qui lui serraient les genoux et qu'il portait pour éviter la tendinite patellaire (du tendon rotulien, qui va de la rotule à l'avant du tibia) qui lui avait joué des tours dans le passé. Comme s'il était affligé de troubles obsessionnels compulsifs ou TOC, il ne cessait de fourrager dans son sac à raquettes, déjà bien rempli. Il se livrait aussi à un autre rituel : il baissait ou relevait ses chaussettes jusqu'à ce qu'elles soient précisément à la même hauteur. Près de là, le tonton-coach du champion, Toni Nadal, lui dispensait des encouragements de circonstance : « "Impossible" n'existe pas ! », « Fais ce que tu as à faire ! », « Les obligations sont les obligations. »

Vers 14 h 15, soit une demi-heure après le début présumé de leur engagement, on prévint Federer et Nadal que le ciel, quoique encore couvert, n'annonçait pas de pluie imminente et que la tente qui protégeait le court central avait été dégonflée et démontée. Les deux athlètes sortirent des vestiaires, empruntèrent un long couloir recouvert de moquette et descendirent les escaliers menant au court. Avec Nadal le distançant de trois mètres, Federer remarqua au mur les photos de Bjorn Borg et de John McEnroe prises à l'occasion du tournoi de Wimbledon en 1980 – une rencontre à partir de laquelle on juge tous les matchs du genre au tennis.

Une fois de plus, on pouvait nettement noter les différences caractérisant les deux gladiateurs. Ayant décidé d'abandonner le blazer crème à parements dorés du genre *Great Gatsby*, qu'il portait sans complexe et enlevait d'un geste noble, Federer avait maintenant revêtu un cardigan crème rehaussé de touches dorées sorti tout droit de *Brideshead Revisited* de Julian Jarrold, un film récemment à l'affiche. Bref, une tenue à l'image d'une certaine idée de l'histoire et du respect du public. Cette veste de tricot se vendait par Nike à la boutique de cadeaux de Wimbledon au prix très surévalué de 260 £. Il faut dire qu'on n'en avait fabriqué que 230 exemplaires, un chiffre symbolique choisi pour correspondre aux 230 semaines consécutives pendant lesquelles Federer avait été le numéro un des grands tennismen.

Nadal, qui préférerait porter une jupe de paille polynésienne plutôt qu'un cardigan à plus de 500 $, avait revêtu un survêtement blanc. Federer avait un classique short de tennis avec ceinture tandis que Nadal portait ses traditionnelles culottes de pêcheur de moules, sans ceinture, lui tombant sous les genoux. Alors que Federer arborait une coupe de cheveux impeccable, Nadal laissait retomber sa tignasse sur son cou au teint olivâtre. Ils portaient tous deux des serre-têtes blancs, des chaussettes et des chaussures Nike de la même couleur.

Juste avant de faire leur apparition sur le court, ils durent se plier à une interview d'avant-match, un exercice énervant qui exige des joueurs de dire à tout prix quelque chose. Ce qu'il est convenu d'appeler les « réseaux hôtes » négocient un tel accès en échange de droits de diffusion télévisuelle faramineux, et les joueurs, qui ne bénéficient pas de la protection syndicale, sont forcés de se soumettre à cette corvée. Les joueurs n'apprécient guère cette intrusion dans leur espace mental et offrent en échange un assortiment de clichés éculés comme : *Ce devrait être un bon match… Celui qui remportera la première manche aura peut-être la clé de la victoire… Je devrais offrir un bon service… Je vais faire de mon mieux et nous verrons ce que ça donnera…*

Pourtant, ces phrases aussi creuses que le fla-fla des designers de mode ou le classique *Je tâcherai de faire mieux la prochaine fois* des sportifs peuvent avoir une certaine signification. Ainsi, lorsque Federer déclare à un commentateur sportif : « Je suis en forme ; ce sera peut-être une dure journée à cause de la pluie et d'un adversaire coriace, mais ce devrait tout de même être intéressant… », il pratique ce que les psychologues du sport appellent une « hygiène mentale négative ». Lorsqu'on pose la même question à Nadal concernant le retard causé par la pluie ou les prévisions météo inquiétantes, il secoue la tête et hausse les épaules, une réaction coutumière. Avec son accent à couper au couteau, il répond doucement : « La pluie, c'est du pareil au même pour nous deux ; donc, pas de problème. J'accepte simplement la météo comme elle vient et me contente de jouer… »

Parmi tous les rituels mineurs qui confèrent au tennis professionnel un charme dont il est facile de se moquer – le silence quasi religieux de la foule, la terminologie désuète, les excuses peu sincères des joueurs lorsqu'ils marquent des coups gagnants en frappant la balle avec le cadre de leur raquette –, voici une particularité intéressante que j'ai remarquée : les joueurs trimballent leur raquette et leur fourre-tout sur le court. Les stars du tennis sont parmi les athlètes les plus reconnus de la planète, riches à millions, entourés d'une cour et prêts à sauter dans un jet privé à la moindre occasion. Toutefois, lorsqu'ils se rendent sur le terrain, ils traînent tous leurs outils avec eux et ont moins l'air de célébrités que de routards à sacs à dos à la recherche d'une auberge de jeunesse à Budapest. Le symbolisme qui sous-tend cette attitude prouve une chose : au moment où les joueurs posent sur le court leurs pieds chaussés de Nike, une marque qui les rétribue à coups de millions pour s'imposer aux foules, ils se retrouvent livrés à eux-mêmes. Dans le tennis, tout est dans l'autonomie.

Pourtant, à la finale de Wimbledon, le rite semble être suspendu. Après avoir traîné leur barda pendant six matchs, les deux derniers joueurs du tirage ont droit au service d'un porteur. Bien qu'il ait avoué se sentir « vide et mal à l'aise », Federer accepta de confier ses affaires à un préposé et de poursuivre son chemin les mains vides. Nadal refusa. Que la tradition aille au diable si elle devait lui donner une impression de vulnérabilité et de se rendre sur le pré pour participer à un duel au pistolet tout en étant désarmé ! Il donna donc son sac mais insista pour garder une de ses raquettes dans sa main gauche. Ce n'est pas qu'il voulait manquer de respect à qui que ce soit, mais il affirme être une créature d'habitudes et ne voulait pas déroger à son « cher et important rituel ».

Dans le complexe sportif, le mot avait couru que le retard occasionné par la pluie était terminé et que le match pourrait enfin commencer. Une quinzaine de milliers de fidèles envahirent le court central, un lieu mythique que l'on a déjà décrit comme étant la « cathédrale du tennis ». La plupart des membres de l'assistance étaient endimanchés : les femmes drapées dans des robes de chez Lily Pulitzer aux tons de bonbons à la gelée ; les hommes dans des tenues bon chic bon genre de style Oxford ou Cambridge, avec leurs chemises signées Paul Smith (il semblait que les rayures verticales eussent été à la mode cette année-là). Mais ce qui laissait entendre que Wimbledon était passé de la garden-party pour la gentry terrienne d'Angleterre à un événement sportif international, c'est qu'en regardant dans les estrades on pouvait voir des turbans et des kippas et entendre bien d'autres langues que l'anglais. Si les foules ressemblent à quelque tableau pointilliste, celle de Wimbledon offre sans contredit un vaste assortiment de couleurs.

John McEnroe s'était coincé dans la cabine de verre de la NBC, directement derrière le court, à quelques pieds de la surface gazonnée. Il devait y passer le reste de l'après-midi et, si nécessaire, de la soirée. Portant un très joli complet gris assorti à sa crinière de la même couleur, Bjorn Borg, « l'homme de glace », était assis au premier rang de la tribune royale, derrière la ligne de fond, parmi différents dignitaires. Étaient également présents d'autres membres du mont Rushmore du tennis mondial. Ressemblant à un trophée humain avec ses cheveux blonds calamistrés, l'ancien champion Boris Becker, « le Lion de Leimen », représentait le réseau Eurosport et la télévision allemande ; Martina Navratilova représentait pour sa part le réseau américain Tennis Channel ; Billie Jean King, qui fit carrière de 1968 à 1983, se pavanait royalement dans les espaces libres, tout comme Manuel Santana, le dernier mâle espagnol à remporter Wimbledon en 1966. (Signalons qu'il s'agissait vraiment d'une autre époque puisque le jour de la finale contre Dennis Ralston, Santana s'était rendu à l'All England Club en métro !) Une rumeur circula selon laquelle Chris Evert, « jeune mariée » dans la cinquantaine, dont la carrière s'étendit de 1972 à 1979, ainsi que son troisième mari, le golfeur australien Greg Norman, étaient censés rehausser l'événement de leur présence ; il ne s'agissait malheureusement que d'une rumeur. On peut dire que maman Tennis prend bien soin de sa progéniture. Les vieux soldats de ce sport ne meurent jamais ; ils refont surface avec des passe-droits et des combines pour bénéficier de spectacles à bon compte.

En tant que vieil habitué de la chorégraphie traditionnelle, Federer se rendit au filet pour le tirage à pile ou face exécuté par un enfant – souffrant généralement d'une maladie chronique – qui joue un petit rôle dans le match afin de déterminer qui sert en premier. À cette occasion, il s'agissait de Blair Manns, un garçon de 13 ans ressemblant à s'y méprendre à Macaulay Culkin, la jeune vedette de *Maman, j'ai raté l'avion*, un jeune de Gloucester souffrant d'une affection respiratoire. Il représentait la Fondation britannique des maladies pulmonaires et, en plus de recevoir un portrait autographié des finalistes, sa famille et lui bénéficiaient de billets de faveur pour le match. Maintenant, Manns et Federer se tenaient près du filet. « Es-tu content d'assister au match d'aujourd'hui ? » demanda Federer à l'enfant. Trop nerveux pour répondre, ce dernier se contenta de faire un signe de tête.

Les deux furent rejoints par l'arbitre de chaise ainsi que par le juge-arbitre du tournoi, Andrew Jarrett. Les quatre personnes attendirent et attendirent encore. Nadal était assis, buvant de l'eau Évian, croquant une tablette énergétique, lissant son survêtement et se livrant à un rituel consistant à prendre simultanément de petites gorgées dans deux bouteilles, dont l'une est moins froide que l'autre, pour ensuite les disposer avec les étiquettes faisant face au côté du court qu'il occupait en premier. Et dire que l'on glose volontiers sur la maniaquerie de Federer ! L'impatience se lisait sur son visage. Pendant ce temps, Federer se balançait et pratiquait ses coups de raquette près du filet. Ce retard affectait certainement son sens très suisse de la ponctualité. Le match avait déjà été retardé par la pluie et les prévisions météo n'étaient guère réjouissantes. Pourquoi Nadal lui faisait-il perdre son temps ? Nadal ne semblait pas partager le même sens de l'opportunité que son adversaire et Federer s'en trouvait contrarié. Selon quelqu'un de l'entourage de Nadal, dans la tribune des joueurs, Mirka Vavrinec, la conjointe de Federer, regardait l'Espagnol en train de lambiner et lâcha: «Mais qu'est-ce qu'il fiche donc, celui-là?»

Après avoir passé une autre minute à s'amuser, Nadal se dirigea vers le filet. Il laissa tomber son survêtement et se présenta dans un maillot en microfibre dont la fonction consistait à absorber son abondante transpiration et à mettre en valeur ses biceps de lutteur de foire. Perturbé, peut-être, par le délai, le jeune Manns lança la pièce de monnaie sans avoir demandé aux joueurs s'ils choisissaient pile ou face. Jarret intercepta la pièce et le garçon la relança. Federer, qui avait pris face, gagna et fut donc le serveur. En réalité, tout cela était sans importance. Il s'agissait de frapper la première balle et, déjà, intentionnellement ou pas, Nadal avait marqué des points sur le plan psychologique.

Puis, les deux champions se plièrent à la photo d'usage et, comme des boxeurs qui heurtent leurs gants avant d'engager les hostilités, ils firent se rencontrer leurs raquettes. Comme Federer prenait discrètement ses distances pour commencer sa période de réchauffement de cinq minutes, Nadal se retourna et s'éloigna du filet vers la ligne de fond à la manière d'un jeune taureau surpris par la lumière de l'arène. (N.B.: L'analogie entre Nadal et un taureau furieux est inévitable et on me la pardonnera. Il cultive lui-même cette image en arborant complaisamment cet animal emblématique sur ses chaussures Nike. Je tâcherai donc en poursuivant de ne pas retomber dans cette imagerie par trop facile.) Il courut légèrement courbé, changea de rythme et jogga le long de la ligne de fond. Nadal refuse d'admettre qu'il s'agit là d'un autre de ses rituels, mais c'est l'une de ses armes psychologiques. Elle revient à dire à son adversaire: «Fais tes provisions, *Hombre*, car tu auras affaire à moi pendant une bonne partie de la journée...»

Même lorsqu'il se réchauffe, Federer est l'image de l'efficacité homogène. Chez lui, nul mouvement inutile et, comme chez tous les grands athlètes, il crée une extraordinaire relation symbiotique entre son corps et son esprit. Tout ce qu'un cerveau imagine se concrétise dans le geste. Visiblement pressé d'engager le match, Federer consulta plusieurs fois la pendule du court. Tout en se tenant à l'intérieur de la ligne de fond, il répéta quelques coups de service. De l'autre côté du filet, Nadal symbolisait l'effort personnifié. Le maillot déjà dégoulinant de sueur, de la main gauche il donnait furieusement des coups qu'il ponctuait de borborygmes et de grognements.

À 14 h 35, heure de Greenwich, la période de réchauffement terminée, Pascal Maria, le grand prêtre de la chaise d'arbitre, lâcha : « Prêts ? Au jeu ! »

Et c'est là que les Athéniens s'atteignirent.

COURT CENTRAL

En 2008, une absence fut particulièrement remarquée à Wimbledon : celle des pigeons qui nichaient dans les poutrelles, les chevrons et autres endroits de la structure du court. Ces columbiformes provoquaient des éclats de rire dans la foule, peu importe le nombre de fois où les spectateurs les avaient vus évoluer. Toutes les anfractuosités du bâtiment constituaient un refuge de choix pour ces oiseaux, sans compter l'herbe et les graines de qualité qu'ils pouvaient trouver en ces lieux. Bref, le court central représentait un habitat naturel pour ces volatiles, qui faisaient pratiquement aussi partie des tournois que les cocktails Pimm's et les tenues blanches des participants.

Seulement voilà, les pigeons distrayaient les joueurs et, comme les organisateurs du All England Club l'expliquaient poliment : « Leurs déjections pouvaient se révéler parfois problématiques... » Le club eut donc recours aux efficaces services de Rufus, une buse de Harris, pour effaroucher les pigeons. Chaque matin, Rufus planait de manière menaçante au-dessus du terrain, et lorsque l'heure était venue de commencer la partie, les envahissants volatiles avaient été se faire voir ailleurs. Cette application fort darwinienne des lois de la nature représentait une métaphore aussi intéressante qu'une autre pour le match qui était sur le point de se dérouler. Le thème de la rencontre tournait autour de l'instinct de prédateur de Nadal contre l'instinct de défenseur du territoire qui anime Roger Federer.

Il est vrai que si l'on tient compte du fait que Federer avait été vainqueur à Wimbledon cinq années de suite, on aurait pu minimiser l'importance de cette rencontre, mais il ne faut pas oublier qu'en fait, durant ce temps, Federer s'était révélé comme une sorte de *propriétaire* des lieux. Mieux, il avait *personnifié* Wimbledon ! Accumulant les trophées, il avait égalisé l'exploit de Bjorn Borg, c'est-à-dire cinq titres consécutifs, le tout avec une telle perfection que Federer était devenu plus important que l'événement. Le gazon accentuait la fluidité de ses mouvements ainsi que ses singulières – pour ne pas dire multiples – capacités : l'interception gracieuse des balles à la volée, son service angulaire, ses coups de raquette créatifs. De plus, le comportement de Federer, réservé, selon une impeccable tradition rendant hommage à un jeu riche en habitudes, en mythes et en folklore. Il n'était pas un de ces primates frappeurs de balles, portant une casquette de baseball retournée pour avoir l'air d'un coureur, les bras constellés de tatouages, portant piercings cheap et bijoux de bazar et prononçant le nom de Wimbledon avec un accent vulgaire. Federer était l'enfant chéri du court et les spectateurs l'appréciaient. Il suscitait la nostalgie d'une époque où l'art de vivre s'effrite graduellement. On avait là un Européen de classe, un styliste qui assumait tous les codes et les formalités du tournoi. Lorsqu'il gagnait, il était si plein de révérence envers le jeu et appréciait tellement ce dernier que son adrénaline lui jouait des tours et qu'il se mettait à pleurer en recevant son trophée. Les fans de Federer appréciaient un tel déploiement d'émotions chez cet homme d'ordinaire si réservé, beaucoup plus en tout cas que pour le précédent prince de Wimbledon, Pete Sampras, le champion aux 64 titres, dont 14 en Grand Chelem et qui fut le numéro un mondial pendant 286 semaines. Malgré ces résultats remarquables, rigoureux mais rigide, Sampras ne sembla pas avoir été perçu par le public comme un joueur aussi brillant, aussi charismatique et aussi élégant que Federer.

Si Wimbledon en est venu à être une sorte de jubilé à sa gloire, Federer était tout aussi populaire dans les autres événements du circuit international de son sport. Il fut en effet classé comme premier joueur de l'ATP – l'Association des professionnels du tennis – en 2004. Il inaugura en fait ce qu'il est convenu d'appeler « l'époque Federer », le régime le plus dominant dans l'histoire du tennis. En quatre ans, il avait remporté 11 des 16 événements majeurs que l'on appelle Grands Chelems, les quatre événements de ce sport. Il remporta la victoire sur tous les continents, sur toutes les surfaces, contre tous les genres de concurrents. On abattit des forêts entières pour relater dans les journaux les statistiques fracassantes annonçant l'avènement d'une nouvelle ère : celle de Federer. Pour se limiter à un exemple, de 2004 à 2007, sa fiche a été de 315 victoires et 24 défaites !

Ce qu'il y a de plus remarquable, c'est que Federer n'avait pas remporté ces victoires à la légère, par sa simple puissance et son habileté, mais de manière esthétique et grâce à sa perspicacité. Son jeu s'appuie sur la précision, la nuance et un immense talent. Pour toutes ses manœuvres modernes, son style s'appuie néanmoins sur des méthodes éprouvées, que ce soit son revers, la prise en main de sa raquette et sa façon de monter au filet. Le tennis est l'un des rares sports où le style se marie à la substance. On emprunte souvent les descriptions du jeu de Federer au domaine des arts : on parle de poésie, de ballet, de peinture de la Renaissance, de symphonie. On le compare à un artiste peintre, à un calligraphe, à un chef d'orchestre, à une sorte de Paganini. On le dit lumineux, phosphorescent, incandescent. Le plumitif sans nuances qui a qualifié le style de Federer comme étant aussi captivant à regarder qu'un film cochon (et en a profité pour qualifier ce jeu de « tennis porno ») voulait sans doute exprimer ses propres goûts et attirances, mais il n'avait pas entièrement tort.

Les titres qui sont obtenus à l'occasion des tournois du Grand Chelem sont les repères de l'excellence au tennis, et Federer commença 2008 avec une douzaine de victoires pour sa carrière, le laissant à deux gains de ce que le recordman de tous les temps, ce pauvre Sampras, avait établi il y a quelques années et qu'il aurait bien du mal à savourer encore longtemps. Federer n'avait jamais remporté les Internationaux de France, qui manquait à son palmarès mais, contrairement à Sampras, il n'était aucunement allergique à la terre battue. Mettez tous ces facteurs dans le mixer et, aux yeux de certaines personnes, moi y compris, Federer était à la limite de se faire décerner le titre de « Greatest of All Times » ou GOAT[1] – c'est-à-dire de plus grand joueur de tous les temps.

Cependant, si en 2008 l'empire Federer n'était pas à la veille de s'effondrer, il n'en accusait pas moins des signes de vieillissement. Une mononucléose avait coûté au champion une vingtaine de jours d'entraînement au cours de la morte saison d'hiver (si on peut appeler « morte saison » les six semaines d'interruption hivernale). Au cours de son premier tournoi de 2008, Federer perdit sa demi-finale de l'Open d'Australie au bénéfice de Novak Djokovic, un jeune Serbe à la coiffure en brosse, satisfait de sa personne et qui, contrairement à plusieurs joueurs de sa génération, ne craint aucunement le champion suisse. Après le match, la mère de Djokovic, Diana, se mit à criailler devant les reporters présents : « Le roi est mort ! Vive le roi ! » Cette affirmation régicide était non seulement d'une absurdité abyssale et complètement dénuée de tact, mais elle ne rendait pas justice à la grâce et au talent de Federer. Toutefois, au fur et à mesure que la saison 2008 s'écoulait, de plus en plus d'observateurs étaient prêts à partager – du moins partiellement – l'avis de cette tonitruante personne.

---

[1] GOAT (chèvre). Moyen mnémotechnique pour se souvenir du qualificatif. (N.d.T.)

Pour compliquer les choses, Federer piétina difficultueusement dans les mois qui suivirent. En mars, il se livra à un match de démonstration contre Sampras dans le vénérable mais délabré Madison Square Garden de New York, un match qui, selon ce que Federer confia à un ami, devait représenter « une halte de un million » entre les tournois de Dubaï (où Federer a un domicile) et de Palm Springs. La soirée fut des plus intéressantes et insuffla aux États-Unis un enthousiasme pour ce sport qui en avait bien besoin. Tous les fanatiques du tennis se précipitèrent au Garden, tout comme le fit le milliardaire Donald Trump, le champion de golf Tiger Woods, l'acteur et réalisateur Luke Wilson ainsi que toute la faune de croqueurs de canapés du petit monde *people*. Tous voulaient voir en action les deux mâles dominants de l'ère Open, où professionnels et amateurs peuvent se mesurer. Il y eut toutefois un tout petit rien : afin de battre Sampras, Federer se rendit au bris d'égalité à la troisième manche, contre un père de famille de 36 ans qui n'avait pas joué de match de tennis dans le circuit depuis 2002. Même si l'issue du match n'avait pas été arrangée, comme c'est souvent le cas dans ce genre de rencontre, on peut dire que Federer ne joua jamais à la hauteur de son niveau habituel.

Au printemps, Federer eut un vilain bouton sur le côté droit du visage. Un peu comme si quelque malotru avait dessiné au marqueur une moustache sur le visage de la Joconde, il était curieux de voir le bel athlète aux prises avec un de ces furoncles hideux qui ruinent les bals des finissants du secondaire. On releva même des questions insidieuses dans les sites de discussion sur Yahoo, des phrases telles que : « Quelqu'un saurait-il de quelle nature est le bouton qui dépare le visage de Federer ? » Même si les petites choses amusent les petites gens, cette imperfection sur l'image de marque du champion était le symbole d'une saison sans lustre. Ce printemps-là, Federer perdit contre des joueurs relativement ordinaires comme Mardy Fish ou Radek Stepanek et contre des adversaires plus aguerris comme les « deux Andy »,

Andy Roddick et Andy Murray et, bien sûr, contre sa bête noire, Nadal. Défaites mises à part, il existait d'autres indications que la muse de Federer l'avait temporairement abandonné. Ce modèle d'équilibre et d'esprit sportif s'était laissé emporter lors d'un tournoi à Hambourg, lorsqu'il envoya violemment une balle hors du court. Lors d'un match contre Djokovic, à Monte-Carlo, Federer fut mis en rage par les commentaires incessants des omniprésents parents de son adversaire, assis derrière la ligne de fond. Après qu'ils eurent protesté avec véhémence pour une question d'appel sur une ligne, Federer se retourna contre les importuns et leur lâcha d'un air dédaigneux : « La paix ! Voulez-vous ? » Toute autre vedette du tennis aurait certainement proféré quelque imprécation plus organique contre ces abrasifs personnages mais, pour Federer, les admonester ainsi revenait à leur dire : « Allez donc vous faire foutre ! »

Sur le plan du talent, Federer essaya de briller lors des Internationaux de France 2008. En finale, il devait affronter Nadal, triple champion de l'épreuve. Le scénario aurait pu se révéler idéal. Si Federer avait pu rassembler toutes ses qualités exceptionnelles de joueur, battre Nadal et envahir un territoire où l'Espagnol était maître, il aurait peut-être remporté la victoire la plus importante de son parcours professionnel. Il aurait atteint ce qu'il est convenu d'appeler le « chelem de carrière » en remportant les quatre titres principaux et, ce faisant, aurait immortalisé son titre de GOAT, de plus grand joueur de tous les temps. Mais ce n'était qu'un rêve et, pourtant, c'était exactement le genre de rêve que bercent les grands de ce sport…

Federer tenta de reprendre pied dans la finale mais ne fit pas d'étincelles. L'esprit rationnel et la conscience dont il fait preuve et qui font de lui un champion si sympathique peuvent parfois le desservir sur le court. En plein milieu du match, il sembla convaincu que ce n'était pas sa journée et qu'il ne pouvait – ou ne voulait – pas s'efforcer de changer d'opinion. Federer hochait la tête, frottait ses épais sourcils et faisait grise mine en se traînant vers sa chaise lors des changements de zone. Il semblait avoir décidé qu'il ne pouvait gagner, qu'il devait en finir au plus vite et sortir de scène par les moyens les plus rapides. Fonctionnant au rythme d'un commissaire-priseur de province, il ne fit que de minces efforts pour frapper les balles, la troisième manche fut expédiée en 27 minutes et le tout s'effondra comme un soufflé que l'on tarde à servir, 6-0. De quoi se voiler la face…

Il faut admettre que Nadal ne donna jamais à Federer la possibilité de se reprendre. Quasi impitoyable dans son exactitude, Nadal frappa chaque fois à coup sûr là où ça faisait mal. Le champion ibère remarqua d'ailleurs que Federer semblait être absent, ce qui n'était pas le cas de son entourage. Avant la fin du match, Toni Nadal, le sacro-saint tonton-coach du fougueux Rafael, donnait des coups de coude à ses voisins dans les tribunes en leur faisant remarquer que les réactions de Federer étaient pour le moins « bizarres ». « Je vais lire les journaux demain pour découvrir ce qui a bien pu lui passer par la tête… déclara Toni après le match. Je n'ai jamais senti chez lui quelque détermination que ce soit. Son visage était fermé, je l'ai bien vu, et il ne lançait aucun message à Rafael. Il n'affichait pas une mentalité de gagnant. Ce n'était pas le Roger que nous connaissions… »

À un certain point, on peut dire que Federer était devenu la victime de ses éblouissantes normes, déjà très élevées. En toute objectivité, il avait déjà réalisé une année fort respectable mais, à cause de sa mononucléose, de son âge (pourtant peu avancé puisqu'il n'avait alors que 27 ans !), ou encore à cause d'une vie qui avait baigné dans l'excellence de ses résultats, ses dernières performances s'étaient révélées, disons, très peu « federeriennes ». Lorsque vous remportez 92 pour cent de vos matchs et que vous arrivez en mi-saison avec un seul titre (le gentillet Open d'Estoril), le contraste vous fouette en plein visage. Selon le mot même de Federer, avec son chapelet de succès, il avait créé un « monstre », sans compter les espoirs que ses victoires avaient suscité.

Même les commentateurs les plus sobres, peu enclins à prononcer prématurément un *De profundis* sur la carrière du Suisse, se montraient d'accord pour dire que le tournoi de Wimbledon 2008 était chargé de signification. Si Federer le remportait une sixième fois, le monde applaudirait. S'il le perdait, peut-être convenait-il de remettre à plus tard le titre de « Plus grand de tous les temps » dont on voulait affubler le champion. Si jamais il se faisait battre par Nadal, cela remettrait en question le titre du numéro un. C'était très simple : après un règne de quatre ans, on verrait l'avènement d'un nouveau souverain dans le merveilleux monde du tennis masculin…

La campagne de Federer sur court de gazon commença sous de bons auspices. La semaine suivant la débâcle des Internationaux de France, il gagna lors d'une partie de rodage pour Wimbledon à Halle, en Allemagne, ce qui fit monter la liste de ses victoires sur gazon à 59 matchs. Lorsqu'il arriva au village de Wimbledon, il s'installa dans une résidence patricienne louée à quelques kilomètres du All England Club, propriété d'une certaine famille Borg – une pure coïncidence d'ailleurs puisqu'il ne s'agissait pas de celle de l'ancien *Iceman* suédois. C'est alors que les nouvelles lugubres commencèrent à suinter. « Fed est-il cuit ? » demanda un tabloïd à scandales londonien. Djokovic, le petit *arriviste*[2], déclara en gloussant que Federer était « vulnérable ». Boris Becker, le triple champion de Wimbledon, pressentait une victoire de Nadal et ne donnait « qu'une petite chance » à Federer. Bjorn Borg, dont le record de cinq titres consécutifs à Wimbledon était pour Federer un objectif à surpasser, voyait non seulement Nadal gagnant, mais plaçait Djokovic devant le

[2] En français dans le texte.

champion suisse. Jouant les Cassandre, Borg annonça même à qui voulait l'entendre qu'il ne serait pas surpris si Federer perdait son titre et était appelé à disparaître dans la brume.

Federer fit face à ces personnes de mauvais augure avec une certaine sérénité. Au cours des rencontres qu'il eut avec les médias, il balaya d'un revers de la main les allusions sinistres des vautours concernant son présumé déclin: «Je n'ai ni lu ni entendu les commentaires que l'on a pu faire sur ma personne», affirma-t-il. Il maquillait la vérité, bien sûr. Lorsqu'on lui demanda ce qu'il pensait des insinuations peu charitables de Borg, Federer grimaça et déclara: «Il a droit à ses opinions et je me moque de ce qu'il peut bien raconter. Dès qu'on lui colle un micro sous le nez, il en profite pour évoquer des choses qui peuvent être positives, mais parfois négatives aussi. Il est comme ça...» Quelques mois plus tard, lorsqu'on lui demanda s'il pensait avoir une petite discussion avec Borg, Federer répondit: «Non, je ne tiens pas à soulever cette question avec lui. Je ne veux surtout pas d'histoires avec celui qui s'estime être le roi personnifié du tennis. Voyons...»

Toute cette veillée mortuaire, lourde de *schadenfreude*, c'est-à-dire de jubilation malveillante, enrageait Federer. Il avait gagné tout ce qui était pratiquement gagnable depuis quatre ans, pris les mesures qui s'imposaient et raflé tous les honneurs du métier. Comment quelques mois décevants pouvaient-ils lui attirer tant de commentaires perfides? Sa feuille de route passée n'avait-elle aucune signification? «En toute honnêteté, j'ai constaté combien ces remarques pouvaient êtres cinglantes, expliqua-t-il. J'entendais des choses comme "Dorénavant, il ne gagnera plus rien..." On a beau essayer de se dire que ce n'est pas important, qu'il ne faut pas se laisser influencer par ces médisances, c'est très dur...»

Il se trouvait dans une position de perdant. S'il se défendait des critiques, essayait de minimiser sa récente défaite et se déclarait le grand favori de Wimbledon, il risquait de passer pour un présomptueux ou, pire, un manipulateur. S'il ripostait et faisait remarquer l'hypocrisie putride qui animait certaines personnes – chez Borg, peut-être ? – qui bavassaient qu'un grand tennisman pouvait abandonner le sport après quelques défaites, il risquait de se retrouver diminué par suite de ce genre d'agression gratuite. Surprise : ce furent certains adversaires qui prirent la défense du champion et représentèrent la voix de la raison. Ainsi, lorsqu'on demanda à Nadal s'il pensait que Federer était, selon l'expression consacrée, « vulnérable », le bouillant Espagnol roula des yeux et répondit d'un ton ironique : « Bien sûr, terriblement… Imaginez-vous, la semaine dernière, il n'a pas perdu une seule partie. Et n'oubliez pas qu'il a remporté 59 matchs sans être défait… Allez demander ça à d'autres… »

Entouré d'une cour de plus en plus importante, Federer passait son temps libre au manoir qu'il avait loué. Il visita le zoo de Londres, magasina, fréquenta quelques restaurants branchés mais, contrairement aux années précédentes, il passa le moins de temps possible au All England Club. Un peu avant le début du tournoi, alors que Federer tentait de quitter le court le plus discrètement possible, un couple de badauds le coinça et insista pour être pris en photo avec lui. Il grommela : « Je souhaiterais pouvoir me dédoubler… » mais, fidèle à lui-même, il laissa tomber son sac, enlaça de ses bras les épaules des casse-pieds, esquissa un sourire et posa le plus simplement du monde.

Il y avait Nadal, bien sûr. Après avoir remporté ses quatre matchs consécutifs lors des Internationaux de France à Paris, il ne s'attarda pas dans cette ville. C'était comme s'il avait lavé dans les douches la terre battue adhérant à son corps et ses souvenirs avec. Ce dimanche soir, son entourage et lui prirent un dîner frugal et il se retrouva sur le gazon. Malgré sa vaste expérience, ainsi que ses multiples succès sur terre battue, Nadal berçait toujours l'espoir de gagner sur le gazon de Wimbledon.

Il avait frôlé cette occasion en 2007. Rendu à son stade d'excellence et Federer ayant, semble-t-il, pris du plomb dans l'aile, le Taureau de Manacor se dit que son heure était peut-être venue. Cela pouvait sembler superflu, mais il avait une autre motivation. S'il gagnait, cela lui permettrait de sortir de son état de deuxième champion mondial, rang qu'il occupait depuis trois années consécutives. Il n'aurait plus à se contenter d'être bon second, prisonnier sous le plafond de verre de Federer.

Lorsque Nadal avait défendu son titre aux Internationaux de France en 2006, il devait ensuite disputer les championnats du Queen's Club de Londres, une mise en pratique sur gazon qui commençait le jour suivant les finales de Roland-Garros. Craignant que Nadal ne soit trop fatigué et qu'il ne prenne une semaine de congé, le directeur des tournois du Queen's Club offrit à l'Espagnol de le transporter de Paris à Londres en hélicoptère. Nadal, qui n'avait jamais pensé disputer de match au Queen's, trouva que l'idée était brillante. Ce ne fut pas l'avis de tonton-coach Toni qui avait déjà réservé des billets sur l'Eurostar, le train à grande vitesse qui emprunte le tunnel sous la Manche. « Pas question de gaspiller de l'argent avec ça... » déclara Toni qui refusa l'hélico et choisit le train, comme tout le monde.

Pour Nadal et son équipe, l'Eurostar devait devenir une sorte de rituel. Le jour qui suivit sa quatrième victoire à Roland-Garros, Nadal se fraya un passage parmi les autres voyageurs à la Gare du Nord. Il posa pour quelques photos et signa des autographes ; à part cela, il était comme n'importe quel commerçant se rendant pour affaires à Londres. Après avoir passé deux heures à bord du train, fait une sieste et joué aux cartes, il parvint à la gare de King's Cross St. Pancras en ayant surmonté sa peur de voyager sous l'eau.

Au début de l'après-midi, moins de 24 heures après avoir remporté le titre le plus estimé sur terre battue, Nadal s'entraîna pendant plus de deux heures sur gazon, modifiant son jeu de pieds, pratiquant des retours plus rapides, abaissant ses coups, coupant ses revers, guidant sa balle pour qu'elle demeure près du sol. Alors qu'il ajustait ainsi son jeu, Nadal indiquait que son objectif de remporter Wimbledon ne constituait pas quelque vain propos ou n'était pas le résultat des déclarations fantaisistes d'un agent. Le jour suivant, afin de souligner la rapide transformation que Nadal devait faire pour passer au gazon, un tabloïd crut faire de l'esprit en titrant: « Nadal, tu ne m'aimeras pas quand je deviendrai vert! »

Les joueurs ont coutume de dire que les courts du Queen's Club ont une surface plus rapide que le gazon de Wimbledon. De ce fait, ces terrains rendaient la transition de Nadal plus impressionnante que jamais. En cinq jours, Nadal y battit cinq adversaires, y compris certains des meilleurs spécialistes du gazon. Contre Ivo Karlović, un géant croate de 2,08 m dont le service semble fonctionner aussi bien verticalement qu'horizontalement, Nadal se surpassa dans les bris d'égalité et remporta une victoire de 6-7, 7-6, 7-6. Contre Roddick, dit « A-Rod », le plus rapide serveur du tennis professionnel, Nadal fit preuve d'opportunisme et remporta les manches l'une après l'autre. Trahissant une émotion qu'il ne manifestait pas plus tôt dans la semaine, hyper motivé, Nadal balaya Djokovic en finale. Cette victoire était le 28e titre de sa carrière et le second en sept jours. Il devenait le premier Espagnol à remporter un match sur gazon en 36 ans. Bref, une semaine idéale. Ces réussites préparaient agréablement ses rencontres sur ce genre de surface, renforçaient sa confiance en soi tout en mettant les autres joueurs sur leurs gardes. Incidemment, il avait empoché 150 000 $ cette semaine-là. Il quitta ensuite l'Angleterre pour Majorque, où il devait passer quelques jours à pêcher le thon sur la Méditerranée avec son père.

Pour respecter la tradition selon laquelle le champion défendant de son titre joue le premier match sur le court central,

Federer inaugura le tournoi de Wimbledon 2008 le premier lundi après-midi. Le court qui, pour les héros du tennis, est ce qui ressemble le plus au Jardin élyséen de la mythologie grecque, avait un nouveau look cette année-là, notamment des fermes de toit de 70 tonnes et une armature ressemblant à une navette spatiale ressortant du sommet de la structure et faisant partie du toit translucide et rétractable qui devait recouvrir le court central en 2009.

Federer avait également changé d'apparence. Il étrennait son fameux cardigan, un étui à raquettes sur une épaule et une sorte de sac à main de cuir blanc en bandoulière sur l'autre.

Comme premier adversaire de Federer, le tirage avait désigné Dominik Hrbaty, un Slovaque aguerri et le type de concurrent que Federer affectionnait particulièrement. Contrairement aux grandes vedettes sportives – on pense à Tiger Woods, par exemple – qui tentent autant que possible d'éviter de frayer avec leurs homologues moins célèbres, Federer se montre également un monarque, mais un monarque bienveillant, une sorte de despote éclairé qui conserve de chaleureuses relations avec ses concurrents-sujets. Hrbaty est un vieil ami, un partenaire occasionnel en double et un admirateur sans complexe du Suisse. Même s'il a battu ce dernier dans le passé, Hrbaty se rendit sur le court sans l'espoir d'avoir raison de son héros.

Dans des conditions idéales, par un temps exempt d'humidité ou de grosses chaleurs, il fallut à Federer moins d'une heure pour remporter les deux premières manches. Se traînant 5-2 dans la troisième manche, pendant les quelques instants de repos, Hrbaty s'assit près de Federer. «J'ai regardé près de moi et je l'ai vu, raconte ce dernier. Il m'a demandé si j'avais objection à ce qu'il me tienne compagnie. Je lui ai répondu que non et que, de toute façon, le siège était libre.» C'est ainsi que les deux adversaires devisèrent aimablement au soleil pendant les quelque 90 secondes que dura le changement de zone. Cette scène illustre à merveille la grande époque Federer, celle où la compétition n'était pas exempte de camaraderie et d'amitié. Lorsque l'arbitre fit signe aux joueurs, Federer ramassa ses affaires et se leva pour servir avec une inébranlable équanimité.

Le jour suivant, Nadal inaugura son propre Wimbledon 2008 en jouant contre Andreas Beck, un Allemand de 22 ans qui avait réussi à se faufiler dans la cour des grands pour malheureusement se retrouver face à de grandes pointures à la suite du tirage. Il ne faut pas se leurrer : Beck est pétri de talent et se classe parmi les 125 meilleurs joueurs de la planète pour se retrouver le 0,00000002 centile dans le classement par pourcentage. Hélas ! Nadal se trouve dans une tranche de quelques décimales encore plus élevées que lui. Une heure après avoir perdu très honorablement au profit de Nadal dans une suite de manches consécutives, Beck ne se décourageait pas. Secouant la tête, il commenta l'événement en ces termes : « C'est incroyable. Il ne se contente pas de jouer. Je pensais constamment : "Mais que fait-il au juste ce gars-là ?" » Beck entretenait-il un quelque fallacieux espoir de vaincre Nadal lorsqu'il avait été le serveur dans la première manche ? « Non, je savais d'avance que je n'avais aucune chance contre Nadal… » commenta-t-il.

Un vieux proverbe wimbledonien veut que si vous ne pouvez pas remporter le tournoi la première semaine, vous ne pouvez que le perdre par la suite. Pas plus Federer que Nadal n'avaient l'intention de s'incliner. Federer retourna au court central pour son second match. La section de sièges qui lui étaient réservés derrière la ligne de fond était peuplée de personnages des plus éclectiques : d'abord son agent, Tony Godsick ; sa mère, Lynette Federer ; sa conjointe de longue date, Mirka Vavrinec, étaient assis près de la rédactrice en chef du magazine *Vogue*. On pouvait également voir la chanteuse pop Gwen Stefani, très enceinte, et son mari Gavin Rossdale, qui fut le grand manitou du groupe de rock britannique Bush. De par sa constitution, ce groupe semblait sorti du quiz humoristique *Hollywood Squares*.

Stefani et Rossdale – un fanatique du tennis – sont devenus amis avec Federer et Mirka et assistent régulièrement aux compétitions. Lorsque Federer passa quelque temps dans le sud de la Californie en 2007, avant le tournoi d'Indian Wells, où il fut battu par Guillermo Cañas, il logea chez ce couple de musiciens. Au cours de cette visite, Federer s'entraîna avec Pete Sampras à Los Angeles, un événement qui non seulement alimenta le moulin à nouvelles de la presse consacrée au tennis mais solidifia leur amitié. Pour la première partie, ils s'entraînèrent sur le court de la propriété du couple Stefani-Rossdale. Sampras apprécia peu les curieux qui s'agglutinaient autour du court et fut surpris lorsque Federer, en homme accommodant, se paya une autre session avec Rossdale dans l'après-midi. Sampras exigea ensuite que la deuxième session d'entraînement se déroule dans le court de sa propriété de Beverly Hills. « Ce sera plus privé », expliqua le joueur américain. Federer arriva au moment prévu, accompagné de Rossdale qui regarda les deux meilleurs joueurs de l'ère Open se mesurer. « Nous n'avons pas mis de gants cette journée-là… » expliqua Sampras.

Comme le savent les lecteurs des magazines à potins, Anna Wintour est la rédactrice en chef du magazine *Vogue*. Ce personnage excentrique et controversé sera toujours associé à la grincheuse et irascible patronne décrite dans le livre et le film intitulé *Le diable s'habille en Prada*. Elle a rencontré Federer à New York voilà plusieurs années et ils sont devenus bons amis. De plus, elle est une admiratrice fanatique du champion avec, comme résultat, que Federer a eu l'occasion d'apparaître dans *Vogue* plus de fois que n'importe quel athlète. D'ailleurs, cette dictatrice de la mode américaine est connue pour avoir fait parvenir à Federer plusieurs tenues et costumes dans les hôtels où il séjournait sous le prétexte qu'elle les avait choisis et avait décidé que le joueur aurait fière allure dans ces vêtements. Même si la presse *people* s'est gardée de faire des allusions de nature libidineuse, ses journalistes ont noté que ces deux-là dînaient souvent ensemble dans des restaurants new-yorkais et que la femme assistait avec une admiration fébrile aux matchs aux quatre coins du monde. Lorsque Federer affronta Sampras lors d'un match de démonstration qui se déroula en mars, *Vogue* commandita l'événement et Anna Wintour, avec sa coupe de cheveux au bol, qui est sa marque de commerce, affublée d'une paire de lunettes de soleil gigantesques, était au premier rang.

Les « coulisses » de Wimbledon, dans l'édifice Millenium (un nom d'une originalité parfaitement nulle), ressemblent à un bateau de croisière à plusieurs ponts. La salle réservée aux interviews ainsi que la salle de presse sont au premier étage et sont surmontées d'un patio. Avant le deuxième match de Federer, un journaliste aborda Anne Wintour sur le patio et lui demanda s'il pouvait lui poser quelques questions sur Federer. « Sur un plan officiel ou sur un plan strictement confidentiel ? » demanda la dame. « Euh… de préférence sur un plan officiel… » répondit le professionnel déboussolé. Prenant une pose de tragédienne classique, elle déclara : « Je dirai que Roger est brillant ! » Sur cette réponse éclairante, elle se retourna et s'esquiva. Certains athlètes attirent les groupies à la vertu douteuse, mais il semble que Roger Federer attire plutôt des quinquagénaires sur le retour d'âge qui lui font parvenir de jolies vestes de sport dernier cri pour qu'il les endosse.

Federer dut ensuite affronter Robin Söderling, un Suédois puissant mais imprévisible, qui devait se classer 25e joueur mondial en 2009. Avec ses cheveux en brosse et ses petits yeux profondément enfoncés dans leurs orbites, il avait l'air d'un batteur halluciné dans un orchestre *Heavy Metal* scandinave. En 2007 à Wimbledon, Söderling tint tête à Nadal pendant cinq manches. Il en profita pour rire de l'Espagnol en se moquant de ses manies et de son tempo, trop lents à son avis. Nadal n'apprécia guère le sens de l'humour du furieux Viking. Il laissa entendre que ce dernier était un malappris et que de toute façon il pouvait aller chez le diable. Lorsqu'on lui demanda ce qu'il pensait du geste irrespectueux de Söderling, Nadal répondit qu'il n'en avait pas fini avec cet adversaire…

Söderling, qui s'était montré impertinent envers Nadal, fit néanmoins preuve de respect envers Federer. De toute façon, les attaques du guerrier nordique ne firent pas le poids devant le Suisse. Dès la deuxième manche, il n'était plus question de savoir qui perdrait, mais de la façon et de l'heure où le Suédois mordrait la poussière. À un moment donné, un journaliste de la tribune de la presse se tourna vers Simon Barnes, un vénérable chroniqueur travaillant pour le *Times* de Londres, et lui demanda si Federer pourrait un jour se lasser de jouer au tennis. Barnes répliqua : « Lorsqu'il était à Arles, Van Gogh était-il las de peindre ? »

Les dieux du tableau d'affichage continuaient à sourire à Federer lorsqu'ils lui donnèrent à affronter Marc Gicquel, un champion de France interclubs. Lorsque Federer sortit du vestiaire des V.I.P. et qu'il atteint le bord du court, Gicquel l'attendait déjà. « Ça va ? » lui demanda Federer en français. Il faut dire que le champion suisse est quadrilingue et qu'il lui semble tout naturel de demander à un adversaire comment il va dans sa propre langue, lorsqu'il la connaît très bien[3].

Gicquel n'avait ni le temps ni l'envie de s'étendre sur sa santé, mais il apprécia le salut de son rival, d'autant plus que

---

[3] Le français étant l'une des langues officielles de la Confédération suisse, Federer peut être considéré comme francophone. On s'étonne toujours d'entendre nombre de commentateurs sportifs prononcer son nom *Roddgeure Feudeuraeure* ou avec tout autre accent étranger du genre. (N.d.T.)

les choses allaient bien pour le Français. Ce match de troisième tour représentait un sommet dans sa carrière. Sportif sérieux, travaillant en artisan, dans le début de la trentaine, Gicquel n'avait jamais remporté de titre professionnel mondial et n'en remporterait probablement jamais. Il reconnaissait cependant qu'affronter un champion sur le court central de Wimbledon serait déjà très honorable pour un joueur breton formé à l'Amicale de tennis de Ploufragan (Côtes d'Armor). Le soir précédent, sa femme avait laissé leur fils de 18 mois à Paris et pris l'Eurostar pour venir encourager son époux. Après avoir fréquenté l'université, Gicquel ne lança sa carrière qu'à l'âge de 24 ans, un âge où beaucoup d'autres sont bons pour accrocher leur raquette. Il passa cinq ans à faire des tournois de challengeurs, l'équivalent des Ligues mineures au baseball. Ces circuits expriment l'une des plus grandes tragédies du tennis. En effet, les fanatiques ébahis ne remarquent que la gloire et les gras magots qu'empochent les vedettes du tennis. Ainsi Federer a récemment dépassé les 40 millions de dollars en prix et gagne beaucoup plus encore grâce à ses commandites, ses bonus et les petits cadeaux qu'il reçoit lorsqu'il fait de brèves apparitions en public. Quant à Nadal, grâce à ses prix et à ce qu'il reçoit de ses commanditaires, il ratisse plus de 20 millions de dollars par année !

Sous ces véritables nababs du sport s'agite un prolétariat heureux de vivre d'un chèque à l'autre, une classe de joueurs besogneux, confinée aux événements mineurs ou régionaux, quand on ne les appelle pas, peu charitablement, « circuits de cambrousse ». Ces joueurs se débattent comme des diables dans l'eau bénite pour remporter des parties qui leur permettront éventuellement de participer à des tirages au sort de l'ATP leur permettant d'aller plus haut.

Hors du cercle des 150 premiers au classement, le tennis peut se révéler ingrat. Les aspirants qui participent à des challenges locaux peuvent se retrouver dans des hameaux européens, des villages paraguayens perdus ou encore dans l'arrière-pays de l'Amérique profonde. Les prix qu'ils reçoivent sont dérisoires et les joueurs font des économies en couchant chez l'habitant à trois par chambre ou encore dans des hôtels de bas de gamme. Ils cordent leurs propres raquettes et se nourrissent souvent de ce qu'ils peuvent glaner dans les buffets offerts par les braves gens. Ce qui est triste, c'est qu'on ne peut rêver de pires conditions pour de jeunes athlètes, souvent très prometteurs.

Revenons au cas de Gicquel, qui n'a jamais été soumis à des conditions aussi extrêmes. Passé pro en 1999, il a disputé une suite de tournois « Future » en France. En 2006, il se rendit jusqu'à Kyoto où il perdit au premier tour et ne récolta que 260 $ pour sa journée. Ce robuste Breton de 1,75 m, qui pèse 75 kg, a un jeu de pieds qui, sans être faible, n'est pas non plus d'une puissance exceptionnelle. Il a cependant accompli bien des progrès depuis 2006 et a échappé au purgatoire des challengeurs faisant du porte à porte pour atteindre le seuil des 150 premiers, là où il est possible de vivre de son sport. Il a acheté un appartement à Paris près du complexe de Roland-Garros, a épongé ses dettes et est devenu père. « Finalement, je me sens enfin devenu un vrai pro[4]... » dit-il.

En débarquant à Wimbledon, Gicquel se classait huitième dans le contingent français. Il faut préciser que la France produit un nombre bien plus important de joueurs intéressants que les autres pays. Le Breton frappait ses balles avec constance et était près de se classer parmi les 50 premiers. Lors

[4] Gicquel est loin d'être un cas social. En 2009, on calculait que ses gains s'élevaient à plus de un million et demi de dollars en carrière, somme relativement modeste lorsqu'on la répartit sur plusieurs années dans un pays où le coût de la vie est très élevé. (N.d.T.)

de son premier match à Wimbledon en 2008, la fortune lui sourit. Il fit un bond en avant lorsque son adversaire, Kei Nishikori, un adolescent prometteur venu du pays du soleil levant, fut forcé d'abandonner par suite du claquage d'un muscle abdominal. Gicquel avait évité là un point de match et survécut aux attaques d'un Serbe en cinq manches au deuxième tour. Tels sont les hasards des premiers tours pour ceux qui ne sont pas au sommet du panthéon des tennismen : quelques coups chanceux peuvent séparer une promotion au troisième tour d'une défaite au premier tour. Tandis que ses jambes d'homme de 31 ans accusaient déjà la fatigue, Gicquel fut néanmoins heureux de jouer contre Federer. Il opposa assez peu de résistance au champion mais apprécia énormément son après-midi. Il fit un clin d'œil à sa femme en quittant le court. Après tout, il avait quand même empoché 55 000 $ pour sa semaine.

Le jour suivant le match Federer-Gicquel, que le Suisse remporta 6-3, 6-3, 6-1 en 81 minutes, le *Daily Mail* y alla d'une manchette mesquine : « Fed Express se fait ralentir… », allusion vaseuse au grand service de courrier Federal Express, dont les trois premières lettres sont également celles du nom de Federer. Abondant dans le même sens, le *Sunday Express* écrivit : « Roger n'est pas invincible. » Entre-temps, Pat Cash, un Australien sans âge qui ne semble pas avoir vieilli depuis ses victoires dans les simples de Wimbledon en 1987, se permit de prévoir que Federer, quintuple champion – un simple détail ! –, était mûr pour la casse… On ne se surprendra pas que Federer voulut fuir cette atmosphère défaitiste pour se réfugier dans la maison qu'il avait louée, un endroit à l'abri des jérémiades quant à sa défaite prétendument inévitable.

Si Federer ne représentait qu'un chiffre à Wimbledon, Nadal semblait avoir le don d'ubiquité. Il traînait au All England Club après ses matchs, poussait un chariot à l'épicerie Tesco, dans le village de Wimbledon, déjeunait en plein air en regardant passer les badauds. Le logement que louait Nadal – bien plus modeste que celui de son adversaire – était situé sur Newstead Way, à une centaine de mètres du club, et il ne cachait aucunement son lieu de résidence. Si l'on pensait que le drapeau espagnol suspendu à la charpente du bâtiment n'en disait pas suffisamment sur la nationalité de l'occupant de ces lieux, les hurlements que l'on pouvait entendre à l'intérieur, surtout lorsque l'Espagne participait à l'Euro 2008 de soccer, constituaient une bonne indication de son identité. Nadal regarda les films *Rocky* et *Terminator* sur DVD ainsi que des vidéos sur les buts les plus spectaculaires de l'histoire du soccer. Il passait également de longues heures devant sa PlayStation. Il lut le livre *Le Garçon en pyjama rayé* de John Boyne, un roman sur le fils d'un officier nazi dans un camp de la mort. Un ami de Nadal appela son logement « le camp Rafa ». Au cours des années passées, Nadal invitait souvent les journalistes à s'arrêter chez lui. Il ne faut pas se surprendre lorsqu'on constate que si Federer est la coqueluche des adultes, les jeunes préfèrent Nadal.

La plupart du temps, Nadal ramassait simplement son sac et marchait vers les courts. Plusieurs détenteurs de billets furent surpris, en déambulant sur Somerset Road, de cheminer en compagnie du deuxième champion mondial. Ceux qui ne pouvaient voir Nadal en personne pouvaient tout de même suivre ses évolutions quotidiennes. En échange d'un modeste don à la fondation philanthropique du champion espagnol, les gens pouvaient lire le *Times* de Londres qui imprimait le blog quotidien du joueur qui y expliquait, par exemple, comment il s'était rendu faire son marché à Wimbledon, avait fait cuire des pâtes accompagnées de grosses crevettes, d'oignons et de beignets au crabe. « Pas mal, croyez-moi, expliquait le jeune joueur. Après, de toute façon, j'irai me coucher et finir de regarder le film *Le Parrain*. »

Il existe une autre tradition désuète à Wimbledon : on ne joue pas le dimanche au milieu du mois. Les autres organisateurs de Grands Chelems espèrent imiter les olympiques et prolonger les tournois sur trois week-ends de manière à maximaliser les revenus télévisuels et à vendre plus de billets. Pour son plus grand détriment financier, Wimbledon a adopté l'approche contraire. Citant l'Histoire avec un grand H et « par respect pour ses voisins », le All England Club a décidé qu'il n'y aurait pas de match le dimanche au milieu du mois. Ce jour-là, les grilles noires sont donc fermées au public et les courts recouverts de bâches. Le bruit le plus fort que l'on puisse entendre dans le complexe est celui des cloches de l'église St. Mary, en haut de la route. L'absence de jeu lors de ces dimanches particuliers peut être problématique lorsque la pluie perturbe le programme des rencontres. « Vous vous retrouvez à perdre une journée entière sans jouer et cela occasionne des ennuis », protesta Nadal à juste titre. Il faut dire que, l'année précédente, il avait pâti de cette situation lorsque le temps inclément l'avait forcé à jouer pendant six jours consécutifs. Malgré cela, ce dimanche de congé semble être une bénédiction pour certaines personnes qui trouvent rassurant de savoir que, malgré les impératifs de rentabilité du complexe sportif, la tradition peut encore faire un pied de nez au mercantilisme.

À 14 heures, le fameux dimanche de congé, Federer arriva sur les lieux sous un ciel couvert. Même les jours de relâche, il demeure l'homme en blanc : son cardigan, ses pantalons de survêtement sont de cette couleur, même la Rolex en argent qu'il doit arborer moyennant finances. Il avait réservé une session au court d'entraînement d'Aorangi Terrace, derrière le court n° 1, avec Yves Allegro, un vieil ami. Ce Suisse approchant la trentaine, spécialiste du double, n'était plus dans les tournois mais jouait un rôle équivalent à un homme de confiance dans l'administration Federer.

Ce genre d'arrangement est courant dans les sports. Les joueurs de top niveau n'aiment guère frayer avec des adversaires potentiels. Lorsqu'ils s'entraînent ou recherchent quelque compagnie pour aller au restaurant, ils préfèrent tisser des liens avec des collègues qui ne peuvent pas leur faire de l'ombre. C'est ainsi que le meilleur ami de Michael Jordan n'est pas une vedette de basketball mais un tâcheron du milieu, Rod Higgins. Andre Agassi avait pour ami un joueur arménien peu connu, Sargis Sargsian. Nadal fréquente volontiers un joueur espagnol, Bartolome Salva-Vidal, dont la carrière culmine au 683e rang. Federer a donc Allegro et s'en porte bien. En retour de leur loyauté et de leur amitié, ces hommes dans l'ombre, ces faire-valoir, sont très généreusement récompensés. Ainsi Higgins est-il devenu directeur général des Bobcats de Charlotte, la franchise de la NBA dont Jordan est propriétaire. On sait qu'Agassi n'a accepté de participer à certaines rencontres qu'à la condition que l'on procure une *wild card*[5] à Sargsian. Dans le cas d'Allegro, Federer joue parfois en double avec lui, ce qui garnit les poches de ce joueur et lui procure une certaine exposition. Allegro bénéficie donc de la notoriété de la vedette. De plus, Federer l'autorise à monter dans son avion privé, un moyen de transport inconnu des joueurs en double qui se classent au 32e rang. Il y a aussi cette anecdote : le père d'Allegro exploite un club de tennis à Grône, une petite ville suisse au pied des Alpes. Voilà plusieurs années, le club éprouva des difficultés financières. Federer conclut un arrangement avec la direction pour y donner un match de démonstration avec Allegro. Des milliers de fans se bousculèrent pour accourir en ces lieux et, alléluia ! le club se trouva renfloué…

---

[5] Invitation accordée à des joueurs pour participer à un tournoi. Lorsque des cases libres sont aménagées dans le tableau de qualifications, ils peuvent y être directement admis. C'est ainsi que des joueurs de seconde zone peuvent déroger à l'ordre imposé par l'ATP et par la WTA, des passe-droits provoquant bien des controverses. (N.d.T.)

Ayant comme observateur Séverin Lüthi, le capitaine suisse de la Coupe Davis, nonchalamment appuyé contre la clôture arrière, Federer et Allegro se renvoyèrent la balle sur le court n° 5. Vu qu'ils utilisaient diverses raquettes cordées chacune d'une manière différente, chacune d'elles émettait un bruit particulier au contact de la balle, comme le clic-clac d'un métronome. En regardant Federer s'exercer ainsi, pratiquement sans effort, décontracté, personne ne réalisait qu'il rempilait pour une sixième saison à Wimbledon. Tout en s'amusant (en attrapant par exemple la balle en plein vol sur les cordes, en donnant un coup droit avec le manche de sa raquette, en y allant d'un service lifté atterrissant dans le coin de la zone de service, en donnant un coup à gauche pour envoyer la balle rebondir sur la clôture de côté), il donna une idée de son prodigieux talent.

Après une heure de pratique, son tee-shirt détrempé, Federer déclara forfait. Il serra la main d'Allegro et tous deux s'assirent sur leur sac pour discuter. Lorsque Federer se leva pour s'en aller, un joueur qui s'entraînait sur le court adjacent l'approcha. Il s'agissait d'Andre Sa, un Brésilien dégingandé à la tignasse bouclée. Pas maladroit, le *señor* Sa : 383e au classement de l'ATP, il avait réussi à atteindre les quarts de finale de Wimbledon. Timidement, il demanda à être photographié avec Federer. Il tenait à avoir un souvenir de sa rencontre avec le plus grand joueur de tous les temps et ne savait pas quand il en aurait de nouveau l'occasion.

Selon le tableau du tournoi, Nadal devait s'entraîner plus tard cet après-midi là mais, au moment prévu, le court qui lui était réservé demeura vacant. Un porte-parole du club expliqua à un reporter insistant que Nadal s'était présenté des heures plus tôt avec son agent Carlos Costa. Avec sa tête rappelant celle d'un oiseau, Costa est un ancien joueur Espagnol qui a atteint un honorable 10e rang à son époque. Cet Ibère typique de sa génération n'a malheureusement jamais dépassé les deuxièmes tours à Wimbledon, mais constitue un compagnon d'entraînement idéal pour Nadal. Le porte-parole du club confia enfin : « Si vous étiez venu les voir jouer, vous n'auriez pas vu beaucoup de tennis, sinon de la rigolade. Ils poussaient la balle à la manière d'un ballon de foot et autres folies semblables. Puis ils sont partis, sans doute pour aller regarder à la télé comment l'Espagne se débrouillait dans l'Euro 2008… »

Lorsque le tournoi commença, Federer et Nadal étaient aux antipodes du tirage au sort et, comme deux aimants, ne pouvaient que s'attirer. Dès le quatrième tour, lorsque 112 des 128 concurrents eurent été vannés, leur face à face devenait inévitable. Celui qui semblait le plus menaçant pour Federer, Novak Djokovic, le Serbe à la hurlante famille, sembla « vulnérable » – un terme usé que l'on avait déjà employé contre le Suisse… Le sort de Djokovic fut scellé au deuxième tour par Marat Safin, un Russe surnommé « Le Tsar ». À mi-chemin, le plus redoutable ennemi de Nadal, Andy Roddick, mordit également la poussière dans le deuxième tour.

Federer joua au quatrième tour du tournoi contre Lleyton Hewitt, le dernier homme à remporter Wimbledon avant Federer. Le jeu de Hewitt n'avait rien d'artistique comme celui du champion suisse, ni de puissant comme celui de Roddick, ni de violent comme celui de Nadal, mais cela importait peu. On était en présence d'un bel athlète au jeu de pieds rapide, ripostant avec un talent certain. La chose que l'on pouvait reconnaître chez lui était le cœur au ventre, les tripes et toute autre analogie anatomique que la bienséance nous évitera de citer.

Si Federer est l'homme des eaux étales, du silence et de l'amitié universelle, le *modus vivendi* de Hewitt est aux antipodes de l'équanimité federerienne. Les situations conflictuelles sont, pour cet Australien, le carburant de la vie et la compétition est pour lui une sorte de combat de rue. Poussé au crime par des parents vociférateurs, Hewitt s'est déjà battu avec des journalistes, le personnel de l'ATP, d'autres joueurs, des organisateurs, les gens de Tennis Australia, la gravitation universelle, la Terre, les autres planètes, bref, le monde entier… Fiancé à Kim Clijsters, une fort aimable joueuse de tennis belge qui se classa à une époque dans les premières au classement de la WTA, l'idylle ne dura pas. L'Australien chicanier continua à se brouiller avec un tas d'agents, de gérants et d'entraîneurs et demeura très rarement en bons termes avec eux.

Par la suite, il sembla que Hewitt ait épuisé ses réserves de hargne. Lorsqu'il eut fini de jouer les caractériels (il faut dire qu'une blessure à la hanche lui rabattit le caquet en diminuant sa rapidité), ses résultats dégringolèrent. Contre Federer, pour qui il sembla davantage un compagnon d'entraînement qu'un compétiteur, l'action lui explosa en pleine face. Federer remporta le match 7-6, 6-2, 6-4. En approchant du filet, sans doute touché par la grâce, il enleva sa casquette de baseball, ce que d'aucuns interprétèrent comme un signe de révérence envers son rival.

Quelqu'un demanda à Federer s'il éprouvait quelque compassion pour Hewitt pendant qu'il l'affrontait. En effet, l'Australien à grande gueule, un homme de haut niveau, semblait nettement en fin de carrière et l'ombre de lui-même. Federer répondit : « J'ai eu un peu pitié de lui pour ses blessures, mais cela n'a duré qu'un instant, car il était toujours redoutable. Je déplore les ennuis de santé de mon adversaire et le tort que cela a pu lui causer, mais je n'ai pas à me culpabiliser pour l'avoir battu. Pas du tout… »

Nadal arriva l'air ahuri et la vue basse à son match de quatrième tour. La nuit d'avant, il avait enfilé un maillot rouge et regardé l'équipe espagnole de soccer infliger une raclée aux

Allemands pour remporter le championnat européen pour la première fois en 44 ans. « Après tout, Manuel Santana avait déjà remporté Wimbledon et le destin, qui sait… pensait le champion. Mais oublions cela[6]… » Bien que le rêve de sortir victorieux de ce tournoi l'ait effleuré, il n'a pas dû s'attarder bien longtemps à de vaines songeries. Lorsque l'Espagne a remporté le match de soccer, en bon patriote le jeune conquistador se mit à célébrer l'événement comme un enfant, et Toni craignit que cela ne perturbe son neveu. Cela eut cependant l'effet contraire. *¡Arriba España !* Cela galvanisa Nadal qui disposa de son adversaire, le Russe Mikhail Youzhny, pratiquement en sifflotant.

Pour les fans qui observaient Nadal, campé sur la ligne de fond, en train d'envoyer ses redoutables coups de gaucher, il semblait impossible que celui qu'on appelait « l'Espagnol taillé au laser » puisse être battu – du moins jusqu'à ce que Federer se montre sur le court. Pour une autre foule admirative, qui regardait le styliste helvète servir avec une incomparable *maestria* et une autorité sans faille, il semblait inconcevable qu'il puisse être battu – du moins jusqu'à l'entrée en scène de Nadal !

Dans les quarts de finale, Federer affronta Mario Ancic, un Croate avec des bras aussi longs que les ailes d'un Cessna et le dernier joueur à avoir battu Federer en 2002. Comme le disait Jay Zed, un imprésario hip-hop qui regardait de la ligne de fond, Federer avait à peine été chatouillé, car il remporta toutes les manches. Avec cette victoire, il avait remporté sa 17e demi-finale d'affilée en Grand Chelem ! (Par exemple, imaginez-vous Tiger Woods remportant un chapelet de quatre victoires consécutives dans des championnats majeurs de golf…) Alors que Federer finissait son match en beauté, un de ses fans se mit à hurler : « Finissons-en et amenez donc Andy ! » Incapable de prétendre

---

[6] Rappelons que Santana – idole des Espagnols – fut demi-finaliste en 1963 et vainqueur en 1966 à Wimbledon. (N.d.T.)

qu'il n'avait pas entendu, Federer se mordit la lèvre en essayant de retenir un sourire.

Le « Andy » en question était bien sûr Andy Murray, celui qu'on surnommait « l'Écossais dernier espoir du Royaume-Uni ». Lors du tour précédant, Murray avait battu en deux manches Richard Gasquet, un Français talentueux mais manquant de fougue. Cette victoire provoqua une immense explosion de joie chez plus de dix millions de spectateurs britanniques, un bref moment d'exubérance irrationnelle.

Autant le quart de finale opposant Nadal à Murray aurait pu ressembler à un événement de poids, autant Nadal parvint à abolir tout suspense possible dans ce match. Si l'on avait été à la boxe, on aurait appelé cela une interruption. Ils jouèrent pourtant jusqu'à la fin et jusqu'à ce que l'Espagnol inflige, manche après manche, une cuisante défaite à Murray, un joueur en 12e position sur la liste des meilleurs de cette époque. Il ne produisit que 10 points sur 14 services. Comme le titra le sensationnaliste *Daily Star*, dans un jeu de mots plutôt facile : « Avec Nadal, Murray a reçu un bon coup dans les (go)Nades… » Après cette humiliation, Murray fit preuve de réalisme et avait moins l'air d'un perdant déconfit que d'un chroniqueur de cinéma faisant l'éloge de passages haletants d'un film qu'il vient tout juste de visionner. « Il vous expédie les coups les plus forts de ce sport », raconta-t-il en parlant de Nadal. « Sa balle rebondit à un angle insolite et c'est quelque chose qui donne du fil à retordre à Federer… » « Son coup droit est impossible… », etc.

Toutefois, ce qui était le plus gratifiant pour Nadal, c'est que tous les ajustements qu'il avait faits pour s'adapter au gazon s'étaient révélés payants. Se tenant sur la ligne de fond et non à deux mètres derrière celle-ci, il était capable d'imposer sa volonté. Contrairement aux autres années, il jouait agressivement et de façon proactive dès la première balle et il servait sèchement. « Jusqu'à maintenant, je peux dire que ça a été un bon tournoi», a admis Nadal dans un haussement d'épaules, mais il s'est empressé d'ajouter: «Je n'ai encore rien gagné...»

Après le match de Nadal contre Murray, Carlos Costa commença à faire des remarques à son client pour l'inviter à se raser. Costa lui expliqua que ce samedi-là il était censé tourner une publicité vidéo pour la banque espagnole Banesto, l'un de ses commanditaires, et que Nadal ne pouvait pas se présenter à ses sponsors comme un *beach bum*, un de ces petits dragueurs de plages à Ibiza. D'une nature foncièrement conservatrice et superstitieuse, Nadal s'inclina.

Le champ se trouvant maintenant réduit à quatre joueurs, Federer et Nadal étaient à un tour de se rencontrer dans la finale de Wimbledon pour une troisième année consécutive. Dans les demi-finales, Federer dut faire face à un joueur qui avait aussi beaucoup de talent à l'état brut: Marat Safin. Contrairement à Federer, Safin avait quelque peu dilapidé les dons qu'il avait reçus de la nature. Pete Sampras avait pourtant décrit le jeu du Russe comme étant «le tennis de l'avenir». Il faut dire que Safin avait remporté deux tournois majeurs du Grand Chelem[7] pour finir par se placer au premier rang de l'ATP. Il avait aussi une propension à s'autodétruire et pouvait jouer des mois entiers sans remporter de match. Dans la mi-vingtaine, il était devenu une jeune vedette du sport, imprévisible peut-être, mais sympathique. Il remporta son deuxième tournoi majeur, l'Open d'Australie, en 2005 en battant Federer, puis il disparut pendant des saisons entières. Il était au 75e rang lorsqu'il s'inscrivit à Wimbledon et joua au plus haut niveau pendant six matchs. À 28 ans, il s'était résigné. «Je suis content de la manière dont les choses fonctionnent pour moi mais, en toute honnêteté, j'aurais mieux aimé faire une carrière comme celle de Federer...»

---

[7] Le Grand Chelem comprend les Internationaux d'Australie, les Internationaux des États-Unis, Roland-Garros et Wimbledon. (N.d.T.)

confia-t-il dans un soupir. Je suis fatigué de faire des retours au jeu… »

Deux heures après avoir déjeuné d'un plat de tagliatelles et d'une banane, Federer enfila ses gants et se mit à opérer de manière chirurgicale. Il mit Safin en déroute à la première occasion, remporta la première manche en 24 minutes et se mit comme sur le pilote automatique à partir de ce moment-là. Federer eut quelques dérapages, il baissa sa garde ou, comme le disent les Britanniques, il « laissa retomber la vapeur » et y alla de quelques coups de raquette laissant à désirer. Il livra cependant un très bon tennis, incluant son fluide revers lifté, et il domina continuellement dans toutes les manches dans l'espoir d'atteindre ainsi la finale. Ensuite, il trahit quelque peu sa sensibilité en permettant que l'on mette sa suprématie en doute. Lorsqu'on lui demanda si, à l'occasion de son sixième passage à Wimbledon, il aurait davantage de facilité à faire face à quelqu'un d'autre qu'à un favori des foules, Federer répliqua sèchement : « Écoutez… Je suis en train de remporter une suite de victoires incroyables sur gazon. Avant que l'on se hasarde à faire des prévisions, il faudrait d'abord que quelqu'un vienne bouleverser ces performances… »

Tandis que Federer réglait le sort de Safin, Nadal se préparait à faire face à l'Allemand Rainer Schuettler en se réchauffant avec McEnroe. Cela donna de belles photos et un document vidéo. Si frapper des balles avec un quasi-quinquagénaire gaucher ne prouvait rien avant d'affronter un droitier de 32 ans, cela importait peu. Schuettler est l'un de ces tennismen que l'on aurait probablement considéré comme un surdoué voilà une décennie, car il s'agissait d'un démon de la vitesse, connu pour avoir un retour de service foudroyant. Malheureusement, en l'an de grâce 2008, un joueur capable mais ne possédant aucune arme secrète se retrouve au rang des besogneux du métier. Certes, Schuettler s'était brièvement maintenu dans le top 5, mais il était entré dans ce tournoi de Wimbledon à peine à la 100e position mondiale et y remporta cinq matchs. Afin de lui rendre justice, il convient d'admettre qu'il se garda de capituler dans les demi-finales et qu'il ne se borna pas de dire qu'il était heureux d'être déjà parvenu à ces résultats et de passer à la caisse. Il fallait d'abord qu'il soit battu, et Nadal lui donna satisfaction…

Ainsi, l'on se rapprochait du « Federer-Nadal XVIII » ou plutôt de la « Finale de Wimbledon rêvée », comme l'annonçait la BBC. Il ne restait que deux concurrents en lice. Illustrant ce qui se passait dans tous les tournois ayant précédé la confrontation Federer-Nadal, les aspirants continuèrent d'aspirer et, pour employer des termes de hippisme, les chevaux noirs restèrent noirs, les chevaux non classés se résignèrent et les Cendrillon de services continuèrent à porter leurs oripeaux sans avoir accès au bal.

Le jour précédant le match, les deux adversaires essayèrent de se détendre autant que faire se peut. Les deux s'étaient fait masser, avaient joué aux cartes et regardé la télé dans leurs résidences respectives. Sur la table de marbre de sa salle à manger, Nadal engouffra ses habituelles pâtes aux crevettes et aux champignons qu'il ne cessait de manger depuis sa présence au tournoi. Oui, il était vraiment traditionnaliste…

Le dimanche 6 juillet – le jour J –, Federer arriva le premier au club vers 10 h 30 et Nadal arriva une demi-heure plus tard pour une brève séance de réchauffement. Federer avait retenu les services de Bradley Klahn, un joueur junior de Californie qui devait se rendre à Stanford à l'automne et, ce qui est le plus important, qui était un gaucher capable d'imiter le style de Nadal. Afin de conserver au gazon son aspect de velours avant la rencontre, on avait envoyé Federer s'entraîner sur le court n° 17.

Nadal choisit de s'entraîner avec son agent Costa sur le court n° 19. Alors que son client semblait faire preuve de nervosité, Costa remarqua qu'il s'était finalement rasé pour la première fois du tournoi et il était heureux pour les généreux commanditaires banquiers. Nadal lui précisa que ce n'était pas cela qui l'avait motivé à modifier son apparence de desperado. Sans vantardise et d'un ton neutre, l'Espagnol déclara à son agent: « Lorsqu'on remporte Wimbledon, il convient de paraître sous son meilleur jour… »

PREMIÈRE MANCHE

6-4

Il était 14 h 37, heure locale, lorsque Federer envoya une balle Slazenger en l'air pour inaugurer la finale des messieurs de Wimbledon 2008. Le service constitue l'un des moments les plus importants du jeu de tennis, le coup autogénéré, celui qui compte, indépendamment de la personnalité de l'adversaire. Il ne nécessite aucune réaction. Le système de pointage au tennis tient compte du fait que les joueurs doivent garder leur service et que celui qui le perd une fois doit gagner les deux jeux nécessaires pour remporter la manche.

Bien que Federer n'ait jamais établi de records de vitesse, il se sert de son service pour obtenir des résultats fracassants. Déployant son corps en parfait synchronisme, il semble s'agenouiller puis déplie ses jambes, surgit et explose. Bras droit tendu, il attaque la balle quelques rangs de cordes au-dessus du centre du tamis, à peut-être deux tiers de la surface de la raquette, puis il la fouette en lui imprimant un effet. Lorsque le mouvement est bien effectué, il est extrêmement difficile de la renvoyer.

Pendant le tournoi, Federer a beaucoup misé sur son service. Avant la finale, il avait fait 86 aces, soit plus de 14 en moyenne par match, et avait commis des doubles fautes seulement quatre fois. (La plupart des amateurs se satisfont d'un rapport de 2 pour 1. En fait, sur un échantillon aléatoire de 250 matchs, l'ATP révèle que la moyenne est de 1,75 pour 1.) Au cours des 18 manches précédentes que Federer avait remportées à Wimbledon, il n'avait perdu son service que deux fois. Fait à noter : dans la finale des internationaux de France, quatre dimanches avant Wimbledon, Nadal avait fait perdre son service à Federer à trois reprises dans la dernière manche seulement. Federer énonçait des vérités évidentes lorsqu'il affirmait qu'il devait servir convenablement pour battre Nadal, et il avait raison.

Le premier service de Federer dans ce match toucha le haut du filet et déclencha un détecteur qui alluma un voyant sur le tableau de l'arbitre de chaise. « Let ! » cria Pascal Maria presque simultanément. Federer y alla de sa seconde balle à près de 180 km/h et Nadal la réceptionna d'un revers. Alors que la balle semblait destinée à le heurter, à la dernière fraction de seconde, l'Espagnol la renvoya par-dessus le filet vers la portion du court de Federer et l'échange se poursuivit. Vingt-cinq ans plus tôt, lorsque John McEnroe joua contre Ivan Lendl dans les demi-finales de Wimbledon, un seul point dans tout le match avait duré plus de six coups. Preuve que le rythme sur le gazon de Wimbledon était plus lent qu'il l'avait déjà été : pour le premier point de leur match, Nadal et Federer s'étaient engagés dans une longue série d'envois et de ripostes féroces.

Au quatorzième coup de l'échange, Nadal courut après une balle qui filait vers le coin et lança un droit fulgurant accompagné d'un mélange de puissance et d'effet. Sur la majorité de son parcours, la balle vola au-dessus de la moitié du couloir du double puis, comme un avion sur le pilote automatique, elle fit un crochet et se rendit dans le coin du court réservé au simple, peut-être à six pouces des deux lignes, mais hors de la portée de Federer. Il s'agissait du genre de point que l'on marque lorsqu'un match est bien avancé et que les adversaires ont la « sensation » de contrôler la balle et d'avoir trouvé leur rythme. Nul match ne commence avec un échange de 14 frappes et ne se termine par le départage d'un gagnant qui semble dire à tout le monde : « Hein ? Je vous l'avais bien dit… » Il ne s'agissait que d'un point sur les 412 qui allaient suivre, mais il donnait une excellente idée de ce qui restait à venir. Ivan Lendl a déjà fait remarquer qu'il existait deux points importants au tennis : le premier et le dernier. Le premier était allé à Nadal.

Nadal agita le poing de haut en bas et demanda une serviette. Il était, de toute évidence, content de son coup et du message sans ambigüité qu'il envoyait. Federer, qui regardait les cordes de sa raquette, demeurait imperturbable. Cela n'augurait pas très bien pour lui, mais il ne s'agissait après tout que d'un point. Lors du prochain échange, Nadal répondit par un droit un peu trop accentué au-delà de la ligne de fond, et ce fut 15 partout. Telle est la cruauté intrinsèque du tennis. À un moment donné, on se mijote un point solidement structuré, surtout lorsqu'on est un gagnant aguerri ; une autre fois, on commet une grossière erreur en manquant un coup de quelques pouces et tout s'écroule. Le match demeure nul.

Federer y alla d'un service slicé que Nadal eut du mal à contrôler. Son renvoi fut plutôt mièvre et rebondit à l'intérieur de la ligne de service. Federer riposta par un revers brossé à une main que Nadal récupéra mais ne put renvoyer par-dessus le filet. Rien de fantaisiste mais une approche clinique, agressive. 30-15. Federer devint le protagoniste d'un échange en onze coups. Il améliora sa position de manière indiciaire avec chaque frappe pour terminer par un droit gagnant. Il conclut le jeu avec un ace de 207 km/h, son service le plus rapide de la journée.

Le service de Nadal constituait peut-être le point le plus faible de son jeu. Au pire, disons qu'il est fonctionnel ; au mieux, disons qu'il est efficace. Une chose est certaine : il l'a remarquablement amélioré. Lors de la première année de l'Espagnol à Wimbledon, son service moyen se déplaçait à 160 km/h. En 2008, il fendait l'air à plus de 185 km/h de moyenne. Se préparant à un rythme désolant de lenteur, il fait rebondir la balle une douzaine de fois avant de lui imprimer un mouvement mécanique très direct. Même avec ses jambes musculeuses et son puissant bras gauche, il y va de services qui dépassent rarement les 195 km/h. (En comparaison, lorsque Venus Williams remporta à Wimbledon le titre pour les dames l'après-midi précédent, elle matraqua un service à 207 km/h.) Toutefois, les services de Nadal sont accompagnés d'une foule d'effets et, lorsqu'ils sont catapultés dans le décor, il est très difficile d'y répondre.

Le premier service de Nadal de la journée se concrétisa par un coup slicé en riposte au revers de Federer qui se termina dans la poussière. La balle rebondit de manière erratique et frappa à peine la raquette de Federer. Ce dernier croit fermement qu'il existe une sorte de justice karmique, une affaire de chance, qu'il a souvent évoquée. Pour lui, les mauvais rebonds et les coups manqués s'aplanissent au fur et à mesure de l'écoulement d'un match. Sans prendre le temps d'être affecté par ce genre de déception, Federer se déplaça lentement pour se préparer au prochain service en se positionnant environ un mètre derrière la ligne de côté.

Après quelques points, les deux joueurs révéleraient certaines de leurs stratégies pour le match qui s'engageait. Nadal sliçait chaque service dans une tentative de tabler sur la faiblesse des retours de son adversaire et pour ouvrir le court. Federer serait peut-être obligé de riposter à des revers, mais s'il réceptionnait un coup droit, il serait obligé d'y répondre par un coup de débordement en se dirigeant vers le filet. À 0-15, Federer s'évertua à réceptionner deux coups droits cinglants de Nadal, mais revint à sa position et y alla d'un droit exemplaire, à la volée.

Plus facile à dire qu'à faire, mais cela représentait un échantillon de la manière dont Federer pouvait battre Nadal, c'est-à-dire l'affronter, lui couper son rythme, attaquer prudemment et épuiser le petit génie majorquin. Beaucoup d'encre a coulé et bien des messages électroniques on été téléchargés sur la façon dont Nadal peut mettre Federer en rogne plus que tout autre adversaire, mais le contraire n'en est pas moins vrai. Nadal sait très bien que Federer est le seul joueur capable de le battre grâce à son seul talent, et les volées du genre de celles qu'il venait d'exécuter constituaient pour lui un rappel cuisant.

Tandis que le soleil essayait de poindre à travers les nuages, Nadal répondit par des services plus efficaces aux revers de Federer. On en était à 1-1. Tout comme à la boxe, il ne s'agissait que d'une phase d'évaluation mutuelle de l'adversaire.

Nadal expliqua plus tard que s'il avait pu neutraliser Federer, l'entraîner dans un échange de fond de court, il aurait pu améliorer ses chances. Au cours du troisième jeu, en raccourcissant ses coups pour répondre à ceux de Federer, Nadal exerça de la pression sur ses retours. À 30-30, il gagna un échange de ligne de fond lorsque Federer manqua un revers routinier, ce qui donna à Nadal une balle de bris précoce. Federer y alla d'une seconde balle de service de manière plutôt conservatrice, en plein milieu du carré de service. Nadal se déporta vers la droite et appliqua tout son poids dans un revers, et la balle se dirigea vers le coin opposé. En soufflant, Federer appliqua un coup boisé qui envoya la balle dans la foule – un héritage des effets dévastateurs concoctés par Nadal.

Dix minutes à peine s'étaient écoulées que Nadal avait déjà brisé le service de son adversaire et « fait couler le sang » pour la première fois – un événement que bien des commentateurs radiophoniques avaient prévu dans une foule de langues. C'était le premier point marquant de l'engagement. À regarder Nadal mettre Federer à mal rappelait la description épique du journaliste du *New Yorker* A.J. Liebling racontant comment le champion mondial des mi-lourds, Archie Moore, un samouraï du ring, avait été massacré par un adversaire primaire, dénué de style, Rocky Marciano. Comme Moore, Federer était le grand ténor d'opéra poussé en bas de l'avant-scène par le rappeur de banlieue gueulard.

Nadal se rendit à sa chaise en joggant d'un air conquérant. Federer gagna la sienne en catimini. Dans la tribune réservée aux joueurs, une douzaine de têtes opinèrent comme des automates. Au premier rang, les six supporters de Federer semblaient lui dire : « Vas-y Roger, prends-lui son service à ton tour ! » tandis que les partisans de Nadal encourageaient leur idole à continuer le derby de démolition.

Cette familiarité forcée des deux clans s'étend à leurs entourages respectifs. À chaque événement junior – soccer peewee, ligues mineures de baseball, tennis junior –, les supporters des joueurs antagonistes se placent du côté du terrain, du court ou du ring de ceux qu'ils favorisent mais, à Wimbledon, les supporters des deux parties partagent la même tribune dans le coin sud-est du court. Ceux qui appuient le favori sont au premier rang, les autres derrière. La disposition des sièges est cruelle. Comme s'il n'était pas suffisamment pénible de voir votre enfant, votre amoureux, votre client se démener comme un diable dans l'eau bénite pour conserver sa place, on doit également endurer la parenté et les amis de son adversaire près de soi. Par la même occasion, cette promiscuité vous force à faire preuve d'une certaine civilité. Si deux groupes de fans ayant des intérêts diamétralement opposés peuvent ainsi se côtoyer en paix, voilà qui est bon signe pour l'ensemble des partisans de l'un ou l'autre concurrent.

Comme par hasard, il y avait seulement six sièges à la disposition du clan Nadal, dont la smala avait débarqué par l'avion de Majorque ce matin-là. Les « Rafaelites » comptaient en effet pas moins de vingt personnes, dont les grands-parents, les oncles, les tantes, les amis, le golfeur professionnel Gonzalo Fernandez-Castaño et le directeur du club de soccer Real Madrid. Les places étaient si serrées que les parents de Nadal, Sebastian et Ana Maria Parera, durent prendre place dans les tribunes trop pleines. D'autres membres de la famille, incluant les grands-parents, avaient été disséminés parmi les sièges libres. Le clan Federer était plus restreint. De gauche à droite, on pouvait reconnaître l'agent du roi Roger, sa mère, sa conjointe, les omniprésents Gwen Stefani et Gavin Rossdale, et son père.

Assis avant le début du match, les membres des deux clans échangèrent des poignées de main et des plaisanteries. Robert Federer est un homme bien charpenté, sympathique, avec des cheveux blancs et une moustache noire qui lui donnent l'appa rence d'un boucher de campagne. Il détendit l'atmosphère en serrant la main de tout le monde. Il avait rencontré la plupart des membres du clan Nadal avant cela et, malgré la barrière linguistique, il les appréciait beaucoup. Pendant le match, de part et d'autre, tous gardaient un silence relatif, parlant en aparté et prenant garde de ne pas pousser de vivat! intempestifs afin de ne pas offenser ceux dont les intérêts s'opposaient aux leurs.

Quand aux autres 14 988 spectateurs, ils se montraient considérablement plus véhéments et engagés. Le jour précédent, lorsque Venus Williams avait battu sa sœur cadette Serena dans la finale des dames, le court central était relativement calme. On applaudissait sans éclats de voix. La foule appréciait les performances, mais était également mi-figue mi-raisin. Après tout, qui serait assez dévoyé pour pousser des cris stridents en voyant quelqu'un infliger une raclée à sa propre sœur? En effet, ce match avait eu un aspect assez exhibitionniste. Quoique spectaculaire et racoleur, la rencontre manquait de tension.

La foule laissait maintenant transparaître une différente personnalité. Federer et Nadal ne sont pas des concurrents permettant de se diviser nettement la faveur du public, car ni l'un ni l'autre ne se rend antipathique, malgré le fait que les deux adversaires luttent pour s'assurer une hégémonie mondiale dans leur domaine. À un certain niveau, il s'agit d'un test de personnalité : choisirez-vous le fier champion blessé qui défend son honneur ou le marginal un peu sauvage qui essaie de le renverser ? Le gracieux magicien ou l'opiniâtre artisan ? On pouvait entendre la foule scander « Roger ! Roger ! », cris auxquels une autre partie de l'assistance répondait « Rafa ! Rafa ! » Chaque drapeau espagnol déployé par quelque patriote ibère était suivi du déploiement tranquille du drapeau à croix blanche par quelques Suisses. Les tribunes étaient électrisées. On pouvait constater ce qu'on appelle une certaine « sagesse grégaire » laissant pressentir collectivement qu'on assisterait à un match pas comme les autres.

Quelque chose d'autre permettait de relever l'ambiance. Wimbledon est de bien des façons un événement populaire. Ce tournoi projette pourtant une image d'élitisme snobinard à la limite du comique. Aux « Championnats » – c'est ainsi que s'autoproclame le tournoi de Wimbledon, comme si nulle autre rencontre du genre ne comptait sur terre –, tous ces patriciens britanniques qui, autrement, seraient en train de chasser à courre, stationnent leur Aston Martin ou leur Range Rover dans un club privé et regardent un match de tennis qui se joue sur du gazon. Même si le tout respire l'argent de famille et le bon chic bon genre (à quel autre événement sportif sert-on le thé sur un balcon pendant les pauses et affiche-t-on des vers de Kipling à l'entrée des courts ?), pour chaque personne portant cravate Ascot ou décolleté savant, on trouve quelque individu portant une perruque aux couleurs de l'arc-en-ciel ou des lunettes de soleil au goût douteux. Chaque brahmane a son faire-valoir d'une autre caste.

Tout d'abord, l'événement consacre des sommes fabuleuses à la préservation de ce qu'un membre du club appelle «l'Expérience des fans de Wimbledon». Ainsi, lorsque les organisateurs étudièrent la possibilité de construire un toit sur le court central, on leur fit remarquer qu'il serait moins cher de tout reconstruire plutôt que d'installer un toit amovible sur une structure datant de 1922. Le club refusa: pour lui, sans court central, il estimait perdre sa personnalité. Voilà pourquoi il en coûtera 400 millions de dollars pour recouvrir les installations vieillottes d'un toit rétractable.

Cette dépense non négligeable pourrait, croit-on, être couverte – du moins partiellement – par des commandites (la Banque HSBC ou British Airways) ou encore par des tribunes de luxe. Ces sources de revenus sont si courantes dans le paysage sportif américain que personne n'y prête attention, mais ce type de sponsorisation, rentable mais également outrancier aux yeux des organisateurs, serait pour eux susceptible de corrompre la fameuse «expérience» quasi religieuse que les fans sont censés ressentir dans ces lieux sacrés. La politique de mention publicitaire n'existe pratiquement pas à Wimbledon. Les seuls logos visibles dans le court central sont celui de Rolex sur le panneau d'affichage, celui de Slazenger sur le réceptacle à balles et celui d'IBM sur le panneau de service; mentionnons aussi une décalcomanie défraîchie derrière la chaise de l'arbitre annonçant la *barley water* Robinson, une boisson pratiquement imbuvable[8], breuvage «officiel» de Wimbledon.

Comparés à cette austérité spartiate, dans le stade Arthur Ashe, la Mecque des internationaux de tennis américains, les murs derrière la ligne de fond portent les logos des appareils photo Olympus, de la JP Morgan Chase Bank, d'usopen.org et

[8] *Barley water*: littéralement «eau d'orge» ou orgeat, mais sans le goût agréable du sirop du même nom, populaire en Europe. (N.d.T.)

de l'USTA (United States Tennis Association). Sur les portes de côté du court, on peut voir des réclames pour la bière allégée Heineken. Près des doubles couloirs, des logos en plastique de la taille d'enjoliveurs de voitures ont été cousus sur le filet. Sur la chaise de l'arbitre et sur un tas de parapluies, on peut remarquer le logo de Continental Airlines. Les bacs du court sont remplis d'annonces pour Wilson, Gatorade et Évian. IBM commandite le chrono de service, et les montres Citizen, « l'heure exacte » (pour l'heure inexacte, il semblerait que la place est libre). Les ramasseurs de balles portent des chandails Polo de Ralph Lauren et le logo de cette marque, représentant un cavalier, s'étale pratiquement sur toute la surface du vêtement. Les juges de ligne, également vêtus de pied en cap en Polo, se tiennent derrière des panneaux de bois au logo de cette marque sur le court. Les rebords du terrain regorgent de réclames pour Lexus, American Express, les peintures Valspar, Mass Mutual et George Foreman, la marque d'une rôtisserie célèbre et non le poids lourd à la retraite. Directement au-dessus des 90 (quatre-vingt-dix !) appartements administratifs qui surplombent le stade, on trouve des annonces pour Tiffany, le *New York Times*, Évian, CBS Sports, Lever 2000, le magazine *Tennis*, la vodka Grey Goose, les biscuits LU, Canon et le gel injectable Juvéderm. Il s'agit là de l'inventaire de publicités en place lors de la « Soirée Heineken ». Il aurait pu être différent le Jour Juvéderm ou lors de la Soirée Évian.

La billetterie de Wimbledon est également démocratique. Les premiers sièges sont réservés aux quelque 500 membres du All England Club et aux 2 300 obligataires qui ont payé jusqu'à 50 000 $ pour avoir le droit d'acheter des billets. Le reste des billets est vendu au public au prix moyen de 87 £, soit 170 $US (taux de l'été 2008), ce qui n'est pas donné mais pas exorbitant non plus si l'on considère qu'un billet de Super Bowl peut se revendre 3 000 $. Pour les cinq premiers tours, le tournoi accorde 500 sièges sur le court central sur la base du « premier arrivé, premier servi». Ces amateurs de files d'attente campent dans un terrain vague à un kilomètre et demi du club, s'éveillent dans le matin blême et s'en vont faire la queue. Ces gens décidés sont semblables à Blake Eddie, un spectateur courtaud, âgé de 29 ans, parachuté de Newcastle pour regarder Federer jouer. Grâce à des points accumulés, il s'était débrouillé pour prendre un vol de British Airways, avait atterri à Heathrow, pris le bus pour Wimbledon, campé, fait la queue et dépensé 75 $ pour un billet qui le plaçait dans la sixième rangée derrière la ligne de fond. « C'est ce que je flambe à un concert ou à un festival rock, expliqua l'homme, et je me retrouve souvent loin du spectacle... Hé ! Ça vaut bien ça pour voir Federer en chair et en os sur le court central de Wimbledon. Non ? »

Dans les sports, noblesse oblige. Les organisateurs du tournoi pourraient aussi bien vendre les billets sur des réseaux comme stubhub.com et les détailler à dix fois le prix régulier en les vendant directement au public mais, là encore, les organisateurs estimeraient trahir la fameuse expérience mythique que vivent les fans. Il faut dire que les bénéfices marginaux de cette pratique, très peu mercantile, se manifestent d'une autre façon. Les tribunes des stades où se produisent les autres grands événements sportifs sont remplies de dirigeants d'entreprises, de parvenus et de m'as-tu-vu dans des tribunes de luxe. À Wimbledon, on retrouve principalement de vrais amateurs de sport[9].

Alors que Nadal s'apprêtait à servir à 2-1, il se passa la main derrière la taille pour tâter l'arrière de son long pantalon de pêcheur de crevettes. Il s'agit là d'une habitude déplorable qui

---

[9] Les Internationaux de France commencent souvent devant des sièges vides. Pourquoi ? Parce que les matchs coïncident avec l'heure du déjeuner. Quel est le détenteur français de billet qui tiendrait absolument à regarder du tennis lorsque le déjeuner est servi dans la suite de la banque BNP Paribas ?

remonte à sa jeunesse et qui, ces dernières années, attire les quolibets. Fidèle à lui-même et à sa famille, Novak Djokovic, « le Djoker », ne s'est pas gêné pour se moquer de ce tic en singeant Nadal qui, soit dit en passant, réserve un « chien de sa chienne » au Serbe hâbleur. Il n'est pas le seul. Plusieurs commentateurs anglais ont surnommé Nadal « le fouineur de short ». Il faut avouer que cette manie ne rend pas justice au confort supposé des vêtements Nike que Nadal est grassement payé pour porter. Le champion se trouve, bien sûr, embarrassé par cette situation. Lorsqu'on lui fait des remarques à ce propos, il assure vouloir se corriger, mais en vain, car cette mauvaise habitude est trop ancrée en lui. À une époque où les athlètes sont commercialisés avec une incroyable maniaquerie et que certains d'entre eux, comme Andy Murray, ont un spécialiste de l'image corporative à leur botte pour les conseiller, que penser d'une superstar qui se tripote l'arrière-train en public ?

Lorsque Nadal cessa de fourrager dans les plis de son pantalon, il embraya une partie parmi les plus intéressantes du match. Il prit d'abord une avance de 40-0 grâce à trois coups gagnants, tous plus surprenants les uns que les autres. Federer égalisa le pointage en harcelant sans arrêt Nadal au moyen de balles profondes au revers, suivies d'une montée au filet. Lorsque Nadal frappa une balle brossée incontrôlable à 40-40, Federer tint une balle de bris. Il s'agissait de l'un de ces « gros points » typiques, tels qu'on les qualifie dans le jargon du tennis – une occasion pour Federer d'égaliser le score. Comme on pouvait le prévoir, en réponse au revers de Federer, Nadal lança une seconde balle. Après une série d'échanges opiniâtres sur la ligne de fond, Federer lança un droit classique d'une quinzaine de centimètres. Cela illustrait parfaitement la difficulté d'affronter Nadal, un joueur dont les capacités défensives sont si exceptionnelles que ses adversaires se sentent forcés de frapper des coups hasardeux – un risque qu'ils ne prendraient pas généralement. Les épaules et la tête de Federer se tassèrent. Après quelques égalités de plus et des tripotages de pantalon, Nadal remporta son service. Le danger était écarté.

Federer riposta par un jeu ressemblant à une version du jeu de tennis sur la console Wii. Il plaça simplement la balle où il le voulait, retint son service à zéro, remporta quatre points en 50 secondes en souhaitant probablement que cela se poursuive sous des auspices aussi favorables.

Il était difficile de ne pas remarquer qu'après trois jeux de service Federer n'avait pas encore pratiqué de service-volée. Considéré à une certaine époque comme la tactique par excellence pour réussir sur gazon, le service-volée, consistant à monter au filet dans l'enchaînement du service, paraissait maintenant comme une danse démodée. Les statistiques de la finale de 2002 – souvent citées –, les dernières avant l'époque Federer, montrent que ni Lleyton Hewitt pas plus que David Nalbandian n'ont joué un tennis de service-volée sur un seul point. Il suffisait de regarder la topographie du court central pour comprendre combien la technique du service-volée avait pu devenir ringarde. La ligne de fond ressemblait à une savane stérile parsemée de rares brins d'herbe sortant de la terre brunâtre; autour du filet, le gazon semblait ne jamais avoir été foulé par un pied humain. Les maîtres du tennis de terre battue, qui fuyaient un certain temps Wimbledon comme la peste, révisaient leur jugement. Le succès que Nadal remportait sur cette surface constituait vraiment pour eux une apothéose.

Évaluant l'évidence, la plupart des investigateurs en sont venus à la conclusion que l'herbe de Wimbledon était quelque part plus épaisse et plus dense que les années précédentes. Cette herbe, qui freinait la vitesse de la balle, permettait toutefois à ses semblables de rebondir plus haut et, par la même occasion, de décourager le service-volée. La BBC entreprit une étude sur deux services de 202 km/h que Federer avait exécutés sur le court central en 2003 et en 2008.

En rebondissant sur l'herbe et avant d'atteindre le relanceur, la balle du service de 2003 arrivait à la vitesse de 83 km/h ; celle de 2008 touchait la raquette adverse à 69 km/h. Cette étude aurait pu être strictement scientifique si les balles avaient été envoyées précisément au même endroit en suivant la même trajectoire, la vitesse et le rebond n'ayant pas d'importance pour évaluer la vitesse de la surface du court. Néanmoins, certains observateurs admirent qu'il y avait là *quelque chose.* Quelques joueurs sont allés jusqu'à dire que l'on joue plus lentement sur les courts de gazon de Wimbledon que sur les courts de terre battue de Roland-Garros.

Eddie Seaward s'inscrit en faux contre ces supputations. Ce monsieur distingué, dans la soixantaine, à la voix douce, est le responsable des terrains de Wimbledon et le plus élégant des horticulteurs du monde. Jouant avec sa cravate de soie en protestant de son innocence, Seaward affirme que son personnel et lui ne font rien pour ralentir le jeu sur gazon, contrairement à ce que prétendent les joueurs et les « gérants d'estrades ». D'ailleurs, il surnomme ces critiques des « millions de consultants bénévoles ». Il m'a expliqué comment, depuis des décennies, les gazons de Wimbledon avaient été ensemencés avec un mélange de ray-grass vivace et de fétuque rampante. En 2001, le club avait changé pour uniquement du ray-grass, une espèce reconnue pour sa résistance. « Il fallait s'adapter au jeu de notre époque, explique Seaward, car il est devenu plus rude… »

La tâche, consistant à entretenir le gazon des 37 courts du complexe, incombe à 14 jardiniers à plein temps et à 14 employés temporaires, explique Seaward. Quelques jours après la finale des messieurs, en prévision de la prochaine saison, le club reçoit son chargement de ray-grass importé de quelque pays européen. L'équipe d'entretien enlève la vieille surface ainsi que toutes les pousses latérales et les vers pouvant apparaître lorsque la surface sèche. On sème à nouveau et les onze mois suivants on laisse pousser le gazon que l'on tond lorsqu'il atteint 14 millimètres. Pour les tournois, on rabaisse la hauteur de coupe à 8 millimètres.

Eddie Seaward a deux théories pour expliquer l'impression qu'ont les gens que le gazon ralentit le jeu et que le service-volée est en déclin. Tout d'abord, à force de ouï-dire, les joueurs ont pratiquement développé une attitude mentale frisant la paranoïa et ils pensent que les relanceurs ont un avantage. Ensuite, si la surface du court semble ralentir le jeu, ce n'est pas le gazon qui est en cause mais le sol lui-même. Les jardiniers le tassent de manière à éviter l'usure prématurée du revêtement herbeux. Il peut être également durci lorsque le temps est sec et chaud, comme ce fut le cas à Wimbledon au match final de 2008, car le manque de pluie s'est rarement révélé un facteur négatif en cet endroit de la verte Angleterre. Serait-ce attribuable aux effets du réchauffement global de la planète ? Wimbledon en subit, bien sûr, les répercussions.

Deux autres échanges de service donnèrent un pointage de 4-3 et on pouvait dire maintenant que les deux joueurs étaient *véritablement* à leur affaire, qu'ils n'avaient plus de papillons noirs dans l'estomac et que leurs cœurs ne battaient plus la chamade. Leurs valves à cortisol, cette hormone corticosurrénale qui intervient pour alléger la douleur mais qui peut aussi causer des troubles musculaires, s'étaient fermées. Si l'on avait pu examiner de près les pupilles des athlètes, on se serait aperçu qu'elles n'étaient plus dilatées. En résumé, alors que Federer et Nadal s'étaient bien installés dans le match, le reflexe de se battre ou de concéder la victoire avait cédé la place à une farouche résolution. Le système nerveux sympathique avait terminé son quart de veille et cédé sa place au système parasympathique.

Cela s'appliquait pour les trois hommes sur le terrain, car si ce moment était important pour les adversaires en lice, il ne l'était pas moins pour Pascal Maria, ce Français discret qui trônait du haut de la chaise de l'arbitre. Tout comme pour les joueurs, ce match marquait la carrière de cet intervenant d'une pierre blanche, constituait l'atteinte d'un objectif et une récompense pour toutes les années de travail et de tracasseries qu'il avait endurées. Il avait suivi la routine précédant le match, notamment celle de pouvoir se retenir pour ne pas aller satisfaire ses besoins physiologiques au beau milieu de l'action. (Ce matin-là, il avait supprimé son double expresso habituel et était allé vider sa vessie plusieurs fois.) Lui aussi avait invité les membres de sa famille à se rendre à Londres, à prendre place dans les tribunes et à apprécier le jeu. Il portait pour l'occasion une chemise blanche, une cravate aux couleurs de Wimbledon, un sweater à point de torsade et un blazer bleu. Heureusement, on ne prévoyait pas de vague de chaleur ce jour-là.

Âgé de 35 ans, Pascal Maria est Niçois. Fanatique de tennis dans sa jeunesse, il appréciait les stylistes comme Stefan Edberg ou des joueurs comme Ivan Lendl ou Mats Wilander, qui avaient dominé les Internationaux de France. À 16 ans, un accident de ski le força à renoncer au tennis professionnel, mais sa passion pour ce sport n'en était pas moins amoindrie et, lors d'un match interclubs, un jour qu'il traînait au club, on le sollicita pour être arbitre de chaise. Cela lui plut et il eut par la suite la chance de rencontrer Bruno Rebeuh, un juge arbitre de renommée internationale, qui l'a alors guidé dans sa formation arbitrale.

Tout comme les jeunes espoirs du tennis, Maria a fait ses classes. Il possédait toutes les qualités nécessaires pour ce genre d'emploi : la passion du tennis, un œil de lynx pour le détail, beaucoup de patience et la volonté de sublimer son ego. De plus, vivant à Nice, le jeune homme n'était guère éloigné des grands événements du tennis, comme le vénérable tournoi ATP de Monte-Carlo.

Pascal Maria était dans la vingtaine lorsqu'on lui a demandé d'être juge de ligne à l'Open d'Australie en 1996. À 30 ans, il avait arbitré plus de 300 matchs et reçu le *Golden Badge* (badge d'or), la distinction nec plus ultra des personnages officiels du tennis, ce qui lui permit de décrocher un emploi à plein temps avec la Fédération internationale de ce sport. Comme tous ceux qui ont joué, il a des préférences en matière de surface. « Pour moi, c'est la terre battue, dit-il, car c'est là où j'ai grandi. » Il n'en rejette pas pour cela le gazon. Il explique que même si la balle se déplace plus rapidement et a tendance à glisser, il y a l'avantage non négligeable des lignes crayeuses de titane et du petit signal poussiéreux indiquant que la balle est à l'intérieur du terrain. On ne se surprendra pas de ce que Maria nous parle des désavantages de son métier qui exige qu'il vive hors de chez lui jusqu'à deux cents jours pas année. L'avantage réside évidemment dans le fait qu'il assiste aux matchs mondiaux les plus prestigieux.

Être arbitre de chaise constitue à la fois une science et un art, mais l'important est de trouver un juste milieu entre les deux options. Ce travail exige que l'on exerce une autorité sans se montrer autoritaire et de connaître intimement les joueurs, leur disposition, leur caractère, leur tempo, le tout sans réellement les fréquenter. (Afin d'éviter toute collusion possible, il existe des règlements stricts touchant toute amitié ou tout copinage avec les athlètes, peu importe combien de fois les arbitres peuvent les rencontrer dans les halls d'hôtels ou les salons d'aéroports.) Les arbitres de chaise doivent faire intégralement partie du spectacle sans s'immiscer dans celui-ci. « Dans la plupart des occupations, plus de gens connaissent votre nom et mieux vous vous en portez, explique Pascal Maria. Dans ce travail, c'est le contraire. Le public vous regarde mais, dans le fond, l'objectif est de vous rendre invisible. »

Pascal Maria et ses quelque douzaines de collègues s'évertuent à atteindre cet objectif. Ils s'habillent de manière similaire et, souvent, dissimulent leur visage sous la visière d'une casquette. Leurs supérieurs leur interdisent généralement de donner des interviews et il est rare qu'ils s'entretiennent avec les spectateurs qui quittent le court. La plupart d'entre eux n'ont rien pour se faire remarquer. Ainsi, Pascal Maria est-il un homme de taille moyenne aux cheveux courts, d'allure avenante. (L'exception à la règle, l'arbitre qui se fait le plus reconnaître est un dénommé Norm Chryst ; il est chauve comme un œuf et porte une boucle d'oreille voyante.) Tout comme les membres d'une société secrète, ces officiels restent entre eux lors des tournois et, souvent, logent dans des hôtels différents de ceux que fréquente le monde du tennis.

À part d'être à cheval sur le règlement et de le connaître à fond, les meilleurs arbitres, aussi sédentaires qu'ils puissent être, réagissent rapidement. Certains sont munis d'un nécessaire de couture sur le court advenant le cas où un joueur porterait un logo ou un badge publicitaire dont les dimensions excéderaient les normes imposées. L'arbitre pourrait alors passer ses ciseaux dans le surplus d'étoffe coupable. D'autres arbitres n'hésitent pas à élever la voix pour calmer une foule dissipée. D'autres ont le mot juste pour éviter toute confrontation acrimonieuse avec les joueurs. Par exemple, certains joueurs feront appel à l'arbitre pour une question de balle sur la ligne et lui demanderont s'ils l'ont nettement vue. L'arbitre (homme ou femme, car il y aura de plus en plus de représentation féminine dans le métier) répondra alors si la balle est en jeu ou à l'extérieur. (En d'autres termes, s'il est utile ou non de reprendre le jeu.) Dans le cas contraire, l'arbitre répondra peut-être que c'est trop incertain pour changer la décision. (Ce qui signifie que c'est le moment de recourir au *Hawk Eye* ou système d'assistance vidéo à l'arbitrage.)

Tout comme un joueur de haut niveau, Pascal Maria prend part au match de Wimbledon sans difficultés. Pas de drames, pas de plaintes, pas de maux de tête comme pour cet ancien collègue qui, voilà plusieurs années, subissait les effets de la malédiction que lança sur lui Venus Williams parce qu'il avait commis l'erreur de négliger de lui accorder un point… qu'elle avait justement gagné. Les arbitres sont entraînés à ne pas prioriser les matchs. Ils sont là pour surveiller les balles et appliquer les règlements, peu importe qu'il s'agisse d'un match de premier tour sur le court n° 20 ou de la finale du Grand Chelem Federer-Nadal. Toutefois, ce noble idéal se heurte à la nature humaine et Maria savait que sa feuille de route impressionnante le désignait probablement pour officier dans cette rencontre de la finale des messieurs.

Disons que cette désignation pour la finale est déterminée par un comité. L'arbitre du tournoi, le superviseur, l'arbitre en chef et d'autres officiels du tournoi présentent chacun des candidats. L'un des facteurs est évidemment la compétence démontrée au cours des autres matchs du tournoi. La nationalité importe aussi. Afin d'éviter des accusations de favoritisme et un nationalisme mal placé, si les joueurs sont ressortissants de pays différents, on ne voit jamais d'arbitre de nationalité semblable à celle de l'un ou l'autre des compétiteurs. Si toutefois les joueurs viennent du même pays, il est fort possible que l'arbitre de chaise puisse être de la même nationalité qu'eux.

Lorsque Pascal Maria apprit qu'il arbitrait sa première finale de Wimbledon, il appela son épouse. Même s'il tentait de se persuader qu'il ne s'agissait là que d'un match comme les autres, il savait pertinemment qu'occuper la chaise d'arbitrage dans la finale des messieurs de Wimbledon représentait ce qu'il appelait « la crème de la crème ». Sa femme, qui n'est pas précisément passionnée par le tennis et qui assiste rarement à des matchs (elle n'en avait en fait jamais suivi un jusqu'au bout), se fit persuader de confier sa petite fille à ses parents et de prendre l'avion pour Londres. Elle se retrouva près de l'arbitre de chaise substitut Carlos Ramos et, après quelques minutes de jeu, réalisa que ce n'était pas là un de ces autres matchs qui constituaient le gagne-pain habituel de son mari.

Assis sur leurs sièges respectifs entre les changements, Nadal et Federer absorbaient de petites gorgées d'eau. Même dans des conditions tempérées comme cette journée-là, un joueur de tennis peut perdre plusieurs litres d'eau à l'heure et jusqu'à cinq litres à l'heure par temps humide. Le problème est que le corps ne peut absorber guère plus que deux litres à l'heure. Si l'athlète absorbe trop de liquide, ses mouvements et sa transpiration peuvent s'en trouver affectés et il peut ressentir des nausées. S'il n'en absorbe pas assez, il se déshydrate. Les entraîneurs de l'ATP expliquent aux joueurs que quatre pour cent de perte de poids peut se traduire par 20 pour cent de perte de capacités physiques. L'hydratation représente donc un équilibre délicat; les joueurs essaient de le trouver en se présentant sur le court parfaitement hydratés pour résister à la tentation de boire lorsqu'ils se trouvent le plus fatigués.

C'est avec une petite brise et quelques rayons de soleil dessinant des ombres sur le court que Nadal servit à 4-3 avec des balles neuves. Une fois de plus, il dirigea ses coups au revers de Federer. Vers la fin de la manche, Nadal avait envoyé 25 de ses 27 balles de service vers le revers de son adversaire. Un commentateur radiophonique de la BBC remarqua que c'était tout ce que l'on pouvait attendre d'un gaucher. Ce commentaire n'en provoqua pas d'autres et n'avait pas besoin d'explications.

Tout comme dans les autres sports, beaucoup de grands joueurs de tennis sont gauchers. Que l'on pense à Laver, à McEnroe, à Connors, à Navratilova ou à Seles. Ces dernières années, l'influence des gauchers a un peu diminué (de 10 à 15 pour cent de la population – certains disent jusqu'à 27 pour cent serait gauchère), mais vu que le nombre de droitiers est plus nombreux dans le monde, on peut dire que les gauchers sont encore bien représentés dans le top 100 des joueurs de tennis masculins et féminins.

Quoiqu'il n'existe pas de consensus sur la raison pour laquelle les gauchers remportent autant de succès dans les sports, ce n'est pas faute de théories pour l'expliquer. Ainsi, dans les sports d'opposition comme la boxe, l'escrime ou le tennis, les gauchers ont une plus forte main « à sénestre » et surprennent leur adversaire par leur « jeu de miroir ». Cela s'applique également au baseball et au basketball. Ainsi Nadal a définitivement un bras gauche plus puissant que l'autre. On dit également que, dans le monde des droitiers (avez-vous déjà essayé d'acheter une tronçonneuse pour gauchers ?), les gauchers survivent grâce à un fort instinct de conservation qui se manifeste dans plusieurs sports. Il y a aussi, bien sûr, la théorie des hémisphères gauche et droit du cerveau. Selon certains chercheurs, les gauchers seraient plus créateurs et plus posés que les autres.

On se demandera peut-être pourquoi les gauchers triomphent aussi souvent au tennis. On a laissé entendre qu'une prise de la raquette de la main gauche permettait au joueur d'imprimer un « effet spécial » à la balle, mais d'autres spécialistes n'accordent aucune valeur à cet argument. Une autre théorie voudrait qu'étant donné que les droitiers ont tendance à slicer leur service vers le côté gauche du carré de service de leur adversaire, le slice des gauchers aurait une tendance naturelle à envoyer la balle du côté droit. Ainsi, du côté « avantage » (le côté gauche du court pour chaque joueur), où la plupart de ce qu'on appelle « les gros points » sont disputés, les gauchers ont une tendance naturelle à infléchir largement leur service vers le revers de leur adversaire (généralement le flanc le plus faible) et de le pousser hors du court. Lorsque les droitiers effectuent un ample service vers le côté gauche, ils se contentent de « kicker » la balle sans la slicer, un coup difficile qui, géométriquement, consiste à la frapper au-dessus du plus haut point du filet. De plus, lorsque la balle rebondit, elle s'élance vers le haut plutôt que de glisser vers le bas. Pas pour les joueurs timorés, mais…

Il existe quelque chose de spécifique dans le match Federer-Nadal : lorsque ce dernier catapulte son droit à travers le court, il le dirige vers le revers de Federer, c'est-à-dire du côté le plus faible de son adversaire. Tout spécialement sur les surfaces plus lentes, les coups chargés d'effets de Nadal prennent le dessus et placent Federer dans une peu enviable position, celle de la défensive, en le forçant à frapper du revers, d'une seule main par-dessus le marché, et au niveau du cou !

On raconte également que les gauchers font davantage preuve de souplesse mentale qu'il n'est nécessaire pour pratiquer le tennis. Telle la futée commentatrice Mary Carillo – elle-même gauchère – l'expliquait récemment à la revue *Sports Ilustrated* : « En fait, nous sommes tous une bande d'excentriques. Regardez tous les gauchers au tennis, dit-elle. Rod Laver était normal, mais il était Australien ! Et puis, vous avez les excentriques de compétition : Connors, McEnroe, Goran Ivanisevic, Guillermo Vilas. Nous sommes fiers d'avoir de tels dingues dans notre groupe de fanas de ce sport… » Et que dit-elle de Nadal, alors ? « Ce garçon a une manière originale de construire des points de contact, de développer un échange, assure-t-elle. Il pense au-delà du carré de service… »

Mais peut-être que la meilleure explication est que les gauchers présentent une apparence perturbante avec leurs angles déconcertants. Tout comme un boxeur droitier affrontant un gaucher a besoin de penser « en miroir » sous peine d'encaisser un direct imprévu, le tennisman droitier doit, face à un gaucher, constamment remettre en question puis inverser la géométrie conventionnelle. Federer, qui a affronté des gauchers toute sa vie, se choisit des partenaires gauchers avant ses rencontres avec Nadal. Il n'y a guère longtemps, en 2007 pour être précis, Federer fit mander un jeune gaucher américain, Jesse Levine, à son centre d'entraînement de Dubaï pour une séance d'une semaine. Pour son 18e match contre Nadal, Federer ressemblait un peu à un automobiliste roulant du mauvais côté de la route. On lui a demandé plusieurs fois de décrire le jeu de Nadal et le champion suisse l'a qualifié de « difficile », d'imprévisible. De tels adjectifs venant d'une personne qui aime que tout soit bien organisé et logique est lourd de signification.

Avant de servir à 3-5 pour demeurer dans la partie, Federer se tenait dos au filet et recevait ses balles Slazenger des mains d'un petit ramasseur cérémonieux. Il les examinait comme s'il regardait le degré de maturité d'un melon au marché. Lorsqu'il trouvait une balle qu'il aimait, il la choisissait, en plaçait une deuxième dans sa poche et redonnait les autres au garçon. Ce rituel, suivi par la plupart des joueurs, a un double rôle. L'un d'entre eux est pratique. Plus les balles sont usées, plus elles accumulent de peluches, ce qui occasionne de la résistance dans l'air. Cette petite réduction de vitesse permet au relanceur de renvoyer plus facilement la balle. En fait, les joueurs recherchent les balles les plus neuves possible. (C'est une des raisons pour laquelle le premier joueur qui sert avec des balles neuves subit rarement de bris.) Il y a aussi une autre raison : pendant que les joueurs font leur numéro de mireurs de balles entre les points, cela leur permet de prendre quelques secondes pour reprendre pied et faire le bilan du match.

Federer remporta le jeu sans difficulté. Ayant trouvé son rythme, il semblait orienter son service à l'aide d'un GPS. En l'espace de 50 secondes, il expédia quatre premiers services pour remporter le jeu sans que l'Espagnol ne marque de points. Nadal ne joua là qu'un rôle de figurant. Il était difficile de s'imaginer que Nadal avait brisé le service de Federer plus tôt dans la manche. Malgré tout, Federer alla s'asseoir ; le décompte était de 4-5.

Avec ses cheveux bouclés, sa méticuleuse élégance, sa personnalité jet-set, on ne sait pas trop pourquoi, mais on assimile souvent Federer à quelque dandy. Toutefois, si on le regarde bien lorsqu'il arrive sur le court et projette toute l'intensité dont il est capable, il peut avoir l'air passablement moins bon garçon que dans le cliché de neutralité suisse un peu ennuyeuse dont il s'affuble. Avec son nez épaté, ses petits yeux rapprochés enfoncés dans leur orbite, ses sourcils épais, coiffez-le différemment et il ferait un très acceptable docker de Brooklyn dans le film *Sur les quais* d'Elia Kazan. En fait, c'est un bonhomme beaucoup moins hirsute que la plupart de ses collègues. Nadal, par exemple, est l'un de ces tennismen qui se font raser les poils superflus sur les bras et les jambes. On raconte qu'en fait cela évite les risques d'infection encourus lors des massages et des tapotements. Certains joueurs avouent que toutes ces coquetteries esthétiques sont parfois pratiquées pour des raisons psychologiques, entre autres pour exhiber les muscles des intéressés de façon avantageuse.

Lorsqu'il s'agit de tactique, les joueurs de tennis ressemblent à des enfants racontant une blague, obtenant la réaction désirée, puis répétant la même histoire le reste de la journée. Ainsi, Nadal continuait à servir contre le revers de Federer. Même si la tactique était prévisible et que Federer était en parfaite position, il répondait avec ampleur. Federer remporta les deux prochains points, tout d'abord par légitime défense, puis grâce à un revers-volée flegmatique, un échantillon de *maestria* si évidente que, dans une partie des tribunes, on l'acclama debout. Gagner un point de manière aussi spectaculaire donnait à Federer une impression d'exaltation qu'il devait décrire en ces termes : « Le moment probablement le plus satisfaisant au tennis est lorsque vous pouvez marquer un point au filet. Vous avez l'impression que votre adversaire a pu ressentir votre pression par le seul fait que vous êtes un bon athlète... »

À 15-30 pour Nadal, Federer y alla d'un revers lifté à une quinzaine de centimètres derrière la ligne de fond. Manifestant sa déception, il fit quelques pas à droite et, ensuite, comme s'il avait oublié quelque chose, leva la main gauche. Immédiatement, Pascal Maria vit le signal, ce qui signifiait : « Federer demande à vérifier l'appel de la ligne de fond. » Tout le monde, y compris les joueurs, fixèrent leur regard sur les moniteurs du tableau derrière chaque ligne de fond, au niveau du court.

Depuis 2006, les recours douteux, qui à une certaine époque donnaient lieu à d'interminables controverses, déclenchent maintenant un système de vidéosurveillance. Surnommé Hawk Eye (Œil de faucon), en l'honneur du nom de son inventeur, Paul Hawkins, un Ph.D. en intelligence artificielle, ce système de pistage de balle représente l'avance technologique la plus importante depuis la raquette en graphite. Si le CV de cet universitaire est conforme à celui du prof de sciences chevelu et en blouse blanche, disons que sa carrure n'en est pas moins athlétique. Il s'agit d'un Anglais blondasse dans la mi-trentaine qui a toujours l'air d'être prêt pour une partie de golf. Grand amateur de sports, Hawkins était persuadé de pouvoir suivre précisément le parcours d'une balle de tennis en recourant à la même technique que celle utilisée dans la chirurgie du cerveau et la détection des missiles. Son système fait appel à dix petites caméras à haute définition qui suivent la balle. Réparties à égales distance sur le périmètre du court central – dans ce cas-ci, au-dessus des installations –, elles transmettent les données vers une cabine exiguë, située dans la charpente. Dans ce lieu confiné, Hawkins surveille les matchs sur dix ordinateurs dont chacun correspond à une caméra. On procède alors à une synthèse des dix images et on en recrée une en trois dimensions, qui donne ce que les amateurs peuvent finalement voir sur l'écran vidéo. Tout se déroule en quelques secondes. Lors de certains événements, Hawkins a reçu l'ordre de retarder la production quelques secondes de plus pour dramatiser l'effet. (Cela se déroule à une époque où, dans d'autres sports comme le football américain, la NFL hésite à recourir à la technologie du *replay*, ou reprise, parce qu'elle trouve que tout cela prend beaucoup trop de temps.)

Il existe en effet un inconvénient : Hawk Eye ne montre pas précisément où la balle atterrit. Recourant à la modélisation par ordinateur et à des algorithmes complexes, le système prévoit le parcours *probable* de la balle. Comme l'explique Hawkins : « Hawk Eye ne montre pas ce qui est réellement arrivé, mais ce qui – statistiquement parlant – *aurait* dû arriver, et cela, avec une très grande précision. » La Fédération internationale de tennis a décrété qu'un système électronique de recours doit être capable de juger une balle en jeu ou une balle à l'extérieur à 5 millimètres près. La marge d'erreur de Hawk Eye est en moyenne de 3,6 millimètres.

Hawk Eye s'est révélé un grand succès. Sa précision a mis fin aux soupçons qui pesaient sur les résultats des matchs lorsque ceux-ci étaient déterminés ou tout le moins influencés par des appels douteux. On s'inquiéta d'abord du fait que le Hawk Eye ôterait peut-être de la couleur au sport en coupant court aux célèbres contestations du genre de celles de McEnroe (qui n'étaient pas toujours injustifiées). Armés d'un certain recours, les joueurs n'ont plus besoin de faire de scènes ridicules aux officiels. Ils ont amplement l'occasion de contester lors des trois recours à la reprise par manche qui leur sont alloués. Hawk Eye a su se gagner la popularité des fans comme celle des téléspectateurs. Quant aux officiels, qui ont reçu ordre de faire leur métier comme si Hawk Eye n'existait pas, ils sont heureux de cette aide inestimable et de la tranquillité d'esprit qu'elle leur procure. Les joueurs aussi d'ailleurs.

L'un des critiques les plus acerbes du pistage électronique a été Federer. Lorsque Hawk Eye fit son apparition en 2006, Federer, un traditionnaliste de la vieille école, considérait ce système comme quelque gadget à la mode. (Mats Wilander a une explication pour cela : « Si vous aviez sa feuille de route, vous souhaiteriez également que les choses demeurent dans le même état qu'autrefois... ») Au cours de la finale des messieurs de Wimbledon en 2007, Nadal frappa un coup qui, à l'œil nu, parut plutôt discutable. Federer arrêta le jeu et l'arbitre déclara que la balle était tombée à l'extérieur, ce que la reprise télévisée confirma. Nadal contesta le recours et Hawk Eye indiqua que la balle était en jeu. Federer protesta avec véhémence, mais non sans décorum, en déclarant sur un ton mélodramatique que Hawk Eye « l'assassinait ». Il réclama à cor et à cri que l'on « ferme » cet appareillage dérangeant. Hawkins défendit ce dernier en assurant que la balle était bien à l'intérieur de la zone, à un millimètre près, et que l'œil des experts avait été abusé parce qu'elle s'était écrasée en touchant le court. « Les caméras de télé ne sont pas aussi précises que cela, avait-il confié aux commentateurs, mais les gens font davantage confiance aux images classiques et se méfient des paysages virtuels. »

Mais Hawk Eye persiste et signe, et Federer demeure sceptique. Il se sert de la technologie, mais conteste souvent certains coups, non parce qu'il n'est pas d'accord (dans de nombreux cas, il a déjà déménagé du côté opposé du court en espérant qu'on le prenne en défaut), mais parce qu'il s'agit d'un moyen de canaliser une partie de sa colère. S'il rate un coup, il demande un recours et transfère sa frustration contre lui-même et contre le Hawk Eye, cette invention diabolique.

Il semblait bien que ce fût le cas ici aussi. Les fans regardèrent une représentation de la balle sur l'écran. Elle traînait comme une queue de comète jaune sur l'image et atterrissait quelque 15 centimètres au-delà de la ligne de fond. Voilà, voilà...

Federer se passa la main gauche dans les cheveux et se repositionna pour retourner le service à 30-30.

Nadal se donna un premier point de la manche grâce à un droit épuisant qu'il ponctua d'un *¡ Vamos!* très tauromachique. Federer riposta par des coups créatifs angulaires et gagna le point avec un revers à une main plutôt sec. Il attaqua par la suite au filet et envoya un coup droit à la volée. Soudainement, Federer eut une balle de bris pour égaliser le match. Dans la tribune, le clan de Federer exultait. Gavin Rossdale agitait le poing comme un contestataire déchaîné.

Nadal riposta. Lorsque Federer attaqua, l'Espagnol fouetta un coup de débordement auquel Federer répondit d'un coup à l'extérieur. Sa synchronisation était exquise. Nadal y alla de son premier ace de la journée pour s'octroyer un autre point de manche. Federer riposta en essayant de chasser Nadal hors du court par une série de coups droits puissants et en préparant sa troisième balle de bris après une autre série d'envois sur la ligne de fond. Ce badinage sur la ligne de fond, ce jeu d'attaque et de riposte, ce genre de bagarre de rue pour remporter des points cruciaux enchantait la foule.

Ensuite, comme il est souvent coutume dans les sports, le combat se transporta de l'aspect physique à l'aspect psychologique. Nadal envoya un innocent second service à 146 km/h au revers de Federer. Ce dernier y alla d'une riposte anémique dans le filet – un fait inexplicable. Il tourna la tête et secoua sa chevelure en guise de frustration alors que la balle s'arrêtait. Gardant en tête cette occasion manquée, Federer rata un autre revers sur le point d'égalité. À son troisième point de manche, Nadal joua quatre balles au revers de Federer. À la quatrième balle, le Suisse plia le corps une fraction de seconde trop tôt. Cette erreur technique et de concentration l'amena une fois de plus à envoyer la balle dans le filet. «Jeu et première manche: Nadal. Six jeux contre quatre…»

DEUXIÈME MANCHE

6-4

Il n'y a pas si longtemps, durant ce qu'il est convenu d'appeler le « boom du tennis », les événements internationaux de ce sport étaient principalement disputés par les Américains et les Australiens, avec quelques Suédois, Argentins et Tchèques pour la bonne mesure. Le circuit passait par les États-Unis, où l'ATP – l'Association des professionnels du tennis – avait son siège social et où les décisions importantes étaient prises. Les cotes d'écoute télévisuelles, alors le baromètre absolu des sports, étaient impressionnantes. De bien des façons, le tennis était un sport américain qui s'ouvrait au reste du monde.

Lorsque les économistes veulent illustrer de manière vivante les promesses et les dangers de la globalisation, ils pourraient se tromper plus grossièrement qu'en étudiant le tennis professionnel dans l'état où il se trouve actuellement. En effet, ce sport est pratiqué, suivi, regardé par plus de gens que jamais et on peut dire qu'il ne s'est jamais aussi bien porté. Jusqu'à la présente décennie, chaque continent – l'Antarctique excepté – se trouve représenté par des joueurs du top 10. Les événements professionnels que l'on disputait autrefois à Dallas, à Scottsdale ou à Chicago ont déménagé dans des villes aussi inattendues que Dubaï, Shanghai, Bangkok ou Chennai (autrefois Madras). Dorénavant établi à Londres, l'ATP a des bureaux en Floride, à

Monte-Carlo et à Sydney. Comme on le dirait dans une présentation en PowerPoint, « la réserve de main-d'œuvre s'est accrue, les marchés ont été pénétrés et la marque s'est imposée à la clientèle ». En effet, le tennis est *partout.* Il existe un dicton dans les autres sports américains voulant que lorsqu'une équipe, disons de baseball, perd un match avant la fin de la 9e manche, « un milliard de Chinois n'en ont rien à cirer ». C'est possible, mais en ce qui concerne le tennis, parmi le milliard – mille millions – de Chinois sur la terre, un pourcentage très appréciable d'amateurs suivent avec assiduité ce qui s'y passe et ça fait beaucoup de monde…

Si la mondialisation a généralement bénéficié au tennis, il faut admettre qu'aux États-Unis l'intérêt pour ce sport a un peu été dilué, car il s'est retrouvé relégué à un rang moins populaire, comme le golf ou les courses hippiques. D'une nature plutôt paroissiale, le public sportif américain a davantage de facilité à s'enthousiasmer pour les John, Jimmy et Andy de ce monde que pour les Guillermo et les Yevgeny. (Notons que le sport américain le plus populaire, le football de la NFL, est celui qui se trouve à être le moins dilué par la mondialisation.) Les effets pratiques de la mondialisation ont également affecté le tennis aux États-Unis. Et puis, il y a la barrière des langues, les fuseaux horaires et les frais de déplacement. Les épreuves de golf de la PGA se déroulent, par exemple, sur trois fuseaux horaires, ce qui est parfait pour les réseaux de télévision ; l'ATP couvre le globe. Il est peut-être difficile pour des fans américains de s'attacher à des joueurs de tennis qui évoluent rarement aux États-Unis. Revenons à un exemple incontournable, celui de Tiger Woods. S'il n'éprouve pas d'ennuis de santé, Woods joue entre seize et vingt fois par année dans son pays. Les amateurs américains de tennis qui prétendent que ce sport est en déclin chez eux se trompent. Le tennis est loin de mourir chez l'Oncle Sam. Il n'a fait que se transporter outre-mer.

Aussi irréfutable que cela puisse paraître, la rivalité Federer-Nadal a eu du mal à susciter un enthousiasme délirant dans l'ensemble des amateurs de sport américains. Pour eux, le tennis rentre dans la même catégorie que le football européen ou soccer. Les gens se disent : « Je sais que je devrais aimer cela, mais c'est un truc d'étrangers qui ne me motive guère... » Bill Simmons, le très populaire commentateur d'espn.com, parlait au nom de l'Américain moyen lorsqu'il rédigea sa chronique à la veille du tournoi de Wimbledon en 2008. Prophétique, dans un certain sens, il évoque en ces termes la baisse d'intérêt qui se manifeste pour le tennis aux États-Unis :

« Si je vous garantissais sur papier que la finale de tennis pour messieurs qui se déroulera à Wimbledon représente le meilleur du tennis des 20 dernières années, la regarderiez-vous ? Eh bien ! il serait surprenant de constater que de nombreux sportifs de salon répondraient de façon négative. Peut-être zapperaient-ils à NBC à quelques reprises pour regarder "où en est l'action". Peut-être s'attarderaient-ils à la cinquième manche, mais je n'ai pas un seul copain qui se farcirait quatre heures de tennis un dimanche matin, et je pense qu'il en est de même pour vous. Contrairement au golf, un autre sport chronophage qui plaît à une certaine clientèle, le tennis n'a pas son Tiger Woods pour lui donner de l'originalité. Lorsque le tennis met de l'avant des champions comme Pete Sampras ou Roger Federer, ces gars-là causent presque davantage de tort qu'ils font de bien au sport. Vous en venez à considérer ces vedettes du tennis comme des joueurs de ping-pong invités à une fête de famille : ils commencent par battre à plates coutures tous les oncles et cousins que vous pensiez être des as et, éventuellement, vous font perdre tout intérêt en continuant à jouer entre eux pour se faire plaisir le reste de la journée. Le golf est un sport qui s'articule sur la chance et le moment opportun. Il est donc inconcevable pour un golfeur de dominer de la façon dont Tiger l'a fait. Pour Federer, dominer est certes concevable... mais ennuyeux. »

Et vlan ! Cette opinion est certes discutable. Ainsi le tennis manquerait-il d'excentricité ? Le premier dimanche de juin,

Federer et Nadal jouaient à Paris sur terre battue ; le premier dimanche de juillet, ils jouaient sur le gazon de Wimbledon, une surface qui peut être mise à mal par un bichon maltais qui se permettrait d'y uriner. Ainsi, selon le commentateur, la domination qu'exerce Federer pourrait-elle s'avérer ennuyeuse ? Il est possible que l'issue de ses affrontements soit relativement prévisible, mais le suspense existe en fait dans la manière dont le génie de ce joueur se manifeste. Federer est comme ces bons romans policiers dont on devine le dénouement mais que l'on continue néanmoins à lire avidement. Et puis, l'hégémonie n'est-elle pas préférable à la parité ? Le tennis masculin est passé d'une période où tout le monde battait tout le monde, et ce fut un désastre. Entre 1999 et 2003, dix joueurs ont été au sommet du classement, parfois guère plus d'une semaine. Lorsque Carlos Moya, Yevgeny Kafelnikov, Lleyton Hewitt, Juan Carlos Ferrero et d'autres personnages moins translucides se disputaient les premières places, les perdaient, les récupéraient, les fans de tennis (pour ne pas parler des dirigeants de l'ATP) souhaitaient quasiment le retour des raquettes en bois si l'usage de celles-ci avait pu faire se manifester quelque joueur surdoué. (Et pourquoi pas deux ?)

Aussi controversée soit-elle, la chronique de Simmons a assez bien décrit la manière dont l'on percevait le tennis aux États-Unis. Malgré tout le génie dont ils pouvaient faire preuve et le capital de sympathie qu'ils pouvaient engendrer, par plus Federer que Nadal n'avait figuré sur la couverture du *Sports Illustrated*, joué au mannequin pour les baskets Nike, fait d'apparition dans la série *Entourage*, pris place sur la sellette de John Stewart ou de tout autre animateur à la mode. Federer et Nadal sont évidemment intéressés à améliorer leur image dans le paysage sportif américain, mais ils n'y parviendront pas en remportant un prix à Madrid, à Monte-Carlo ou à Tokyo. La finale de Wimbledon représente donc l'une des rares occasions de conscientiser les amateurs étatsuniens.

Federer et Nadal exposent ce que les réducteurs de têtes ou psys du sport appellent « un excellent langage corporel » sur le court. Contrairement aux joueurs conventionnels, ils laissent rarement percevoir dans leurs mouvements ou dans leur attitude s'ils sont en passe de gagner ou de perdre. On reproche souvent à certains joueurs de tennis leur accoutrement, leur aspect négligé genre « faux pauvre » et, surtout, leurs crises d'hystérie inutiles et leur exhibitionnisme snobinard, qui les rendent antipathiques au grand public. Federer et Nadal sont de notables exceptions. Maîtrisant leurs émotions, ils ne réagissent pas négativement lorsqu'ils perdent des points, pas plus qu'ils n'exultent lorsqu'ils en marquent. Toutefois, à la deuxième manche, Federer afficha un air exaspéré. Il admit plus tard avoir joué une bonne première manche, exécuté son plan de match et maîtrisé ses nerfs. Une faute commise au début fut de mauvais augure, car elle engendra une source de frustrations plus grande. Federer peut pratiquer *son* jeu contre n'importe qui mais, contre Nadal, il ne peut tout simplement pas jouer selon son style habituel. Il doit effectuer des ajustements, penser différemment et faire face à des situations inconfortables en sachant constamment que l'adversaire de l'autre côté du filet n'a jamais laisser filtrer le moindre signe qu'il se soumettrait facilement.

Federer se rendit rapidement à la ligne de fond pour le deuxième acte du match. Restreignant ses moments de pause, s'essuyant le front avec son bracelet en tissu éponge sans demander de serviette, il se déployait avec la méticulosité d'un joueur d'échecs déplaçant ses pièces. Il lui fallut exactement une minute pour tenir son service à zéro. Nadal ralentit son jeu de service, mais ne pouvait pas faire grand-chose pour ralentir son opposant. Federer avait basculé dans ce qu'il est convenu d'appeler « la zone », cet état nébuleux et fugace durant lequel un athlète se sent invincible. Les lois de l'espace et de la physique sont suspendues et le temps devient élastique. L'extraordinaire devient ordinaire. Presque impitoyables dans leur décision, les joueurs de tennis qui atteignent la zone ont l'impression qu'ils peuvent diriger la balle où bon leur semble. Tout ce que le cerveau conçoit, le corps semble l'exécuter. Les services semblent surgir naturellement de la raquette, les ripostes de l'adversaire se déroulent comme au ralenti et, lorsque la balle arrive sur eux, elle semble avoir la taille d'un melon.

Bien que Nadal fasse preuve d'une stabilité peu commune, pratique un jeu soutenu et dévie rarement de son niveau normal, Federer est enclin à bénéficier de cet état de grâce qu'est la zone. Au premier point, Federer, soudainement si libre, si peu contraint, déploya un curieux amorti. Nadal put à peine récupérer la balle et Federer la reprit facilement à la volée. Pour le point suivant, Nadal revint à la sécurité de son plan de match initial, soit frapper tous les coups vers les revers de Federer. Enhardi, ce dernier se déchaîna. « Ainsi tu veux exploiter mon côté faible ? Attends un peu, mon petit malin… Tiens, prends ça… » a-t-il dû probablement se dire. Lorsque Nadal changea de tactique et dirigea sa balle vers le coin, Federer y alla d'un coup droit qui fit pratiquement revoler une petite motte de gazon. C'était 0-30 ! Cela rappelait que l'on ne pouvait pas toujours réduire, de manière simpliste, les affrontements entre Federer et Nadal à de simples confrontations entre la finesse intellectuelle et la rudesse tauromachique. Nadal est loin d'être aussi élémentaire qu'on le dit et Federer peut se montrer agressif.

Une minute plus tard, Federer avait en mains une balle de bris. Nadal y alla d'une attaque au filet en réponse au coup droit de son adversaire. Federer se mit en position et retint son coup en ne donnant aucune indication où il frapperait la balle. Dans les derniers instants, d'un tour de poignet, il effectua un lift et lança un coup gagnant qui traversa le court. La balle avait à peine passé à côté de Nadal que Federer lâcha un cri sauvage que l'on pouvait interpréter comme un « Yeah ! » ou un « Ja ! » Dans la section de ses supporters, les poings s'agitaient frénétiquement avec ovations à la clé.

Toujours dans sa zone crépusculaire, Federer continuait à prendre de l'avance en jouant de manière posée et efficace. Très conscient de son espace d'évolution, il s'apprêtait à servir lorsqu'il remarqua que la ramasseuse de balles en avait oublié une. Il leva les yeux et lui fit gentiment signe de sa raquette pour qu'elle corrige la situation ; la jeune fille s'exécuta. Après tout, il s'agissait de la scène où Federer jouait l'un des rôles de sa vie et, comme tout bon metteur en scène, il devait s'assurer que même les figurants fassent parfaitement leur travail. Dès que la balle errante disparut du court, Federer conclut le jeu par un service gagnant. Nadal lutta pour tenir le service mais Federer, toujours dans la quatrième dimension de sa zone, transforma son adversaire en spectateur, retint son service à zéro ; 4-1. Il s'était écoulé 14 minutes dans la deuxième manche. Federer avait offert un échantillon de son habileté et était à deux jeux de niveler le match à une manche chacun.

Une telle démonstration de précision fait dire aux admirateurs inconditionnels de Federer qu'il joue un tennis « typiquement helvétique ». Dans les sports – et c'est un truisme que de le faire remarquer –, les athlètes peuvent refléter les qualités et les défauts de leurs origines. Ainsi, les Lakers de Los Angeles sont bien connus pour leur basketball voyant, dont bien des aspects s'inspirent du strass et des paillettes du showbiz. Les Cornhuskers (Éplucheurs de maïs !) du Nebraska se comportent avec un conservatisme rural que l'on associe volontiers aux habitants du Middle West. Les équipes de Detroit, de Pittsburgh, de Buffalo et autres villes de la région des aciéries américaines sont souvent reconnues comme pratiquant une déontologie propre aux robustes métallurgistes du coin.

Ce genre de définition par origine géographique, quoique non scientifique, peut s'appliquer également au tennis. Issus d'un pays où les camions sont déguisés en véhicules polluants appelés « utilitaires sport », où les productions cinématographiques sont à gros budget et se croient obligées de fourmiller d'explosions dantesques, où la politique extérieure (du moins jusqu'en 2008) reflétait l'agressivité du gouvernement, les joueurs américains affichent une indéniable puissance mais ne font pas dans la dentelle au plan des nuances et de la finesse. Andy Roddick, James Blake, Venus et Serena Williams sont les Rambo de la balle jaune et on ne pourrait décrire leur jeu comme étant sophistiqué. Chacune de ces honorables personnes fait figure d'un Hummer sur une autoroute bavaroise. Si l'on désirait un peu plus s'autoflageller en tant qu'Américain, on pourrait dire que les difficultés que le pays ressent à cause de ses banquiers égrillards et de ses problèmes géopolitiques se répercutent sur le tennis. Ainsi, au moment où ces lignes sont écrites, depuis plus de cinq ans, aucun joueur américain n'a remporté un tournoi du Grand Chelem en simple… En comparaison, les Français sont souvent des stylistes et des artistes du tennis, mais il est possible qu'à cause de leurs déboires militaires du siècle dernier (ils ne sont pas les seuls !) ils manquent un peu de combativité. Prenons le talentueux Richard Gasquet, par exemple, qui semblait avoir des qualités dignes d'en faire un émule de Federer. Seulement voilà, son manque de ressort lui nuit[10]. Ainsi, au début de 2008, il se fit excuser d'un match de la Coupe Davis, non parce qu'il souffrait de quelque blessure, mais parce qu'il « ne croyait pas suffisamment en lui » ! Une telle attitude joue évidemment contre son formidable potentiel. Les Russes sont des joueurs puissants mais semblent handicapés par une mentalité datant de la Guerre froide – « Nous contre le monde entier » –, qui semble

[10] Sans compter une accusation de consommation de cocaïne, dont il fut éventuellement innocenté. (Voir : *Le Monde* du 11 mai 2009 – *Richard Gasquet, ex-petit prodige au destin suspendu.*) (N.d.T.)

perturber leur circuit interne. Le cas de l'imprévisible Marat Safin en est la meilleure illustration.

Si nous en revenons au jeu prétendument si « helvétique » de Federer, nous y retrouvons des caractéristiques comme la précision, la mesure, l'organisation. Mise à part l'influence géographique et culturelle que nous avons évoquée, je ne comprends pas pourquoi ces qualités n'appartiendraient qu'aux Suisses. Un jour sans faste au tournoi de Roland-Garros, je me fis porter absent, quittai mon poste et pris la journée pour visiter Bâle, la ville où réside Federer. Je pris le TGV à la Gare de l'Est, traversai l'Alsace et arrivai à Bâle trois heures et demie plus tard. Le train avait entre huit et dix minutes de retard ce qui, selon les normes ferroviaires des *Amtraks* de mon pays, représente une exactitude exemplaire. Cela n'empêcha pas un voyageur suisse de rouspéter d'une voix acide et de faire remarquer qu'avec un tel retard le chauffeur devrait avoir la décence de prendre son porte-voix et de s'excuser auprès des voyageurs !

Comme par hasard, j'avais choisi la bonne journée. La ville se partageait entre *Art Bâle*, une exposition mondialement réputée sur l'art et le design qui avait inspiré un événement similaire à Miami, et le championnat 2008 de soccer. Cette agglutination d'amateurs d'art bon chic bon genre et de fans de soccer jouant des coudes pour trouver une chambre ou se disputer une place de restaurant représentait un choc culturel plutôt surréaliste. Pourtant, malgré le grouillement de la foule, Bâle ressemblait davantage à un grand village qu'à la ville industrieuse de 175 000 habitants qu'elle est en réalité.

Bâle est située entre l'Allemagne et la France, dans ce qu'on appelle le *dreiländereck*, ou District des trois frontières. L'aéroport de la ville se trouve en France et certains des bureaux de sociétés suisses, en Allemagne. Les parents de Roger disent qu'ils peuvent s'éveiller en Suisse, jouer au golf en Allemagne, déjeuner en France et ne pas en faire une histoire. La ville est certes plus teutonique que française, entre autres pour des raisons linguistiques. Tout comme le reste de la Suisse, qui refuse farouchement de se joindre à l'Union européenne pour conserver ses avantages et sa spécificité, Bâle a une personnalité bien à elle.

Comme dans un mécanisme bien huilé, tous ses rouages semblent tourner harmonieusement. Bâle est l'une de ces villes qui *fonctionnent*. D'une propreté maniaque et d'une remarquable tranquillité, les gens y sont pragmatiques. Ainsi le ferry qui rejoint les deux rives du Rhin n'est pas mû par un moteur mais par le courant du fleuve. Ville de culture, où le taux de criminalité est très bas, les services de transports en commun y sont excellents ; ainsi on y trouve un réseau de tramways modernes rayonnant du centre vers toutes les directions. Bâle allie hardiment la tradition et le progrès, l'ancien et le neuf. Par exemple, on peut voir une boutique de chocolats sise dans une rue médiévale pavée offrir à sa clientèle un accès Internet gratuit. La ville fourmille de millionnaires, mais la discrétion helvétique n'en laisse rien paraître. Il s'agit d'un important pivot commercial européen, et il semble que la confrontation bruyante, le marketing agressif et la vente sous pression n'y aient pas leur place.

Fondée en 44 avant notre ère par les Romains, Bâle fut longtemps une ville pour le textile et les travaux de teinture. Éventuellement les teinturiers se mutèrent en chimistes pour finalement s'intéresser à la pharmacie et aux sciences de la santé. Des dizaines de sociétés de haute technologie recherchent constamment du personnel qualifié, tout particulièrement des ingénieurs. Robert Federer, le père du champion, en est un bon exemple. Né dans une famille de travailleurs du textile de Berneck, un village de 3 000 habitants du canton de Saint-Gall, adjacent à l'Autriche et au Lichtenstein, après ses études, Robert déménagea à Bâle où il travailla pour la multinationale Ciba.

Dans la vingtaine, il émigra en Afrique du Sud, principalement pour la facilité avec laquelle on pouvait se procurer un visa pour ce pays. Il parvint à se faire engager dans une des usines des laboratoires Ciba. C'est là qu'il rencontra Lynette, une charmante brunette de 18 ans, secrétaire de métier, avec laquelle il partageait la passion du tennis. Ils se marièrent en 1973 et rentrèrent en Suisse. D'un naturel avenant et sachant s'imposer sans forfanterie, Robert se fit beaucoup d'amis et escalada rapidement les échelons chez Ciba où Lynette trouva également du travail.

En 1979, le couple eut une fille, Diana, puis, en 1981, un fils qu'il nomma Roger. Des linguistes soutiennent que le prénom Roger vient des mots germaniques *hrod* (célèbre) et *ger* (arme ou javelot). D'autres disent que « Roger » signifie « Lance glorieuse », ce qui n'est pas loin des attributs guerriers. D'autre part, *feder* signifie « plume » en allemand. Cela a fait dire à des commentateurs imaginatifs que le petit Roger avait su atteindre la célébrité en maniant l'arme à sa disposition (sa raquette) avec l'aisance d'une plume. On pourrait s'amuser longtemps avec ces coïncidences linguistiques…

Les amateurs de sport ainsi que les médias aiment que les athlètes aient un passé lourd de signification. Tel boxeur a-t-il été élevé dans des conditions sordides ? On en déduit qu'il est devenu ce qu'il est parce qu'il a appris à survivre dans les pires situations. Tel joueur de basketball a-t-il été élevé par une mère célibataire dans la misère et les pénuries ? On ne se surprendra pas qu'il fasse abstraction de tous les obstacles afin d'exorciser son passé difficile. Federer n'est pas dans ce cas. Il fut élevé de manière conventionnelle, voire idyllique. Sa famille demeura unie, il a pu jouir du confort et de la sécurité des classes moyennes et n'a pas subi de traumatismes apparents. Par conséquent, on ne peut que minimiser ces données banales et se passer de commentaires. Dans un essai bizarre, *Roger Federer as a Religious Experience* (« Roger Federer en tant qu'expérience religieuse »), l'excellent essayiste américain David Foster Wallace (qui se suicida après les finales de

Wimbledon en 2008) écrivait : « Tout ce que vous voulez savoir sur M. Roger Federer, ses origines, la ville de Bâle, l'appui sincère et désintéressé que lui ont prodigué ses parents, sa carrière en tennis junior, ses problèmes de débutant, sa fragilité et ses sautes d'humeur, son bien-aimé coach au junior, son stoïcisme de la vieille école et sa résistance mentale, son esprit sportif, sa gentillesse, sa prévenance et ses largesses caritatives, on peut retrouver tout ça sur Google. Surtout, ne vous gênez pas ! »

On pourrait tout aussi bien faire valoir que l'enfance sans histoire de Federer rend ses succès encore plus remarquables. Cette question mérite qu'on la soulève et que l'on se garde de l'éluder. Comment ce jeune homme, qui a grandi dans des conditions familières à un grand nombre de personnes, est-il devenu peut-être le plus grand joueur de tous les temps ? On ne peut expliquer cela par la génétique. Un bref regard sur Lynette et Robert Federer, un couple de stature et de corpulence moyenne, ne donne aucune indication permettant de déduire qu'ils étaient appelés à engendrer un rejeton aussi surdoué. Quel est le mystère ?

Il faut se contenter de dire que Federer a reçu un cadeau du ciel : la coordination entre l'œil et la main, le moment opportun, l'instinct, l'équivalent sportif du génie musical d'un Mozart ou d'un Beethoven. Ces qualités sont apparues très tôt chez le champion. Le coquet logement de classe moyenne de la famille Federer, dans Münchenstein, résonnait du bruit des balles jaunes rebondissant sur le plancher ou sur les murs. À l'époque, l'un des bénéfices marginaux pour un employé travaillant pour une société pharmaceutique bâloise était de pouvoir inscrire sa famille à une foule de clubs sportifs affiliés. Roger suivait donc ses parents au club sportif Ciba. Les adultes jouaient en priorité. Ensuite on lui passait une raquette en bois. Il avait alors quatre ans et tempêtait s'il ne frappait pas la balle ou ne la faisait pas passer par-dessus le filet !

Lorsque Roger eut huit ans, Lynette le confia au Tennis club Old Boys, un club sans prétention fondé dans les années 1920, situé dans un parc à quelques kilomètres du centre-ville. Le cours de tennis junior était dirigé par Madeleine Bärlocher, une instructrice à la fois sévère et maternelle qui avait déjà participé au tournoi des dames à Wimbledon. Un demi-siècle plus tard, elle évoquait volontiers combien elle avait pu éprouver des difficultés avec le gazon. Elle se souvient de Lynette Federer qui lui avait amené son échalas de fils en lui disant : « Voici Roger. Il est déjà capable d'intercepter bien des balles. Peut-être pourriez-vous l'entraîner… »

Immédiatement, Mme Bärlocher et l'autre entraîneur du junior, un Tchèque nommé Seppli Kacovsky, virent que le garçon possédait certaines qualités le démarquant des autres. Mais il n'était pas le seul jeune joueur de talent. Par exemple, on trouvait au club un adolescent du nom d'Emmanuel Marmillod, un gaucher au jeu fluide qui avait récemment participé à un événement de l'ATP, un modèle duquel tous les joueurs juniors de l'Old Boys s'inspiraient. Si Federer travaillait ardument, pourquoi ne deviendrait-il pas un jour aussi bon que Marmillod ? (Aujourd'hui, ce dernier est devenu un instructeur apprécié.) Personne ne parlait de former un futur professionnel et encore moins un futur champion du monde.

Au grand désespoir de ses parents, Federer était un élève peu studieux, agité en classe. Loin d'être un cancre, il ne brillait toutefois pas au tableau d'honneur. Par contre, le tennis retenait toute son attention. Les après-midi, il se rendait à bicyclette au club Old Boys pour y prendre des leçons de groupe ou en privé. Il suivait les recommandations des instructeurs mais apprenait également par l'expérimentation. Il découvrit qu'il pouvait imiter sans trop de difficultés les services brossés de Sampras et les volées d'Edberg. Bref, les « trucs » des grands champions ne lui semblaient pas inaccessibles. Les effets et les volées d'angles, tout comme le revers à une main, qui échappaient aux joueurs expérimentés du club, semblaient tout à fait naturels pour Roger.

Le club avait engagé un Australien avenant et charismatique pour travailler avec les joueurs juniors les plus prometteurs ; il s'agissait de Peter Carter. Sur les courts de terre battue du club, Federer travaillait assidument avec ce nouvel instructeur. Roger avait abandonné les autres sports qu'il pratiquait, notamment le football, pour se consacrer entièrement au tennis. Peu à peu, il visait des cibles de plus en plus petites sur le court en ne s'accordant graduellement qu'une marge d'erreur minime, mais son grand talent était quelque peu occulté par son caractère fantasque. « C'était un clown, explique Mme Bärlocher. Roger ne se comportait pas mal. Il était plutôt très sociable et tenait à se faire des copains parmi les autres jeunes. Il rigolait et était bruyant. Il n'a jamais dit : "Il faut que je sois sérieux si je veux être un jour le numéro un." Non, il n'a jamais dit ça... »

Dans la même foulée, le jeune Roger était très sensible et pleurait facilement au moindre échec. Madeleine Bärlocher se souvient qu'un jour, après qu'il eut perdu un match contre le joueur d'un club rival, elle l'avait cherché partout pour le retrouver dans un court inoccupé, en train de sangloter, recroquevillé sous la chaise de l'arbitre.

La carrière d'un tennisman commence si tôt que des parents harcelants semblent représenter la condition sine qua non de la réussite d'un jeune joueur. Andre Agassi, « le Kid de Las Vegas », aurait-il atteint les sommets si son père Mike ne l'avait pas soutenu depuis l'âge de trois ans en le présentant comme la merveille des merveilles et le futur champion du monde de tennis ? Le tennis représente un parcours si éprouvant, si solitaire que, lorsque certains joueurs approchent de l'adolescence, ils ont besoin d'un parent pour soutenir leur engagement. Qu'il suffise de citer la mère envahissante de Martina

Hingis, Mélanie Molitor, qui laissa entendre un jour que sans sa direction et son influence, qui selon elle représentaient un «indéniable équilibre», sa fille pourrait – Ô horreur! – fort bien se faire un petit ami, aller faire du cheval avec lui et négliger le tennis. Il est évident que, dès que les joueurs deviennent professionnels, ils ont souvent besoin de parents forts pour surveiller leurs intérêts. Quelques semaines avant le tournoi de Wimbledon 2008, alors que Novak Djokovic jouait à Hambourg, son père aurait fait irruption dans une station de radio de Belgrade où le match était diffusé en direct pour engueuler vertement le commentateur qui, à son avis, n'était pas assez louangeux envers son fils[11]!

Roger Federer se rebelle contre des comportements aussi arrivistes et assure que, si ses parents l'encourageaient fortement, ils se gardaient bien de ventiler leurs propres désirs inassouvis en poussant leur fils ou en vantant ses mérites indument. S'ils acceptaient de le soutenir, ils lui reprochaient aussi de prendre le tennis trop au sérieux. Comme aime à le rappeler Madeleine Bärlocher, Robert Federer, qui travaillait beaucoup, traînait rarement au club. Très Suisse dans son attitude, il se souciait parfois de ce que son fils investisse trop de temps et d'efforts dans une activité sportive. Lorsque Roger se mettait en colère, Robert adoptait une attitude conciliante. «Je ne me fâchais pas contre Roger, explique-t-il. C'était un bon sportif très indulgent pour les autres et exigeant pour lui-même. Si un garçon se trouve frustré et jette sa raquette contre la clôture, je m'en fiche, tant qu'il ne triche pas. C'est pourquoi je disais à Roger: "Pleure lorsque tu perds, pleure lorsque tu gagnes. Ainsi le veut le sport… Mais ne triche jamais!"»

---

[11] On a vu précédemment comment la famille Djokovic est coutumière de ce genre de bruyantes pitreries.

Apparemment moins « helvétique », Lynette Federer est meilleure joueuse de tennis que son époux. Jusqu'à ce jour, elle demeure membre en règle du club de tennis Old Boys et affiche davantage d'ambitions pour son fils. Elle ne voudrait surtout pas qu'on la prenne pour l'une de ces mères arrivistes qui, l'œil révulsé, hurlent des consignes à leur enfant et veulent à n'importe quel prix en faire des vedettes. En fait, lorsque son fils était sur le court, elle ne s'occupait pas en général de ce qu'il faisait et discutait avec des amis sur la terrasse. Lorsque Roger, aux alentours de sa douzième année, remporta un match contre le joueur d'un club adverse et que Mme Bärlocher fit remarquer à Lynette qu'il avait fort bien joué, cette dernière déclara : « Peut-être, mais il ne s'est pas bien conduit. D'où j'étais, je l'entendais constamment rouspéter ! »

René Stauffer, un journaliste sportif renommé, aime raconter l'anecdote suivante. Alors que Roger Federer n'était qu'un adolescent et qu'il commençait à se faire connaître, un journal local lui demanda ce qu'il ferait de la première prime en argent qu'il gagnerait au tennis. Le journal publia la réponse du jeune joueur : « Je m'achèterais une Mercedes… » aurait-il dit. Surprise par les prétentions de jeune parvenu de son fils, Lynette demanda au journaliste, qui était un ami, à écouter l'enregistrement de l'interview. Il s'agissait d'une mauvaise interprétation. Roger n'avait jamais parlé de Mercedes, mais avait répondu en allemand *Mehr CDs*. Il avait voulu simplement dire « J'achèterais davantage de disques compacts… »

Madeleine Bärlocher se souvint de l'une des rares instances où Lynette se mêla de la formation de Roger. Après un cours, elle suggéra que l'on pourrait peut-être placer son fils dans un groupe comprenant des joueurs plus âgés et plus compétitifs. Peter Carter et Mme Bärlocher se plièrent de bonne grâce à cette suggestion. Lorsque Roger entendit parler de cette

« promotion », il regretta la perspective de se retrouver séparé de ses amis et demanda à réintégrer son ancien groupe.

Il est possible que nous nous trouvions là devant un *début* d'explication concernant le mystère Federer. Au lieu de tenter d'affûter au maximum les possibilités athlétiques que la Nature avait données à leur fils au moyen d'un entraînement inhumain et de satisfaire, par procuration, une ambition personnelle dévorante, les parents du jeune homme relâchèrent au contraire la pression et ne traitèrent pas Roger différemment de leur fille Diana. Ils se gardèrent d'imposer à leur fils, après ses cours au club de tennis, des intervenants comme un coach de musculation, un psychologue des sports, un diététiste ou un phytothérapeute. Ils étaient heureux de le laisser tranquillement discuter de lutte professionnelle, de soccer ou de musique *heavy-metal* avec des copains qu'il considérait avant tout comme des équipiers et non des opposants. Il est possible que l'aspect prosaïque de son environnement ai été justement ce que son talent, très peu banal, avait besoin pour s'épanouir.

Il ne fallut guère de temps pour que Federer manifeste son potentiel. En 1995, il remporta le titre national suisse pour les enfants de 14 ans et moins. Il prit la difficile décision de quitter la chrysalide de Bâle, où il s'était développé, pour déployer ses ailes en faisant trois heures de train pour se joindre au Centre national suisse de tennis à Ecublens, une ville francophone sise près de Lausanne et du lac Léman. En termes de tennis, il s'agissait là d'un choix judicieux, car la compétition commençait à se faire rare au club Old Boys et Roger Federer avait même surpassé le fameux Marmillod qui, malheureusement, avait subi des blessures et ne pouvait se joindre aux rangs des professionnels internationaux. Même s'il ne parlait pas couramment français au début, Federer avait, parmi ses nombreux talents, celui des langues et il ne tarda pas à devenir un francophone accompli en quelques mois. Il rentrait à la maison les week-ends et pleurait les dimanches après-midi lorsqu'il était temps de retourner à Ecublens. Il souffrait d'une légère dépression, pleurait ostensiblement, dormait beaucoup et ne manifestait que peu d'intérêt pour autre chose que le tennis.

Entraîné de manière intense et devant faire face à des adversaires de plus en plus valeureux, Federer ne tarda pas à accomplir des progrès remarquables. Il fut également favorisé par une poussée de croissance. Si son père Robert ne mesure qu'un mètre soixante-dix, possède un centre de gravité plutôt bas et de petits doigts boudinés, son fils a été doté d'un corps de tennisman idéal : suffisamment grand pour dégager de la puissance, mais pas trop pour se trouver empêtré dans ses mouvements. Ses bras s'allongèrent d'ailleurs de façon assez inhabituelle, ce qui lui donne un avantage, notamment sur les retours. Son corps est nerveux, ses jambes sont d'une puissance étonnante et il démontre une souplesse remarquable. Il n'a d'ailleurs jamais cessé de travailler très fort pour améliorer ses qualités physiques.

Bâti comme l'archétype du joueur de tennis, Federer était mentalement un vrai bébé gâté, un de ces joueurs assez caractériels que l'on retrouve souvent dans ce sport, au point que ces caractéristiques sont devenues un cliché crispant. Le moindre coup manqué provoquait dans sa jeunesse des débordements de rage. Il hurlait, jurait, boudait. Il jetait sa raquette et, à l'occasion, la détruisait à la manière dont le rocker Pete Townshend brisait son matériel. Sven Groeneveld, l'ancien dirigeant de la Fédération suisse de tennis, actuellement un coach respecté, aime à raconter ce qu'il appelle « L'affaire des calicots ». Vers la fin des années 1990, on avait installé un ensemble de banderoles ornées du logo d'un commanditaire dans le court intérieur d'un nouveau centre d'entraînement suisse. Peu après qu'on les eut suspendues, Federer, qui avait éprouvé des revers et était dans une humeur massacrante, projeta violemment sa raquette dans ces publicités et les déchira. Groeneveld insista pour que Federer assume les frais de restauration des banderoles et passe plusieurs jours à aider bénévolement les administrateurs. « Ce n'est pas que c'était un mauvais garçon, précise Groeneveld, mais il ne supportait pas la défaite. »

Quelques années plus tard, Federer perdit de son agressivité et devint un jeune homme posé. Il passa pratiquement de la gaminerie colérique de McEnroe à la morgue glaciale de Borg. Il convient de préciser une chose. La colère de Federer ne visait pas les organisateurs, les arbitres ou les adversaires, mais bien lui-même. Il était en rage contre ses propres erreurs et le fait qu'il se trouvait dans l'impossibilité d'atteindre les objectifs qu'il s'était fixés. Doué de tant de talents par la providence, incapable de tous les utiliser en même temps, il ne pouvait se permettre rien de moins que la perfection.

Federer quitta l'école à 16 ans. Certaines fiches font mention de cette scolarité abrégée. Par exemple, voilà quelques années, on lui posa une question concernant Sigmund Freud. Embarrassé, le champion reconnut que ce nom ne lui disait rien. S'il ne s'était entièrement consacré au tennis, ses parents pensent qu'il aurait été au collège comme la plupart des jeunes Suisses de son milieu. Fort heureusement pour lui, le choix de devenir tennisman professionnel s'était révélé judicieux.

Malgré son caractère, Federer se montrait un joueur international junior de haut niveau. En 1998, on l'invita au championnat junior de Wimbledon et cela l'effraya à l'extrême. Sans faire démesurément appel à ses droits et prérogatives, Federer était si nerveux et si craintif qu'avant le premier match il demanda à l'arbitre de mesurer la hauteur du filet qui lui semblait aussi haut qu'un filet de volley-ball. On lui prouva que ce n'était pas le cas. Il reprit ses esprits et… remporta le championnat.

Plus tard, dans la même année, alors qu'il participait à l'Orange Bowl, un événement junior qui se tenait à Miami, il fut presque forcé de se retirer à cause des blessures qu'il s'était malencontreusement infligées. Le journaliste René Stauffer se souvient qu'avant le début du tournoi Federer sautait à la corde en imitant les cris de Tarzan et de son chimpanzé Cheetah. Il retomba maladroitement sur sa cheville qui commença à enfler. Même avec un pied bandé, Federer remporta le titre en battant en finale Guillermo Coria, un Argentin plutôt rapide. L'Orange Bowl convainquit Robert Federer que son fils, même s'il n'était pas destiné à trôner au pinacle du tennis, possédait suffisamment de cordes à son arc pour abandonner ses études et poursuivre une carrière de joueur de tennis professionnel. «J'eus l'impression de pouvoir le laisser aller sans crainte, expliqua Robert. S'il devait réussir, tant mieux, sinon, tant pis; lorsque je l'ai vu remporter le championnat junior, je me suis dit que, dans le fond, il devait posséder un talent extraordinaire.»

L'Orange Bowl fut l'occasion de se rappeler que Federer était toujours un adolescent essayant de définir son identité et porté à prendre des décisions discutables. À un certain moment du tournoi, Federer sentit le besoin de se teindre en blond. Lorsqu'il rentra chez lui, ses parents furent estomaqués, surtout après avoir appris que les mèches ridicules que l'on avait faites à son fils avaient coûté près de 250 $! Madeleine Bärlocher se souvient d'avoir organisé un tournoi junior de tennis au club Old Boys quelques jours après l'Orange Bowl. Federer était arrivé avec un chapeau enfoncé jusqu'aux oreilles. Elle lui avait demandé de l'enlever mais il avait répondu: «Je ne peux pas. Ma mère est vraiment furieuse. Elle trouve ma teinture amusante mais elle considère que ce n'est pas une coiffure qu'un jeune Suisse digne de ce nom devrait porter.»

Sans tambour ni trompette, Federer devint un professionnel à considérer, mais pas encore en qualité de champion du monde. Le jeune homme dut prendre la difficile décision de retenir les services du coach Peter Lundgren, un professionnel suédois au coffre de receveur, et non ceux de son mentor, Peter Carter. Lundgren s'était occupé précédemment de Marcelo Rios, un Chilien aussi pourri de talent que son caractère était abominable jusqu'à l'obscénité. Lundgren savait comment maîtriser les forces élémentaires de la nature.

Tous les joueurs, Nadal inclus, essaient de compliquer leur jeu et de diversifier leur assortiment de coups. Federer était pris avec le problème inverse, soit épurer sa technique au maximum. Chez les professionnels, la balle ne prend environ qu'une seconde pour passer au-dessus du filet et atteindre l'extrémité du court. Pendant ce temps, Federer devait choisir parmi une variété d'options : effet, angle, endroit, vitesse. « Si vous n'imprimez pas divers aspects à votre jeu, explique-t-il, il est parfois plus facile de se contenter de faire ce que vous faites de mieux. J'avais plusieurs choix et, lorsque je prenais la mauvaise décision, cela se révélait très coûteux. »

Tôt dans sa carrière, Federer jouait dans des « mini-tournées » suisses de tennis professionnel, recherchant toutes les occasions de marquer des points dans quatre événements satellites de son pays. Le premier se tenait à Küblis, une populaire station de ski du canton des Grisons. Federer avait déjà signé avec un agent et, grâce à des invitations, il put participer à des rencontres haut de gamme, notamment dans un match contre Andre Agassi, dans l'Open de Bâle. Ce genre de rencontres constitue en effet des carottes que les agences agitent devant les jeunes joueurs pleins de vertes espérances pour les inciter à signer avec elles. Federer n'étant guère motivé à courir après des points de qualification en participant à des événements en des lieux un peu folkloriques, il le fit savoir. Au cours du premier match, frustré, il joua comme s'il avait reçu une dose de tranquillisants. L'arbitre du tournoi demanda à Lundgren ce qui se passait : « Auriez-vous quelque objection à ce que je le pénalise ? » lui dit-il.

« Aucunement, répliqua Lundgren. Peut-être que cela le fera réfléchir... »

Non seulement Federer a-t-il perdu le match, mais il s'est vu accuser de ne pas avoir fait d'efforts significatifs pour se défendre. On lui imposa une amende de 100 $, une somme supérieure aux minables prix qu'il aurait pu encaisser cette semaine-là. La punition eut l'effet désiré : il remporta l'événement suivant et gagna aux points sa mini-tournée suisse.

Cela dura les cinq années suivantes. Federer ressemblait à ces génies torturés qui, alternativement, laissent entrevoir quelques aspects fugaces de leur potentiel ahurissant puis affichent d'inquiétantes capacités d'autodestruction. Lundgren se souvient qu'après certaines séances d'entraînement décevantes il emmenait Federer faire un tour en voiture. Il remontait les vitres, faisait jouer du Metallica et laissait le jeune homme hurler de toutes ses forces pour ventiler ses émotions. C'était ainsi avant même que les tournois ne commencent. Le soir, sur son lit, Federer donnait de la tête contre son oreiller. Il appelait cela « se frapper la caboche ». Cela pouvait durer jusqu'à ce qu'il s'endorme. « Une vraie boule de nerfs... », témoigne Lundgren en hochant la tête.

Federer eut vraiment sa chance en 2001 à Wimbledon, lorsqu'il battit Pete Sampras le magnifique, un septuple champion ! Il joua impeccablement, services et volées s'enchaînant. Il se déplaçait avec grâce et se montrait un serveur redoutable. Il prit systématiquement Sampras à son propre jeu en jouant un classique tennis sur gazon. On salua cet exploit comme un « changement de garde ».

Ralenti par une blessure à l'aine, en dépit de ses efforts, Federer perdit son match suivant. Un an plus tard, il retourna à Wimbledon. Beaucoup de personnes le donnaient gagnant, mais il dut s'incliner au premier tour. Quelques semaines plus tard, au cours du même été, il connut une autre épreuve. Incité par Federer, Peter Carter se décida à faire du tourisme en Afrique du Sud avec sa famille. Ce voyage était destiné à célébrer l'amélioration de la santé de son épouse, qui souffrait de la maladie de Hodgkin. Carter eut un accident en compagnie de son guide dans le parc Kruger. Leur Land Rover tomba d'un pont et se retourna, tuant Carter sur le coup. Il avait 37 ans. Federer jouait à Toronto lorsqu'il apprit la mauvaise nouvelle. Il sortit de sa chambre d'hôtel et parcourut les rues de la ville en pleurant. Selon sa mère, ce fut la première épreuve vraiment douloureuse qu'il dut affronter et il lui fallut des mois pour s'en remettre.

Jusqu'en 2003, Federer se maintint dans le top 10 mais demeurait néanmoins un déconcertant électron libre. Il stressait devant tout résultat susceptible d'amoindrir son potentiel. Lors des Internationaux de France cette année-là, Federer arriva en beauté et était pressenti par plusieurs pour être le favori. Il perdit son premier match au profit de Luis Horna, un Péruvien compétent mais sans grand lustre, une défaite qui fait encore grimacer Federer. Il s'explique : « Vous savez ce que les gens disaient ? "Tu as tout laissé tomber ou quoi ?" En sortant du court ce jour-là, je réalisais pourtant que j'avais bien des réserves en moi… » Devant les piètres performances du joueur, un obscur critique laissa transparaître sa hargne et sa frustration en se donnant la peine d'écrire une « Ode à Federer » en quatre couplets inspirée de la chanson que chantent dans *Le Magicien d'Oz* un épouvantail en manque de cerveau et un homme de fer blanc en manque de cœur. La diatribe se concluait par le leitmotiv : « Si seulement j'avais du cran… »

Les choses se replacèrent en dépit de ces commentaires malfaisants et, quelques semaines seulement après les déceptions des Internationaux de France, Federer remporta le titre de Wimbledon 2003, une occasion qu'il attendait depuis longtemps. Évidemment, il fondit en larmes en recevant le trophée. Certains athlètes parviennent au sommet et perdent ensuite leur motivation. Ils se disent parfois : « Maintenant que je suis là-haut, je peux mourir tranquille. Que me reste-t-il à conquérir ? » Pour Federer, cette expérience eut un effet catalytique, comme si l'on avait percé un tonneau. « J'avais prouvé quelque chose au public, y compris à moi-même, confia-t-il à des intimes. Maintenant que la pression avait baissé, je me sentais comme un joueur différent. Je faisais moins d'anxiété sur le court et me retrouvais moins facilement déçu par mes performances. » Soudainement, tous les sous-produits de la victoire – confiance en son talent, maîtrise de soi, professionnalisme, retombées de la renommée – jouaient en faveur du jeune Suisse. Celui qu'on avait surnommé « le talentueux caractériel » s'était transformé en un champion, et ce premier titre à Wimbledon inaugurait les cinq années les plus saillantes de l'histoire du tennis pour messieurs.

Il faut dire que le tennis de Federer était bigrement bon et sa synchronisation également. Il arrivait à l'âge où Boris Becker prenait sa retraite, où Pete Sampras s'apprêtait à ralentir ses brillantes activités et où l'irascible Andre Agassi se calmait les nerfs, avait toujours des supporters mais perdait lentement les qualités qui avaient assuré sa célébrité. À cette époque, les deux meilleurs joueurs à leur apogée, Lleyton Hewitt et Marat Safin, étaient respectivement à court de prouesses physiques et mentales. Pour Federer, il n'y avait donc pas de surhomme à détrôner, pas de dragon à terrasser avant de prendre la première place.

Dans les sports, les comparaisons entre les générations sont toujours amusantes mais généralement vaseuses, car elles comportent trop de variables. Bien sûr, Nadal aurait fait figure de grand champion dans les années 1950, lorsque les services des joueurs étaient si lents qu'on aurait pu pratiquement les minuter à l'aide d'un cadran solaire. Mais là encore, si un Rod Laver – l'indiscutable numéro un mondial des trépidantes années 1960 – avait été capable de bénéficier de l'entraînement, des connaissances diététiques actuelles et de la nouvelle technologie des raquettes, que n'aurait-il accompli ? Laver a remporté le Grand Chelem avec pratiquement une matraque de bois. Imaginez-vous ce qu'il aurait pu faire avec une raquette en graphite, un régime réglé au gramme de protéine près et un entraîneur médical en alerte dans les vestiaires pour surveiller ses moindres bobos…

Et pourtant, Federer règne. Une douzaine de tournois majeurs en cinq ans ; 19 demi-finales consécutives et la place de numéro un de l'ATP pendant 237 semaines consécutives. Il a réalisé ces exploits à une époque où le tennis n'a jamais été plus mondial, le terrain jamais aussi profond, les joueurs jamais aussi bien conditionnés. Bref, il demeure insurpassé. Contrairement à Borg et à Laver, Federer a remporté des victoires sur des surfaces dures. Contrairement à Sampras, il a vaincu ses homologues sur terre battue. En 2008, même ses adversaires admettaient qu'il était le meilleur joueur de tennis de tous les temps…

Et savez-vous comment les succès de Federer furent reçus dans son propre pays ? Je dirais avec un enthousiasme mitigé, voire une fierté pleine de réserve… Il est indubitable que les Suisses sont heureux des résultats d'un de leurs athlètes mais ils n'en font pas une idole pour cela. Lorsque Federer remporta le tournoi de Wimbledon pour la première fois, à la manière d'un monarque saluant ses sujets, il apparut à un balcon surplombant un parc municipal. Lorsque la cérémonie prit fin, il descendit dans la rue et personne ne sembla faire attention à lui.

Lorsque Federer déménagea dans un appartement moderne inspiré de ceux du promoteur américain Ian Schrager, dans les collines d'Oberwil, en banlieue de Bâle, les gens le considérèrent comme un de leurs yuppies locaux. On pouvait le voir porter ses vêtements chez le teinturier ou faire son épicerie, comme tout le monde. Lorsque le Zeus de la balle jaune passait dans les rues, personne ne modifiait son parcours ou se précipitait en haletant sur son appareil photo numérique ou sur son téléphone portable pour le photographier. Si l'on compare inévitablement la vie publique de ce dernier à celle d'un autre sportif emblématique, Tiger Woods, disons qu'en comparaison le Tigre évolue dans une sorte de Palais des Doges à Isleworth, une collectivité hyper fliquée, et qu'il vit claquemuré derrière un rempart de doubles grilles digne du mur de Berlin.

Lorsqu'il remporta Wimbledon pour la cinquième fois, un graffiteur écrivit sur un mur près de son appartement « Le roi Roger ». C'est la seule indication de la présence de cette célébrité que l'on peut retrouver dans la bonne ville de Bâle. Il peut aller déjeuner dans un restaurant sans se faire déranger et parcourir les rues sans causer d'émeute. Il a récemment quitté Oberwil et partage ses temps libres entre le village de Wollerau, sur le lac de Zurich, et l'émirat de Dubaï, et, dans ses deux lieux de résidence, son intimité est assurée.

On rechercherait donc vainement quelque « Federer-mania » à Bâle, et encore moins une statue ou un portrait du glorieux Bâlois. On ne trouve ni restaurant ni café portant son nom, pas plus que de boutique de souvenirs. On ne trouve pas à l'entrée de l'agglomération de panneau indiquant à l'obscur voyageur qu'il pénètre enfin dans le monde enchanté de Federer. Durant l'été 2008, des affiches mettant en vedette des stars du soccer annonçaient quelque marque de yogourt. Dans la vitrine d'un magasin, on pouvait remarquer l'avenant sourire de Catherine Zeta-Jones suggérant aux passants de changer de fournisseur de téléphone portable. À la télévision et dans les journaux locaux, on tartinait abondamment sur les expositions artistiques et les matchs de soccer mais on ne trouvait presque rien sur le garçon du coin qui avait si bien réussi. On chercherait en vain un monument digne de ce nom dédié à Federer. Toutefois, on retrouve son visage sur un timbre-poste. Heinz Gunthardt, un ancien tennisman suisse actuellement commentateur sportif, a une théorie qui ne manque pas d'intérêt : la Suisse n'a jamais eu de roi. Par conséquent, la notion de quasi-divinité que l'on peut accorder dans d'autres pays à un simple être humain pour sa notoriété, sa valeur, réelle ou mythique, ou encore pour l'éclat de ses réalisations est parfaitement étrangère aux citoyens helvètes.

Le club de tennis Old Boys illustre ce fait. Il est en effet très difficile de remarquer en ces lieux le rôle majeur qu'il a joué dans le recrutement du numéro un du tennis mondial. Ainsi, on ne voit pas le nom de Federer sur la devanture du club et il est également omis de la brochure distribuée au public. On ne retrouve que trois photos autographiées de Federer sur le mur du fond du modeste pavillon. Madeleine Bärlocher précise qu'elle en accrocherait volontiers une quatrième s'il remportait les Internationaux de France, qui lui donnent tant de fil à retordre. Des spécialistes du marketing ont expliqué à Mme Bärlocher que si Federer avait été Américain le club et l'avenue sur laquelle se trouve ce dernier auraient été rebaptisés en l'honneur du héros, que l'on aurait fait payer les visiteurs, que des brochures publicitaires auraient été distribuées sur eBay. Bref, qu'on aurait capitalisé sur le nom. Rien qu'à l'idée d'une telle mascarade à la Barnum, Mme Bärlocher rit de bon cœur : « Mais ce ne serait pas du tout suisse ! répond-elle. Et puis Roger serait vraiment gêné… »

Entre parenthèses, disons qu'au club de tennis Old Boys, où le jeune prodige qui servait de modèle, Emmanuel Marmillod, est actuellement instructeur, on a rebaptisé l'un des courts du nom de Federer. Rien de très ostensible, rassurez-vous ; à peine un modeste panneau de la taille d'une plaque minéralogique qu'on a du mal à voir puisqu'il est éclipsé par une grande inscription où l'on peut lire les mots *Sports macht Spass !* Ce qui signifie en traduction libre qu'il est rigolo de faire du sport…

Federer s'est montré un joueur d'une grande souplesse. Il a remporté des victoires sur une grande variété de surfaces à divers moments de l'année et en une foule de circonstances. Il a gagné des tournois à la vitesse de l'éclair. Il n'a pas été l'objet de quelque sombre scandale qui se règle devant les tribunaux. Peu enclin aux indécents déballages médiatiques dont un certain public est friand lorsqu'il s'agit de célébrités, Federer n'a pas subi les répercussions de divorces vicieux, de poursuites en reconnaissance de paternité pas plus que d'arrestations pour usage de stupéfiants.

Il est également autonome. En 2004, il congédia Lundgren, dont il ne voyait plus l'utilité. Ce renvoi peut sembler surprenant mais, quelques années plus tard, Federer s'est expliqué : « Je crois qu'il faut avoir beaucoup de respect pour son entraîneur ; cela peut disparaître parfois, tout spécialement lorsqu'on a percé avec quelqu'un. Vous essayez de prendre votre instructeur en exemple et, soudainement, c'est lui que vous inspirez… » Depuis lors, l'élève ayant dépassé le maître, Federer a rarement utilisé un coach et, pendant plusieurs années, même en tant que champion de popularité mondiale, il s'est également passé d'un agent. Lorsqu'il n'était encore qu'un joueur junior, il avait signé un contrat de gérance avec IMG, la tentaculaire firme de marketing de Cleveland. En 2002, l'agent de Federer, Bill Ryan, quitta IMG dans des circonstances déplaisantes et Federer décida de se représenter lui-même avec l'aide de ses parents et de relations familières avec ce genre de transactions. Les décisions se prirent dorénavant assis à une table de cuisine et non dans un bureau lambrissé de boiseries de chêne. Les Federer nommèrent arbitrairement cette gestion maison la « Compagnie Hippo », en souvenir des hippopotames que la famille avait admirés dans les marais d'Afrique du Sud.

Aussi sympathique que cet arrangement ait pu être, il se révéla désastreux sur le plan des affaires. Pendant cette administration de coin de table, Federer signa un contrat avec Nike qui, selon certaines sources, lui garantissait un million de dollars par année. En dépit du fait que Federer pouvait gagner beaucoup plus que cela avec ses bonus, ce contrat était ridiculement bas pour un joueur de son calibre et cela empoisonna l'existence des autres agents. Lorsqu'il était temps de négocier, les astucieux représentants de Nike exhibaient une copie du contrat de Federer et disaient: «Attention! Voici l'entente que nous avons signée avec Federer. Vous n'allez tout de même pas vous imaginer que nous payerons votre client plus cher que ce que nous versons à Roger… Non?» (En 2005, Federer retourna chez IMG et Nike se fit imposer un contrat aux termes duquel le fabricant d'espadrilles et autres articles de sport devait casquer dix millions de dollars par année.) Même aujourd'hui, la cloison protégeant un athlète de ses fans est plutôt mince et Federer ne possède pas de gorilles ni de barrière électrifiée pour éloigner les gens. Jusqu'à récemment, les admirateurs désirant s'offrir un autographe du champion n'avaient qu'à se rendre sur le site Web de Federer et à le demander à Roger et Lynette au moyen d'une note envoyée directement chez eux. Un mois plus tard, une photo autographiée leur parvenait. (Il n'en est plus question aujourd'hui.)

Au fil des victoires qu'il remporta, Federer trouva un juste milieu entre la modestie et la fausse modestie. «Je ne pense pas qu'il faille se prendre pour un autre, explique-t-il, mais parfois il faut se montrer confiant quant aux résultats auxquels on s'attend. Je ne crois pas qu'il soit très intelligent de répondre aux journalistes à chaque fois que vous remportez une victoire: "Vous savez, je suis vraiment surpris de mes résultats…" Ou encore le classique: "Je ne peux pas croire que j'ai encore gagné…" Écoutez, je pense qu'il faut dire les choses en toute honnêteté. Si je suis venu ici, c'est pour gagner, bien sûr, et, lorsque je réussis, c'est une grande satisfaction pour moi.»

Le règne du « roi Roger » comporte un autre aspect extraordinaire : sa relation avec ses collègues. Quoique reconnu comme étant une sorte de monarque, il règne en despote parfaitement éclairé. Très peu martial ou présomptueux, il exerce son pouvoir par le biais de l'idéologie et de l'autorité morale. L'adolescent qui considérait ses adversaires comme des coéquipiers n'a pas changé en se hissant au sommet. Dans son esprit, il se bat moins contre le concurrent qui se trouve de l'autre côté du filet que contre une balle et les possibilités qu'elle représente.

Historiquement, les vedettes du tennis se mettent en retrait comme ces ados du secondaire, populaires pour leurs talents de société, qui se distancient des élèves moins voyants, amateurs de modèles réduits ou de clubs video. Des personnes comme Pete Sampras, les sœurs Williams, Maria Sharapova tirent une partie de leur gloriole en donnant l'impression qu'elles habitent quelque lieu des dieux aseptisé et qu'elles sont trop au-dessus de la condition humaine pour oser se mêler à ce qu'elles considèrent comme les joueurs et joueuses de moindre notoriété. Mike Bryan, qui a été cinq fois champion du monde en double de 2003 à 2007, se souvient d'avoir participé à un événement dont la vedette était Andre Agassi. Pour éviter ses collègues, qu'il considérait sans doute comme des gens inintéressants, Agassi se cacha toute la semaine et ne se montra pas à l'entraînement sur les courts ou au vestiaire. Il se contenta de participer au match et, pour ne pas se mêler à ses homologues moins bien nantis, s'esquiva subrepticement – en hélicoptère, précise-t-on.

Federer agit dans un tout autre registre : il est partout ! Il ne joue pas à la diva, le nez en l'air, quêtant les regards admiratifs et les sourires béats. Il agit en fait comme quelque président de conseil étudiant. Tôt au cours de son règne, il était un joueur de tours qui chantait dans les douches et qui, lorsqu'on lui demandait de se calmer, sortait nu dans le vestiaire et en remettait en faisant des vocalises à la Pavarotti. (Imaginez-vous Tiger Woods, jeune, faisant la même chose !) À une certaine époque, lorsque la boîte vocale de son téléphone se déclenchait, on entendait « Allô ? » comme s'il s'était ravisé et avait décidé enfin de répondre. Lorsque la personne engageait la conversation, elle pouvait entendre : « Je vous ai bien eus, hein ? » puis il demandait de laisser un message. Dans le même esprit, lorsqu'il jouait une partie de cartes dans le salon des joueurs, il abandonnait tout et invitait les responsables administratifs à aller faire un tour d'auto avec lui dans les voitures que l'administration des tournois lui prêtait gracieusement.

Alors que son cercle de relations s'élargissait et qu'il vieillissait, Federer trouvait le moyen de mettre à l'aise les gens qui gravitaient autour de lui. Il n'hésita pas à s'engager dans des opérations politiques assez complexes du milieu du tennis, se mit au service du conseil des joueurs de l'ATP, devint une figure de proue des œuvres de bienfaisance de son sport. Il connaît les noms des plus obscurs joueurs en double. Récemment, il a enregistré un message sur vidéo à l'attention des jeunes joueurs, dans lequel il démystifiait le processus des interviews. À la fin, Federer fixe la caméra et leur dit tout naturellement : « Je vous souhaite bonne chance. Mes amis, je vous croiserai sans doute lors des circuits, et vous savez quoi ? Si nous nous rencontrons, n'hésitez pas à me poser des questions. Je serai toujours heureux de vous parler et de vous aider dans la mesure de mes moyens. N'hésitez pas, ne soyez pas timides. À bientôt, et que le succès vous accompagne ! »

Par accident ou sciemment – Federer insiste plutôt sur ce dernier terme –, il crée chez ses adversaires une sorte de syndrome de Stockholm, une affection perverse chez ceux qu'il met à mal. Étant donné la sympathie qu'il provoque, on dirait que ses concurrents ne parviennent pas toujours à mobiliser leur plein potentiel d'agressivité de leur côté du filet, car Federer est davantage un *phénomène* qu'un simple joueur. On trouve une illustration frappante de cela sur le site de papotage Facebook. Un groupe d'adorateurs du roi Roger n'hésite pas à inscrire : « Si le tennis était une religion, Federer serait Dieu ! » L'un des responsables de ce fan club n'est nul autre que John Isner, un joueur professionnel américain contre lequel Federer joua – et remporta la victoire, bien sûr – lors du troisième tour de l'Open des États-Unis en 2007 !

« C'est époustouflant, affirme le joueur suédois Mats Wilander, numéro un mondial en 1988, quatre-vingt quinze gars dans les cent premiers joueurs internationaux le craignent. On peut quasiment le sentir dans les vestiaires mais, paradoxalement, ils l'aiment aussi… » James Blake renchérit : « Au vestiaire, il ressemble à n'importe quel bonhomme. Vous allez sur le court, il vous flanque une volée, puis vous rentrez au vestiaire et vous retrouvez un type comme les autres. Je veux dire qu'il n'essaie pas d'intimider qui que ce soit par sa musculature, en levant le nez sur les copains, en se montrant condescendant ou encore en s'entourant de guignols pour le protéger. Il est bon. Point final. » Andy Roddick a résumé le tout dans une phrase qu'il a adressée à Federer : « J'aimerais te haïr, dit-il, mais tu es vraiment un trop bon gars… »

Certains détracteurs prétendent que cette curieuse dynamique est voulue, calculée, et que Federer, par quelque machiavélique intention, « passe ses concurrents à la moulinette » en se montrant aimable envers eux pour mieux les soumettre. Cette critique hargneuse ne tient pas la route, car Federer est naturellement sociable et organisé. Il suffit de le voir pendre soigneusement sa veste sur sa chaise près du court ou discuter gentiment avec ses collègues pour comprendre qu'à chaque fois ce joueur choisit l'ordre au lieu du chaos.

Son humilité désarmante et son dégoût des chicanes stériles ont certes le don de lui gagner des amis chez ses adversaires mais risquent souvent d'assombrir son aura d'invincibilité. Federer peut certes remporter des matchs en dominant ses concurrents, mais on comprend aussi qu'un compétiteur peut fort bien exercer des pressions sur lui en perturbant sa cadence et mettre son autorité naturelle au défi pour enfin le battre.

Toni Nadal est l'un des «federophiles» les plus convaincus. Il explique que, lorsqu'il évalue le jeu de son poulain Rafael, il n'essaie pas de lui faire copier certains éléments du jeu du Suisse. «Federer est trop bon…» concède-t-il. Lorsqu'un reporter lui a demandé comment il pouvait admettre que Federer était si bon que cela alors que Rafael le battait régulièrement, il répondit: «Un instant… Il existe une distinction entre "qui est le meilleur" et "qui est le plus calé en tennis". En ce moment, si on se fie au classement, Rafael est le meilleur. Mais qui a le meilleur jeu? Federer!» Toni réconcilie son admiration pour le champion suisse avec l'intime conviction que Federer peut être battu, comme tout le monde. «Roger est un extraordinaire joueur de tennis, mais c'est un être humain comme les autres. Semez le doute dans son esprit et…»

Et c'est exactement ce que le neveu de Toni commença à faire lors de la deuxième manche des finales de Wimbledon. Avec une brève apparition du soleil, qui fit de l'ombre sur le court, Nadal se mit au service, traînant 1-4. Non seulement soutint-il son service mais, ce qui est le plus important, c'est qu'il se débrouilla pour évincer Federer de sa sacro-sainte zone. Federer se retrouva soudainement sur la défensive et ne pouvait plus lancer ses balles, comme si elles étaient téléguidées. Les coups droits se succédaient, un revers fit fausse route et se retrouva en bas du filet. Federer a souvent pesté contre cet amorti malheureux, indigne de lui. Il essaya de se rattraper, mais ce ne fut qu'un coup en toucher déguisé qui donna à Nadal l'occasion de smasher royalement.

Servant à 4-2, Federer ne réussit pas à corriger le tir. À 15-15, Nadal frappa une balle courte. Federer, qui s'y attendait, fit une approche en coin. Nadal intercepta et balança un coup droit en pleine course. Le coup n'était pas seulement sensationnel en marquant un point, mais il se révéla démoralisant pour Federer en semant le doute dans son esprit.

Après avoir provoqué une autre erreur chez son adversaire, Nadal retint soudainement une balle de bris. En réponse à un revers de Nadal, Federer riposta par une balle courte. Grognant sous l'effort, Nadal y alla d'un revers haut. Posté au filet, Federer l'intercepta à la volée, mais l'envoya trop longue. Fixant le gazon, Federer alla s'asseoir. Dans cette manche, il avait nettement mieux joué que Nadal. Il se retrouvait néanmoins à 4-3 et son adversaire était au service.

Nadal aussi s'était assis, buvant de l'eau Évian à la bouteille, puis replaçant cette dernière, l'étiquette en avant. Même dans le tumulte de Wimbledon, il était difficile de renoncer à ses petites manies. Il agitait ses petits pieds chaussés d'espadrilles Nike blanches de pointure 42 qu'il porte très serrées ; « comme les footballeurs », explique-t-il. Il s'essuya avec l'une des 5 000 serviettes que l'administration de Wimbledon fournit aux joueurs. (Selon une longue tradition, à la fin du tournoi, la moitié des serviettes manque. Il est évident que cela fait partie des souvenirs que les participants tiennent à garder.) « Je ne dirais pas que ces serviettes ont été volées, a déjà déclaré un porte-parole de Wimbledon à un journal londonien. C'est simplement que les usagers ont oublié de les remettre à leur place… » Sans cesser de scruter le court de son regard d'aigle, Nadal commença à servir.

À 30-0, Nadal guida la balle vers le revers de Federer qui, se glissant sur le côté du court, exécuta une relance sans ambiguïté. La douzaine de coups qui suivit représentait la plus belle démonstration de tennis que l'on puisse souhaiter. Ce fut un régal de voir la ruse, la créativité, l'habileté athlétique et l'improvisation lucide se conjuguer pour le plus grand plaisir de l'assistance. Federer faucha un coup à angle aigu tandis que Nadal se précipita vers la chaise de l'arbitre pour récupérer la balle. Il arriva juste à temps pour retourner une balle similairement angulaire qui força Federer à se déployer. Illustrant sa légendaire élasticité, ce dernier y alla d'un revers qui, miraculeusement, atterrit à quelques centimètres à l'intérieur de la ligne de fond. La foule était déchaînée. Nadal courut après la balle, parvint à la dépasser, la rattrapa et lui asséna un droit angulaire avec effet qui l'envoya par-dessus le filet. Federer y alla d'un revers de dernière seconde – un coup difficile que, d'habitude, il réussissait pratiquement sans se forcer –, puis l'échange reprit. Au quinzième coup de l'échange, dans les gradins, on se serait cru à un concert rock et Nadal envoya un amorti assez paresseux au filet.

Les fans, dont beaucoup acclamaient les joueurs debout, applaudissaient à tout rompre. Les commentateurs de télévision se contentaient de phrases hachurées comme « absolument sensationnel ! » Même les graves juges de ligne secouaient la tête et réprimaient un sourire après le point démentiel dont ils avaient été témoins. Seulement deux personnes dans le stade se gardaient de réagir : Federer et Nadal. Se préparant à se disputer le prochain point, ils gardaient un visage impassible de joueurs de poker. L'heure était trop grave pour laisser transparaître ses émotions.

À 30-30, Nadal y alla d'un ace que Federer essaya de contester en vain, sans doute pour exprimer sa colère plutôt que parce qu'il pensait que l'appel de ligne était réellement incorrect. Federer riposta pour retenir une balle de bris que Nadal préserva grâce à un vigoureux service. Pour Federer, ce fut une autre occasion perdue. Il contrôla néanmoins le prochain point et se prépara à adopter une attitude de gagnant. Nadal envoya un lob peu vigoureux que Federer se prépara à écraser. Il s'agit du genre de coup que le professeur de votre club de tennis local est capable de réussir quatre fois sur cinq. Federer le réussit dans 99 pour cent des cas. Cependant, cette fois-ci, alors que Federer prenait son élan, un quidam se mit à glapir : « Vas-y Roger ! » Distrait, Federer frappa la balle trop fort et elle atterrit au-delà de la ligne de fond. Lorsque la foule laissa échapper un « Oh ! » de dépit, Federer regarda dans sa direction et, le visage crispé, lui cria « La ferme ! » en anglais.

L'erreur qu'il venait de commettre ainsi que sa réaction étaient si peu conformes à son image et si peu « suisses » que la foule émit un rire nerveux. Même les tapageurs parents de Djokovic s'étaient fait rappeler à l'ordre moins catégoriquement, quelques semaines auparavant, par un « La paix ! Voulez-vous ? » Là encore, le héros affichait sa condition humaine, car les circonstances étaient terriblement stressantes et remplies d'énergie passionnelle. La brutalité de sa réaction aurait pu être celle de la plupart d'entre nous. Nadal remporta le jeu grâce à un autre coup en réponse au revers de Federer, ce dernier avec un effet dans le corps, une tactique particulièrement rusée. C'était 4-4.

Pendant ce temps, Pascal Maria, l'arbitre de chaise, remarqua quelque chose d'inhabituel. Les deux antagonistes gardaient un contact visuel avec lui après pratiquement chaque point. Rien de soutenu mais… Même à plusieurs mètres, même avec des foules de supporters, ils auraient pu contenter de se fixer, mais ils semblaient vouloir établir une relation avec *lui*, le troisième homme sur le court. Il interpréta ce signe non point comme une supplique pour bénéficier d'un traitement préférentiel, mais comme un message tacite. Quelques semaines plus tard, Pascal Maria déclara qu'ils semblaient lui dire : « Nous avons tous besoin de collaborer. Il y aura un gagnant ; il y aura un perdant, mais arrangeons-nous avec cette situation pour que cet événement soit mémorable… »

Même lorsqu'ils se concentrent sur ce qu'ils savent le mieux faire, qu'il s'agisse de boxeurs, de golfeurs ou de joueurs de baseball, les athlètes possèdent en général les ressources nécessaires pour détecter s'ils se trouvent à une exceptionnelle croisée des chemins. Federer et Nadal l'avaient enfin atteinte.

Alors que Federer se préparait à servir, Nadal se balança légèrement, se voûta et prit sa raquette en main. En plus de recourir à une prise western très prononcée, Nadal enveloppa le manche de sa raquette de sa main charnue, à la manière d'un homme des cavernes empoignant son gourdin. Lorsqu'il frappe la balle, au lieu d'utiliser son élan en avant pour accompagner son geste, il se cabre souvent en arrière puis suit le mouvement sans toutefois bouger la raquette de travers par rapport à son corps (comme le fait Federer), mais en donnant un coup fouetté derrière la tête. Les experts comme les instructeurs en sont toujours à discuter pour savoir si ce genre de jeu constitue une évolution véritable du tennis ou s'il s'agit principalement d'un phénomène institué par un excentrique dont il n'existerait qu'un seul exemplaire.

Grâce à sa prise très énergique, à son accompagnement fouetté et à ses cordes de polyester (j'aurai l'occasion d'en reparler plus loin), Nadal engendre énormément d'effets liftés, rabattant la balle sans puissance compromettante. Les coups de Nadal semblent destinés à frapper la loge royale pendant leur course, puis on dirait que, changeant d'idée, la balle décide de revenir dans le court. John Yandell, un gourou californien du tennis, a réussi à quantifier les particularités de l'homme de Manacor. Recourant à la technologie d'enregistrement vidéo, Yandell soutient que le coup droit de Nadal se propulse aussi rapidement qu'un moteur bien emballé, soit 5 000 tours par minute, ce qui donne vingt pour cent plus d'effets en moyenne qu'en obtient Federer. Lorsqu'on la constate sur le terrain, cette différence paraît conservatrice.

On en était arrivé au moment où les coups tronqués, giratoires ou tordus causaient les plus grandes difficultés à Federer. Et voilà que le vent se mettait de la partie. Planté derrière la ligne de fond, Federer fit une tentative de service. Il commit toutefois deux fautes directes alors que deux coups droits avec effets de Nadal le frôlèrent. Federer, qui n'aurait jamais raté son coup voilà seulement 15 minutes, commença à manquer de concentration ; il était à la traîne dans cette manche. C'était 4-5.

La plupart des athlètes considèrent les médias comme un mal nécessaire, comme un canal vital pour relier le producteur au consommateur. Ils les considèrent quelquefois aussi comme des enquiquineurs collectifs, souvent des gens mal habillés, les cheveux pleins de pellicules, une légion de cyniques lanceurs de rumeurs, des pseudo-experts. Federer, qui sait de quel côté sa tartine est beurrée, ne tombe pas dans ces clichés et, en ce sens, se place sur un autre plan. Pour un athlète de son calibre, ce grand professionnel est exceptionnellement accessible aux médias. Il considère que ce qu'on appelle la « brigade médiatique » est en grande mesure responsable de l'image qu'il projette : celle de l'une des plus emblématiques figures du monde des sports. Voici une anecdote qui a fait le tour des salles de presse. Il y a plusieurs années, après un match du Tournoi des maîtres de l'ATP, Federer se soumit de bonne grâce à une interview avec un journaliste de la radio suisse. Vers la fin de l'entrevue, il s'aperçut que l'enregistreuse du reporter s'était bloquée. Il signala alors l'anomalie à ce dernier et lui dit : « Je crois qu'il vaudrait mieux que nous reprenions cette interview… » Détail révélateur : il était une heure trente du matin et Federer devait participer à un match la journée suivante…

La première année où Federer remporta l'Open d'Australie, il passa près de trois heures après les finales à accorder des entrevues en quatre langues. Federer a demandé un jour à Tiger Woods quel était son engagement envers les médias. Woods répondit que, même après avoir remporté les plus importantes épreuves, il ne consacrait jamais plus de trente minutes à la presse.

Il est certain que Federer a soigneusement évalué les avantages de cette coopération. Ces interviews impromptues, ces spots télévisuels et ses rencontres avec les magazines spécialisés affutent les patins de sa propre commercialisation et engendrent généralement de la publicité gratuite pour le sport. Sa participation à des tournois lui procure des sommes à six chiffres, sans compter les avantages pour les commanditaires, le circuit et, bien sûr, Federer Inc. Dieu seul sait combien de millions un type comme Sampras a perdus en jouant au grand mystérieux et à l'homme détaché des contingences terrestres. En négligeant d'accorder un minimum de temps aux médias, Sampras fut bientôt qualifié de « chiant », l'insulte la plus dommageable du lexique du marketing.

Pour Federer, faire face aux médias n'est pas une corvée et cela l'amuse plutôt. Lynette Federer elle-même accomplit de bonne grâce du bénévolat au bureau des médias de l'ATP à Bâle. On lui demanda, par exemple, de laminer les macarons d'identification des journalistes qui intervieweraient son fils. Jamais prétentieux, Federer se trouve parfaitement dans son élément pour discuter tennis avec de braves gens d'âge mur.

Quoique cordial avec les médias, Nadal n'aime guère être sur la sellette. Même en espagnol, ses réponses sont empreintes de méfiance et d'une légendaire insipidité. Il répond souvent à une question par une autre question. Par exemple :

Q. : Comment avez-vous pu surmonter cette chaleur ?

R. : Il ne faisait pas aussi chaud que cela… Non ?

Un ami du clan Nadal explique que Rafael se méfie de son anglais hésitant et préfère communiquer par l'intermédiaire de son blogue. Les journalistes espagnols ont une autre version. Pour eux, Nadal n'a pas été élevé dans une culture qui parachute la vie privée des célébrités dans le domaine public. Il n'existe pas d'équivalent majorquin de confessionnal des ondes aux heures de grande écoute. Si Nadal est d'accord pour discuter du match qu'il vient de disputer, il n'a ni l'envie de donner son opinion et encore moins la propension de se confier à la presse.

Dans la plupart des sports, du moins aux États-Unis, la politique des médias est plutôt simple. Le vestiaire est ouvert un certain temps avant les matchs. Les commentateurs sportifs sont libres d'y entrer et de poser des questions aux athlètes. Ceux-ci sont libres de refuser. (Parfois ils se réfugient dans les douches, les toilettes ou la salle de massage.) À la fin du match, les médias peuvent revenir et poser des questions aux athlètes pendant qu'ils se rhabillent. Le tennis fonctionne différemment. Les vestiaires sont interdits aux médias. Pour remplacer cela, sous peine d'amende, les joueurs doivent assister à des conférences de presse d'après-match. Ces interviews peuvent prendre l'allure d'une pièce de Beckett. Certaines questions sont réellement pertinentes, d'autres parfaitement débiles et les réponses sont à l'avenant. Tandis que le joueur parle, un sténotypiste pianote furieusement, ce qui donne une transcription que le journaliste n'aura plus qu'à réviser de retour à la salle de rédaction.

Federer a su maîtriser cet étrange et peu naturel exercice. Souvent – moins ces dernières années – il désarme les reporters fouineurs par des pirouettes. Ensuite, il fournit suffisamment de sujets pertinents pour alimenter le monstre médiatique tout en se tenant loin des sujets pouvant porter à la controverse. Après avoir traité d'un sujet en anglais, il répète ses réponses en allemand, en français et en suisse allemand. Il m'a déjà confié qu'il fournit parfois différentes réponses selon la langue qu'il utilise. Serait-ce pour noyer le poisson ? « Pas du tout, répond-il.

C'est parce que je pense différemment selon la langue dont je me sers. Ainsi, la structure même d'une langue donnée peut vous jouer des tours, par exemple le fait de placer le verbe en fin de phrase… Cela peut affecter votre façon de penser. »

Au cours de l'incontournable conférence de presse précédant les finales de Wimbledon, on demanda à Federer de commenter la tendance qu'a Nadal de jouer à un rythme exagérément lent et de prendre plus de temps que les 20 secondes réglementaires entre les points, particulièrement lorsque le match est serré. Il s'agissait là d'une question piégée désignée à faire dire au Suisse ce qu'il ne voulait pas dire. Généralement, celui-ci renvoie ce type de question à l'interviewer avec désinvolture, mais de manière évasive. Cette fois-ci, il y alla d'une réponse lourde de sous-entendus. Il soupira, le visage à peine visible sous la visière de sa caquette de baseball. « Écoutez… dit-il. C'est là une question délicate. Vous savez, je crois que jusqu'à ce qu'il se positionne pour servir, Nadal prend ses 20 secondes de toute façon, puis il prend encore un peu plus de temps, de 10 à 15 secondes de plus, jusqu'à ce qu'il se décide à servir. Il se trouve en situation délicate. Ce qu'il y a de malheureux, c'est que l'arbitre lui donne toujours un avertissement, mais qu'il ne lui donne jamais de point de pénalité. Je ne dirais pas que Rafael abuse de la situation, mais il ne semble pas s'apercevoir qu'il peut se brûler à ce jeu… »

Ensuite, comme un politicien qui a marqué des points, il y alla d'un bémol. « Je pense que depuis cette époque il a quelque peu accéléré son tempo, a ajouté Federer. Je pense que, dernièrement, il a rectifié son tir. Il joue encore lentement mais disons moins lentement qu'il y a environ huit matchs, lorsque je me suis mesuré à lui. Dans le fond, tout cela dépend de l'arbitre. J'essaie simplement de me concentrer. Je ne pense pas gagner ou perdre un match parce que l'on prend cinq secondes de plus par point. Cela ne va pas me tuer. » En lisant entre les lignes, cela voulait dire en clair : « C'est vrai, j'ai bien remarqué les manœuvres discutables de mon adversaire, mais je ne veux surtout pas en faire une affaire d'État. Laissons le public décider… »

La guerre psychologique a toujours été de pair avec la compétition. Après tout, dans la Bible comme dans les mythologies, on retrouve ce genre d'intimidation. Dans la boxe, c'est la prise de photo d'avant-combat où les pugilistes se regardent d'un air farouche ; au baseball, c'est un lancer près du visage du frappeur pour le forcer à reculer ; au basketball, ce sont les insultes plus ou moins polies pour dénigrer l'une ou l'autre équipe. Toutes ces manœuvres ont pour objectif de saper le moral des concurrents et, pourtant, on a du mal à se souvenir de cas où Federer avait recouru à cette tactique. Il a en effet l'intention de battre son adversaire par sa seule détermination et son seul talent et est trop fier pour lancer des regards provocateurs ou des remarques désagréables. C'est dans cet esprit qu'avant Wimbledon il se trouvait prêt à se montrer transparent dans toute joute psychologique. Certains observateurs applaudirent en se disant : « Enfin Federer est prêt à la bagarre de rue… » Pour d'autres, ce changement d'habitudes constituait un autre signe que Federer se sentait menacé par son rival.

Peu importe, l'intervention de Federer sembla porter ses fruits. Servant à 5-4, à 30-30, deux points dans la manche, Nadal, sur la ligne de fond, s'amusait à faire rebondir la balle, encore et encore. Federer se balançait, secouait légèrement la tête comme pour dire : « Mon cher ami, vas-y donc avec ton foutu service pendant que nous sommes encore jeunes… » Techniquement, le décompte des 20 secondes accordées entre les points commence dès que la balle du point précédent est hors-jeu. Après avoir activé un chronomètre sur son tableau électronique, Pascal Maria s'aperçut que plus de 30 secondes s'étaient écoulées depuis le dernier point.

D'autre part, il était difficile d'évaluer la portée des remarques de Federer le jour précédent, ainsi que leur effet sur les subconscients des intéressés. Alors que Nadal traînait, Maria s'adressa à lui : « Dépassement de temps, Monsieur Nadal… C'est un avertissement… »

Il est évident que Nadal avait sciemment temporisé, mais il existe aussi une règle non écrite dans les sports voulant que, dans les moments les plus importants, les arbitres passent parfois l'éponge. À la fin des rencontres de la NBA, cas de coups et blessures exceptés, il arrive que les arbitres regardent ailleurs. La même chose s'applique au hockey, où l'on parle alors de jeu « robuste » quand les joueurs se secouent le paletot. Ici, au compte de 5-4 de la deuxième manche des finales de Wimbledon, l'arbitre Maria avait décidé de s'insinuer dans le match. Il savait pertinemment que ce n'était pas le moment idéal pour signaler une infraction, mais le règlement était là.

Dans la tribune des joueurs, l'agent Carlos Costa se leva, furieux. Des joueurs de moindre envergure auraient automatiquement contesté l'arbitre de chaise. Refusant de se départir de son calme, Nadal ne réagit point. Il fit une pause sans lever les yeux, s'essuya le front et servit tranquillement. Il commit une faute de service. Aussi se reprit-il. De la main gauche, il fit sautiller la balle sur sa raquette, et de la droite, tiraillait sur son short. Puis il lança sa seconde balle précautionneusement. Federer riposta par un droit qui fut relancé par un revers vigoureux de Nadal.

Tandis que Federer s'approchait du filet, Nadal fit quelques petits pas et se plaça à un mètre environ derrière le couloir des doubles. Interceptant la balle, il déclencha un coup chopé en sliçant selon un angle court incroyable. Manquant de peu le filet, la balle termina nettement sa course à l'intérieur de la ligne de service, mais hors de la portée de Federer. Nadal se souvint plus tard qu'il s'agissait peut-être là du meilleur coup qu'il n'ait jamais asséné sur court gazonné. La foule trépignait. Dans la tribune, Costa et Tonton Toni se levèrent à l'unisson. Ils applaudirent non seulement la démonstration d'un coup frisant la perfection, mais la capacité qu'avait leur poulain d'ignorer les distractions et de voir à ses affaires. L'expression toujours inchangée, Nadal retourna à sa ligne de fond, à un point de remporter la deuxième manche.

Federer riposta en essayant de pousser de plus en plus profondément Nadal dans le court jusqu'à ce que ce dernier commette une erreur. À égalité, Federer, aidé par le vent, envoya d'un revers la balle qui toucha le gazon. Nadal essaya de l'intercepter mais cafouilla et la repoussa au loin, ce qui donna une balle de bris et un autre gros point à Federer. Contrairement à son penchant naturel consistant à jouer un tennis plutôt conservateur à des moments aussi cruciaux, dénué d'inhibitions Nadal entreprit de s'acheminer vers un prochain point. Abrégeant son fabuleux élan arrière pour l'adapter au gazon, contrairement aux amateurs d'effets liftés, son bras gauche était pratiquement droit au point de contact. Grognant à chaque coup, il catapulta la balle d'un droit insistant que Federer envoya au filet.

Enhardi, Nadal y alla d'un service avec effet. Ressemblant à un homme chevauchant un taureau mécanique de brasserie, Federer courait de manière erratique derrière la balle. Il la poussa à l'extérieur. Point de manche. Nadal souffla comme un phoque et tripota son short. Il servit en imprimant un effet, puis riposta au revers de Federer. Au deuxième coup de l'échange, Federer sembla se demander s'il devait slicer ou asséner un coup de fond de court à une main. Il était redevenu un adolescent devant choisir entre plusieurs options. L'hésitation lui fut fatale. Cette erreur infinitésimale faussa le mécanisme et Federer enfouit la balle dans le filet. Le compte était de 6-4.

Comme des diables sortis de leur boîte, tous les membres du clan Nadal se levèrent comme un seul homme. Nadal alla s'asseoir, imperturbable. Il avait remporté cinq jeux consécutifs et les dernières six manches qu'il avait jouées contre Federer. Il était à une manche d'être victorieux à Wimbledon pour la première fois de sa carrière.

TROISIÈME MANCHE

6-7

Le samedi 5 juillet à Wimbledon, la toute gracieuse « Miss Venus Williams », telle qu'on l'appelle au All England Club, a infligé une dégelée à sa sœur, « Miss Serena Williams », pour remporter le titre de championne du simple pour dames, et ce, pour la cinquième fois de sa carrière. Maintenant, une journée plus tard et un kilomètre et demi du club, elle se reposait dans l'appartement qu'elle avait loué avec sa sœur pour la durée du tournoi. Encore accablée par sa défaite, Serena avait préféré faire ses valises et s'éclipser par avion pour rentrer dans ses terres. Mais Venus était restée pour assister au bal des champions et championnes de Wimbledon. Certaine de remporter le tournoi, Venus avait sans complexe inclus une robe de soirée dans ses bagages.

Cet événement mondain, qui se déroulait à l'hôtel Intercontinental, non loin du palais de Buckingham, est l'un de ces points de détail qui distinguent Wimbledon des autres championnats d'importance. Cela peut toutefois se révéler éprouvant pour les championnes, qui doivent parfois « faire tapisserie » en attendant qu'on leur désigne leur cavalier. Lorsque Miss Venus remporta pour la première fois le titre des dames en 2000, elle attendit tout le dimanche jusqu'à la tombée de la nuit quand Pete Sampras fut désigné comme l'heureux élu.

D'ici à ce que le match des hommes prenne fin et que Sampras arrive au bal après avoir sacrifié à la curiosité médiatique, il était minuit passé. Visiblement peu motivé à se trémousser sur une piste de danse, le spécialiste du service-volée se présenta au bal en survêtements jusqu'à ce qu'un membre du club allège le choc d'un spectacle aussi peu protocolaire en lui jetant sur les épaules une veste de sport.

Assise sur le divan de son appartement, Venus pensait que, cette année-ci, elle aurait peut-être plus de chance. Peu pressée de faire ses bagages, elle s'était enthousiasmée par le match Federer-Nadal qu'elle regardait à la télé. Avec Nadal, qui avait remporté les deux premières manches, Venus pensait qu'il était enfin temps d'enfiler sa belle robe de bal, de se pomponner et d'être prête pour l'événement. De la manière dont les choses se déroulaient, le bal des champions n'était qu'à quelques heures de là.

Entre les manches, Federer eut un bref face à face avec lui-même, non à cause des deux manches qu'il avait perdues ou de la possibilité de voir Wimbledon lui échapper pour la première fois depuis 2002, mais en raison de ce qu'il pouvait faire *maintenant* pour changer le cours d'un match qui ne s'annonçait pas très reluisant pour lui. Or Federer déteste le risque par nature. Par exemple, lorsqu'on avait évoqué devant lui certains aspects de la crise financière de 2008, il s'est contenté de dire qu'il possédait « un bon matelas ». Il s'agissait là, bien sûr, d'une remarque ironique pour rappeler aux interlocuteurs qu'il était loin d'être un cas social. Malgré sa nature conservatrice, Federer était conscient du fait que, s'il voulait avoir quelque chance de retourner le match en sa faveur, il lui fallait faire preuve de moins d'inhibitions, tout spécialement sur les points critiques. L'un des réseaux de télédiffusion avait fait remarquer qu'il y avait eu dix balles de bris au cours du match ; Nadal en avait remporté huit. Sur tous les autres points, Federer menait 61-58.

Par loyauté, pitié ou défoulement devant l'intensité de cet affrontement, les fans acclamaient Federer entre les manches. Les cris de « Vas-y Rajah ![12] » couvraient largement ceux de « Vas-y Rafa ! » Cheveux au vent et touchant son bandeau, Federer servit pour la troisième manche et donna une magistrale leçon de tennis. Le jeu couvrait seulement quatre points, mais il s'agissait de la fine pointe du tennis sur gazon. Federer servit vers les coins et monta au filet en se déplaçant – je dirais plutôt en glissant – en douceur autour du court. Si vous étiez arrivé dans le stade à ce moment précis, vous auriez pensé que Federer s'acheminait vers un autre titre international sous les vivats d'une foule en extase.

Le mélange de classicisme élégant et d'exhibitionnisme caractérisant Federer est imputable au mécanisme auquel il a recours. Par exemple, il déclenche son célèbre coup droit – sa marque de commerce en somme – à l'aide d'une prise que l'on pourrait qualifier de « semi-eastern », où le bas de la paume droite est appliqué sur le chanfrein haut droit du manche. Il écarte ensuite son index droit à un centimètre et demi environ de ses quatre autres doigts en le rabaissant légèrement. En contraste avec Nadal, il s'agit là d'une prise traditionnelle conservatrice qui permet au roi Roger d'engendrer une puissance et un rythme insolents. Cela lui permet également de jouer « haut » et de se positionner à l'intérieur de la ligne de fond pour donner le ton au jeu. Cette prise « en poignée de main » est idéale pour frapper la balle lorsqu'elle bondit entre la taille et le torse. Les joueurs qui recourent à cette prise sont toutefois vulnérables aux balles rebondissant trop haut et se voient forcés de frapper au niveau de l'oreille. Un adversaire a donc intérêt à repousser Federer un

---

[12] « Rajah » peut faire allusion aux fabuleux souverains brahmaniques de l'Inde ancienne. Nous avons vu qu'il est également la déformation, prétendument anglo-saxonne, de Roger, prononcé, selon les accents, Rodgeure, Rodgère, Rodja, Radja. (N.d.T.)

mètre ou deux derrière la ligne de fond et à le forcer à prendre contact au niveau de l'épaule et du cou. Cela est plus difficile à dire qu'à faire, à moins de s'appeler Nadal.

Tout comme les Inuit ont 19 mots différents pour parler de la neige, Federer pourrait avoir 19 mots apparentés pour décrire son fameux coup droit. John Yandell, un chercheur de San Francisco spécialisé dans le tennis, a étudié pendant des heures des bandes vidéo et a trouvé que Federer recourait à *vingt-sept* différentes versions de son coup droit, ce qui constitue un répertoire impressionnant. Federer adopte une position ouverte, puis fait pivoter ses hanches et étend le bras devant le corps en abandonnant temporairement la curieuse habitude qu'il a de fixer sa raquette, même après avoir frappé la balle, comme s'il contemplait son œuvre. Il peut aussi, précisons-le, exécuter son coup en levant son pied arrière ou en se servant davantage de son mouvement de poignet.

Comment Federer peut-il déclencher sa puissance avec un tel effet ? Lorsqu'il frappe la balle, il effectue une rotation de la main et finit son coup sur le côté gauche de sa poitrine plutôt que vers son épaule gauche. Ce classique mouvement « en essuie-glace », comme le surnomment les entraîneurs, aide à générer un effet lifté. Lorsque l'on prend en compte l'ensemble de la prise classique, l'accompagnement de la balle, les variations, le concours de plusieurs parties du corps, le tout ressemble à un mécanisme impeccablement réglé. C'est ce qu'on appelle le droit à la Federer, le coup de raquette parfait. Voilà qui est instructif pour les amateurs, car le joueur moyen adopte une prise dite « en poignée de main » qui s'apparente à celle de Federer. Cette rotation de la main avant de frapper la balle, suivie d'un balayage en essuie-glace ne constitue pas une manœuvre extrêmement difficile à réaliser. Comme le dit Yandell : « Le coup droit de Federer est à la fois un coup de génie et, de bien des manières, un coup de raquette pour le peuple… »

Ce qui revient à dire que, à l'image de Wimbledon, le jeu de cet athlète s'adresse aussi bien aux vétilleux élitistes qu'aux foules d'amateurs sans prétention.

Soignant son réputé coup droit, Federer s'arrangea pour conserver son service. La marque était de 1-1. Ensuite le match faillit prendre fin.

Au début de son match de quatrième tour contre Mikhail Youzhny, Nadal glissa en poursuivant une balle. Tandis que son corps se projetait dans une direction, son genou droit avait décidé de faire bande à part. Nadal gisait sur le gazon et les chances que Federer remporte le titre se trouvèrent soudainement augmentées. Une reprise télévisée de la glissade de Nadal ne constitua guère un spectacle plaisant. Effrayé d'avoir entendu, selon ses propres termes, « comme un craquement en arrière », Nadal avait fait mander Michael Novotny, un soigneur multilingue employé à longueur d'années par l'ATP et qui, pour une question de continuité et de consistance, avait été employé en sous-traitance pour Wimbledon pendant deux semaines. Le changement arrivé, Novotny étira la jambe de Nadal, appliqua un onguent et banda son genou. Entre l'évaluation initiale et l'intervention pour cause de blessure, le processus dura presque neuf minutes. Stimulé par l'adrénaline, Nadal poursuivit l'affrontement pendant encore un moment pour éliminer Youzhny en trois manches. Son genou lui faisait suffisamment mal pour le soigner à coups d'analgésiques après le match.

Pour ses deux matchs suivants, Nadal ne montra aucun signe de blessure et sa mobilité ne s'en trouva aucunement perturbée mais, à toute éventualité, pour la finale, Novotny se tenait du côté du court, près du filet et de l'entrée des joueurs. Il se tint dans l'expectative pendant deux manches et apprécia le match, comme tout spectateur bénéficiant d'un poste privilégié mais, à la troisième manche, le plaisir de Novotny se trouva interrompu. Servant à 1-1, Federer persécuta Nadal autour du court par une série de coups pénétrants. Frappant une balle courte, Federer y alla d'un droit vigoureux vers le côté gauche du court. Nadal s'attendait à un coup à droite. On assista à un cas classique de contre-pied. Alors que Nadal tentait de corriger la situation et de renvoyer le coup, son genou droit cessa d'obéir comme un enfant entêté. L'Espagnol chuta, grimaça de douleur et, alors qu'on aurait pu entendre une mouche voler, essaya de se relever. Il se retrouva sur le dos, le derrière déjà verdi, comme englué au court. Dans la tribune des joueurs, dans la section réservée au clan Nadal, les visages avaient l'air cadavérique. Son maillot flottant dans la bise, Federer se rendit au filet l'air inquiet et demanda à Nadal si tout allait bien. Ce dernier fit signe que oui d'un air pas très convaincu.

Si l'on voulait critiquer le jeu de Nadal, on pourrait dire qu'il est inutilement violent et que son style brutal, avec ses torsions et ses gestes démesurés, exige énormément d'un corps malmené qui ne demande qu'à constamment réagir par quelque désastre d'ordre médical. Ainsi, un entraîneur de tennis a remarqué que les chaussures de tennis Nike de Nadal ont tendance à s'user très rapidement pendant les matchs et qu'elles comportent nombre d'éraflures. « C'est un signe que son corps en prend un coup… Pourquoi ne s'userait-il pas, lui aussi ? » remarque cet observateur. Eben Harrell, un perspicace commentateur sportif du magazine *Times*, a demandé récemment à Rafael Maymo, le physiothérapeute de Nadal, un jeune homme au visage poupin, quelles étaient les parties les plus sollicitées du corps de Nadal lorsqu'il jouait. Maymo répondit : « Les épaules, les jambes et le dos, bref, pratiquement toutes… » Au cours de sa brève carrière, Nadal avait déjà éprouvé un certain nombre d'ennuis de santé, dont une blessure au coude, une fracture de marche à la cheville gauche, et chacun de ces accidents risquait de mettre sa carrière en danger. Et voilà qu'il était encore blessé au pire moment que l'on puisse imaginer…

Inquiet, Nadal se leva finalement et se rendit précautionneusement vers sa chaise, apparemment pour changer de raquette, mais en réalité pour gagner du temps et recouvrer ses esprits. Passant près du perchoir de l'arbitre, Nadal demanda fermement dans son anglais teinté d'un fort accent hispanique : « Pourriez-vous appeler le soigneur lors du prochain changement ? » Puis il retourna pour relancer le service. Son allure était décidée, mais il devait admettre plus tard avoir eu très peur. « Si je n'avais pu bouger, c'en aurait été fait du match… Non ? » remarqua-t-il justement. Si l'on avait été dans un match de boxe, vu qu'il menait ostensiblement au pointage, il aurait pu s'accrocher pour le reste du combat. Si l'on avait été au golf, il aurait pu « préserver ses acquis » en jouant de manière conservatrice. Au basket, au football américain comme au football européen, il aurait pu conforter son avance en gagnant du temps mais, au tennis, le temps est réparti en fonction des points et non des minutes ou des secondes. C'est tout simple : le joueur qui ne remporte pas le dernier point perd le match, et ce, peu importe la manière dont il a pu jouer précédemment.

Étant donné les douleurs qui affligeaient Nadal, la situation n'était pas plus drôle pour Federer. Psychologiquement, il n'est guère plaisant de se battre contre un blessé, car la situation devient cornélienne : si vous faites courir votre adversaire autour du court, vous vous sentez un peu sadique et votre éventuelle victoire ne peut être qu'amère. Si vous le prenez en pitié, vous risquez de perdre le match… Pour le point suivant, Federer tenta un service – Ah ! ces damnées impulsions humaines ! – et Nadal marqua le point avec un revers qui traversa le court comme un boulet de canon. Ce coup, qui eut le don de remonter le moral de Nadal, eut également des répercussions sur Federer qui avait abaissé sa garde. Ainsi son adversaire n'était pas l'animal aux abois qu'il avait imaginé. Federer recula et envoya deux balles pratiquement impossibles à recevoir et remporta le jeu.

Au moment du changement de côté, le soigneur Novotny commença à s'occuper de Nadal, palpant et frottant le pourtour du genou de l'athlète. « Mettez-moi un peu de crème là-dessus… » lui dit doucement Nadal en espagnol. Novotny s'exécuta. Federer regarda devant lui puis à ses pieds, peu distrait par ce qui se passait de l'autre côté de la chaise de l'arbitre. « Ça va aller, dit Nadal. Je ne voulais pas courir avec ça, mais ça va aller[13]. »

Fort heureusement, si cette blessure se révéla une fausse alerte, elle n'en fut pas moins plus spectaculaire en reprise télévisée qu'elle ne l'était en réalité. Après avoir évalué les dégâts, Novotny décida que Nadal ne devait pas s'arrêter, et ce dernier acquiesça. Malgré la poussée d'adrénaline qui submergeait l'athlète, la douleur n'en persistait pas moins. Tous les étirements et la préparation qu'il avait subis avec Rafael Maymo avaient sans nul doute permis à Nadal de poursuivre le match et, en quelque sorte, de le sauver. Ce soulagement était partagé par Federer, qui tenait à *battre* Nadal et non seulement à remporter Wimbledon, tout spécialement avec un retard de deux

---

[13] Cette blessure engendra plusieurs conséquences immédiates. Les paris en ligne remontèrent en faveur de Federer. Il y avait aussi une question de présence pour Nadal qui s'était engagé à jouer sur terre battue à Stuttgart les jours qui suivaient. Alors qu'il se tortillait de douleur sur le gazon, Nadal réalisait que sa présence à Stuttgart approchait du zéro absolu. Pendant ce temps, à New York, un orthopédiste en mal de publicité, pratiquant à la très réputée école de médecine Mount Sinai, eut l'idée de s'adresser ex cathedra aux journalistes par l'intermédiaire du Web. « La blessure de Nadal provient probablement du fait qu'il a forcé son genou. Le corps est comme un câble rattachant une embarcation au quai. Il peut subir des tensions, mais reprend éventuellement sa place. En cas de tempête, le câble se trouve davantage sollicité, s'effiloche et s'use. C'est la même chose qui arrive au genou… » Malgré tout le respect que l'on peut devoir à ce praticien, si généreux de son temps et de son expertise, disons que non seulement il n'a jamais examiné Nadal, mais qu'il ne se trouvait pas non plus à Wimbledon.

manches à zéro en vertu d'un retrait pour blessure. Lorsque Nadal s'éjecta de son siège et se dirigea vers son côté du court pour servir, 15 000 fans émirent un soupir de satisfaction.

Ce drame passé, le match reprit son cours. Federer y alla rapidement de deux balles de bris, Nadal élimina l'une de celles-ci par un droit qui frôla la ligne. En ce qui concerne la seconde, Nadal cessa de jouer en plein milieu du point en exigeant un recours sur la ligne de fond, car il était persuadé que le coup de Federer était à l'extérieur. Vu que Nadal avait cessé de jouer, advenant le cas où il se serait trompé, il en aurait été pour ses frais et aurait perdu le point sur-le-champ. Après quelques secondes de suspense, Hawk Eye prouva que la balle avait dépassé la ligne de fond d'au moins trois centimètres – une paille en somme, mais…

Telles sont les différences ténues qui constituent les moments cruciaux des grands matchs. Dans la tribune des joueurs, Toni Nadal secouait la tête et s'émerveillait de constater que son neveu en avait vraiment dans les tripes.

Deux jeux plus tard, Federer eut une autre occasion de dominer le match. Servant à 15-30, Nadal sliça un revers à l'extérieur. La foule murmura légèrement mais Nadal et Federer, y voyant une signification que personne ne saisissait vraiment, réagissaient avec plus d'émotion que l'un et l'autre n'avait affichée au cours de l'après-midi. Frustré, Nadal battait l'air de sa raquette, tandis que Federer répliquait par un énergique « *Come on !* »

Une fois de plus, Federer se paya une paire de balles de bris. Une fois de plus, Nadal les contra. Federer y alla de deux seconds retours de service qui sortirent la balle du court si bien que sa conjointe, Mirka Vavrinec, se crut obligée de hurler : « Bouge donc tes pieds, Roger ! » Ironie du sort. Nous avions là un match de qualité indiscutée, un festival de coups fumeux et d'athlétisme de haute volée mais, au fond, il s'agissait avant tout d'un affrontement mental. Comme pour confirmer cette thèse, pour le point suivant, un point d'égalité sans trop de pression, Federer commit un droit victorieux. À une balle de bris constipée, Nadal répliqua par un coup de débordement inspiré. Sur le point d'égalité relax, Federer y alla d'un autre droit gagnant, et ainsi de suite. « Brillant, n'est-ce pas ? commenta Tim Henman, un ancien joueur britannique qui commentait l'événement dans la cabine de la BBC. Ils jouent le point du côté droit du court et cela semble facile pour Federer, mais jouez-le du côté gauche et ce sera une autre histoire... » Au moment où les grands champions sont censés se démarquer, voilà que Federer semblait tomber en décrépitude.

Nadal récupéra la *quatrième* balle de bris du jeu avec un revers qui dérapa au-delà de la ligne de fond, ce qui provoqua une petite explosion de poussière crayeuse. Federer demanda un recours pour la forme, mais roulait déjà des yeux en parlant tout seul, grimaçant de dégoût avant que la balle n'ait été jugée en jeu. Lorsque Nadal termina le jeu, Toni Nadal, le tonton-coach, leva sa casquette blanche et déclara : « On peut toujours parler du tennis de Rafael, de son droit, de sa rapidité sur le court, mais je crois que ce qui est le plus important chez lui, c'est sa fortitude morale, sa pugnacité. C'est ainsi qu'il est fait... »

L'histoire personnelle de Nadal est presque entièrement ancrée dans celle de son pays, Majorque (*Mallorca* en catalan), la plus importante île espagnole de la Méditerranée, dont le passé fourmille de références aux invasions, occupations et mises à sac de la part des Vandales, des Byzantins et des Maures.

Ce vécu mouvementé se traduit dans la population des Baléares par une résilience tranquille et une mentalité bien spéciale (*Qué más da*, disent les habitants), davantage portée vers l'équanimité lucide que vers le fatalisme. Un dicton majorquin dit d'ailleurs : « Le monde suit son cours. Ne vous en faites pas.

Ne vous en mêlez pas. Détendez-vous et faites-vous plaisir, car nous mourrons tous un jour… » Les Majorquins sont fiers d'être Espagnols mais, tout comme leur dialecte, ils demeurent assez incompris de leurs compatriotes continentaux, même des autres catalans. Comme le dit Nadal: «Je pense qu'il faut être originaire de notre île pour la comprendre… »

Au cours des dernières décennies, Majorque est devenue une destination touristique très recherchée des Allemands et des Anglais qui, en haute saison, peuvent s'y rendre pratiquement dans l'heure. L'île de Nadal diffère toutefois du monde des cartes postales, des brochures touristiques et des sites Web étalant leurs clichés d'opulents retraités et de jeunesse plus ou moins blasée sur fond de mer cristalline. Les origines du clan Nadal remontent au XIVe siècle et, depuis des générations, la famille est bien établie à Manacor, une ville de l'intérieur poussiéreuse et pas très invitante comptant 35 000 habitants, où les voisins, comme dans certaines petites villes américaines, arrivent chez vous sans prévenir et où, contrairement à Bâle, les bien nantis n'étalent pas leurs richesses.

Le grand-père du champion, qui s'appelle également Rafael, est un monsieur à l'air digne, qui fut longtemps chef de l'orchestre local. Son épouse et lui ont eu trois fils (Sebastian, Rafael et Toni) puis un couple de jumeaux, un garçon (Miguel Angel) et une fille (Marilen). Le fils aîné a mis sur pied une entreprise immobilière et une vitrerie qui fonctionnent très bien. Si vous avez besoin d'un permis de construire pour un appartement en bord de mer, voyez Sebastian. Si vous voulez changer la fenestration de votre commerce, c'est également l'homme tout désigné. En 1986, Sébastian et sa femme Ana Maria ont eu leur premier enfant, Rafael, surnommé évidemment Rafa.

Le très rare talent et l'exceptionnelle synchronisation qui caractérisent quelqu'un comme Federer constituent un sujet aussi fascinant sur le plan culturel que sur le plan génétique. Il en est de même pour Nadal, dont les gènes familiaux ne sont pas moins intéressants que ceux de son compétiteur. Médiocrement sportif, Sebastian avait plutôt la bosse des affaires, tandis que ses frères avaient des dispositions pour déplacer ballons et balles. Miguel Angel Nadal a été une étoile du soccer européen qui a contribué à ce que son pays et le FC Barcelona décrochent trois Coupes du monde. Son style contondant et sa puissance de charge l'on fait surnommer «la Bête de Barcelone». Son frère Rafael jouait en deuxième division mais ce joueur de soccer était aussi amateur de tennis. Toni, pour sa part, avait d'autres intérêts dans la vie comme l'histoire, la philosophie, le jardinage, les amis, mais cela ne l'a pas empêché de devenir champion de ping-pong des Baléares et un très bon tennisman. Même s'il est l'un des 30 meilleurs Espagnols dans ce sport, il n'étale pas ses compétences, même s'il atteint, disons, le niveau d'un bon joueur universitaire en Amérique.

Quant à Rafa, il se montra l'un de ces petits prodiges athlétiques qui combinaient la précocité et la férocité. Aussi loin que les gens s'en souviennent, il a maîtrisé le mode d'emploi de son corps en apprenant comment utiliser au mieux ses muscles. Également, il pratiquait d'autres sports, dont le soccer, et ce, de manière virile, téméraire, avec un appétit de compétition, surtout lorsque ses adversaires étaient plus corpulents et plus âgés que lui. Alors que Rafa avait trois ou quatre ans (l'intéressé lui-même n'est pas fixé à ce sujet), l'oncle Toni, lui-même un pro au tennis au club de Manacor, lui fit cadeau d'une raquette. Avec sa tignasse et son teint aussi bistre que le sol de terre battue du court, le petit Rafa utilisait toute la force de son corps pour faire passer la balle par-dessus le filet.

Tonton Toni était émerveillé par le talent inné de son neveu. Comme un enfant qui crayonne dans un album à colorier et qui s'applique à ne pas dépasser les lignes, Rafa frappait la balle avec précision. Ce qui sembla impressionner davantage l'oncle

Toni, c'était l'intensité que l'enfant investissait dans son jeu. Lorsque Rafa était sur le court, le temps devenait élastique. « Les autres jeunes frappaient quelques balles puis se lassaient, explique le coach. Rafa jouait interminablement, presque jusqu'à l'épuisement. Sans que personne ne le lui dise, il travaillait sur ses faiblesses et a constamment suivi cette discipline. » Heureux de jouer les mentors avec son neveu, Toni établit immédiatement quelques règles de base.

1. Si tu jettes ta raquette, on arrête. Il ne faut pas oublier que les raquettes coûtent cher. Lorsque tu la jettes, non seulement fais-tu preuve d'un manque de respect évident pour ce sport, mais tu te moques grossièrement des gens qui ont du mal à se payer un tel équipement.

2. Perdre fait partie de la compétition. Oui, tu es appelé à perdre et si tu perds ce n'est pas de ma faute, de la faute de ta raquette, de celle des balles, du court ou de la météo. C'est de ta faute et il faut que tu l'acceptes. Trop de gens en ce monde trouvent des excuses pour des problèmes qu'ils sont seuls à pouvoir régler. Tu prends tes responsabilités et tu essaies de faire mieux la prochaine fois. C'est tout.

3. Amuse-toi bien. Si tu cesses d'aimer ce sport, ce n'est pas bon. Il faudra alors trouver autre chose qui te satisfasse.

Tout comme Federer, Nadal était un joueur de soccer plutôt doué, un cogneur qui appréciait la camaraderie des équipes. Toutefois, c'est le tennis qui l'attirait vraiment, la joie du défi brut consistant à frapper la balle suffisamment fort pour que l'adversaire ne puisse l'intercepter, mais avec suffisamment de contrôle pour la garder à l'intérieur des lignes réglementaires. Nadal frappait donc la balle à deux mains sur les deux flancs. Un jour, alors que Rafael avait huit ans, Tonton Toni lui demanda s'il pouvait lui donner les noms de joueurs de tennis capables de frapper des coups droits des deux mains.

L'enfant réfléchit quelques secondes et répondit : « Aucun… »

« C'est juste, lui dit Toni, et ne t'imagines pas que tu seras le premier ! »

Durant l'un de ces instants magiques qui changent le cours d'une discipline sportive, Toni encouragea Rafa à jouer de la gauche. Nadal n'était pas naturellement ambidextre. Il se servait de sa main droite pour écrire son nom, se brosser les dents ou lancer des fléchettes, mais Toni en déduisit que si son neveu frappait fort bien le ballon de soccer du pied gauche, peut être pourrait-il aussi frapper sa balle de tennis de sa « mauvaise main ». Non seulement le tennis accorde-t-il certains avantages aux gauchers, mais le redoutable revers à deux mains de Nadal pouvait ainsi bénéficier de son puissant bras droit. « J'ai toujours détesté jouer contre des gauchers, se rappelle Toni. J'ai pensé que le gamin pourrait au moins essayer… »

Sans faire d'histoire et sans avoir besoin d'une pénible adaptation, Nadal ne tarda pas à envoyer des coups droits fumants et à faire des services de la main gauche. Il avait un service onduleux lui permettant de lancer ses coups de raquette avec un effet lifté lui laissant une marge d'erreur. Durant les guerres puniques, les frondeurs majorquins, engagés comme mercenaires par les Carthaginois, permirent à ces derniers de battre les Romains. En évoquant l'histoire ancienne, on verra là une coïncidence amusante remontant à la nuit des temps, mais le coup droit en trombe de Nadal ressemble assez curieusement au geste des frondeurs de Majorque dans l'Antiquité.

À huit ans, Nadal remporta le championnat de tennis des Baléares dans la division des moins de 12 ans. Quelques années plus tard, il était champion de son groupe d'âge pour toute l'Espagne. C'était le moment pour Toni de donner une autre leçon de vie à son poulain. L'oncle montra à son neveu une liste des anciens vainqueurs de ce tournoi. « Combien de noms reconnais-tu dans cette liste », lui demanda-t-il.

« Pas beaucoup », répondit Rafael en haussant les épaules.

« Précisément… » rétorqua Toni en laissant le garçon en déduire que son titre junior n'était pas une garantie de succès pour l'avenir. Quelques mois plus tard, Nadal était le champion européen des concurrents de 12 ans et moins.

La semaine où Rafael eut 12 ans, Carlos Moya, également un Majorquin, remporta les Internationaux de France en simple messieurs. C'était une possibilité de plus de croire au succès.

Mais le gamin n'avait pas vraiment besoin de se faire remonter le moral, comme en témoigne ce mot d'un mentor de Rafa. Peu après avoir remporté Roland-Garros, Moya, un personnage emblématique pour Nadal, prit le garçon à part et se prépara à lui administrer un sermon du genre : « Jeune homme, si je peux le faire, tu peux le faire aussi… » Il lui posa donc la question classique : « Quel genre de carrière envisages-tu au tennis ? Voudrais-tu entreprendre une carrière comme la mienne ? »

Nadal fit signe que non.

« Non ? » demanda Moya, décontenancé.

« Non, reprit Nadal. Je veux aller plus loin encore… »

Moya confia plus tard à un magazine de Barcelone qu'il avait alors su que Nadal deviendrait l'un des meilleurs joueurs de son époque.

Alors que Federer apprécie le contenu social du tennis, Nadal, lui, savoure la compétition. Son adversaire n'est pas la balle, les lois de la physique ou encore les possibilités que chaque coup présente. L'adversaire, c'est l'homme qui se trouve de l'autre côté du filet. Il est là pour être battu. Nadal n'a jamais été un de ces fiers-à-bras, de ces *goons* décérébrés comme on en trouve tant dans les sports ; c'est un vrai sportif qui joue simplement comme si perdre un match était pour lui répandre son sang.

Tranquillement, Toni estima que son neveu avait l'étoffe d'un champion adulte. Moins discrètement, la Fédération espagnole de tennis commença à se renseigner sur le jeune homme. Était-il prêt à quitter son île pittoresque et à s'entraîner dans un établissement sportif national ? Était-il prêt à quitter le statut confortable que lui assurait son illustre oncle inconnu et à recevoir les conseils d'un coach réputé ? Le clan Nadal organisa une réunion au sommet sans prétention, puisque tous vivaient dans un immeuble près de la place principale de Manacor, où chaque famille occupait un étage. Toni était à l'époque associé à Sébastian dans l'entreprise familiale. Les frères en vinrent rapidement à une entente. Toni conservait ses parts dans la compagnie, mais au lieu de travailler dans le bureau, il se consacrerait à temps plein à l'entraînement de Rafael.

En racontant une fois de plus l'histoire de Rafael Nadal, les parents du champion ont tendance à écourter le récit, un peu comme les interprètes de feuilletons télévisés sabrant dans le texte de leur auteur. Leur manière de refuser de se faire du capital sur la célébrité de leur fils ou d'en tirer quelque crédit – ou même d'accorder des interviews – perpétue cette idée car, dans la famille Nadal, tout le monde à un rôle à jouer dans la création du champion. Ana Maria était la mère aimante qui veillait sur sa santé, s'assurait qu'il faisait ses devoirs et tenait sa chambre à peu près propre. Son père était un homme pragmatique, dur à l'ouvrage. Le couple représentait des valeurs semblant issues d'un manuel de conduite calviniste où l'honnêteté, l'engagement, la discipline, l'épargne et l'éthique du travail constituent des règles de vie quotidienne.

Les parents Nadal fournissaient également les moyens financiers pour défrayer les dépenses courantes, les frais de voyage et d'entraînement. Il existe à propos des sports une conception erronée selon laquelle les meilleurs athlètes viennent de milieux forcément défavorisés, comme si leur présence au stade, sur le ring ou le court constituait une sorte de revanche. Selon cette logique, les athlètes issus de classes moyennes seraient insuffisamment motivés. Dans le cas de Nadal, comme dans celui de Federer, l'inverse s'applique. Non entravés par l'impression d'avoir à réussir à tout prix pour permettre à leur famille de s'extirper d'une misère noire, les athlètes peuvent concourir en toute liberté. Ainsi la famille Nadal jouit d'un certain confort, incluant une maison de vacances sur la côte. Les Federer, des banlieusards de Bâle, se paient des vacances en Afrique du Sud. Si leurs enfants prodiges voulaient poursuivre leur rêve, eh bien ! tant mieux ! Sinon, tant pis…

Miguel Angel fut un modèle pour Rafa. Ce n'est pas que l'enfant doutait de ses capacités – on l'a vu quelques lignes plus haut –, mais l'oncle Miguel Angel était la preuve vivante que les enfants de Manacor porteurs de l'ADN des Nadal pouvaient éventuellement quitter leur île et devenir des stars de leur sport. En observant cet autre tonton, Nadal intériorisait ce qu'il voyait : comment un athlète professionnel s'entraîne, s'alimente, gère les avantages et les inconvénients qui vont de pair avec la notoriété. Le reste du clan faisait office de groupe de soutien ; dans différentes configurations, ses membres se rendaient aux matchs de Rafael pour l'applaudir, découpaient des articles à son propos et les collaient dans des albums. Ils lui préparaient des repas spéciaux avant et après ses matchs. Nadal admet volontiers que ce réseau familial lui a permis d'être encouragé sans toutefois devenir un enfant gâté.

Pourtant, il est difficile de minimiser la singulière influence de l'oncle Toni. Les psychologues disent souvent que tout adolescent de sexe masculin a intérêt, son père mis à part, à prendre comme modèle un adulte qui l'aide à grandir. Dans le cas de Nadal, ce rôle a évidemment été tenu par son oncle, une figure emblématique mystérieuse qui a façonné d'égale façon la technique du tennis de l'adolescent ainsi que son identité intrinsèque.

On dit souvent que le tennis de Nadal peut être à la fois bizarre et capricieux, comme s'il était pratiqué par quelque enfant sauvage élevé par des loups. Les amateurs de sport sont prompts à comparer tel joueur à tel autre, mais on n'entend jamais ce genre de comparaison à propos de Nadal, car il n'y a pratiquement rien qui semble avoir été copié dans son jeu. Le journal espagnol *El Mundo* a été jusqu'à dire ce qui suit : « Quelque part se trouve une planète où les bébés ne jouent pas avec des poupées mais avec des raquettes de tennis, où les muscles croissent avant l'ossature, où l'on apprend à être courageux avant de savoir parler et où les cœurs battent plus rapidement. C'est la planète Nadal. Il s'agit d'un adolescent qui s'est transformé en surhomme... » En vérité, le jeu de Nadal est à l'opposé de la bizarrerie. Il s'agit d'un jeu maison, soigneusement préparé, fignolé. Toni a une explication pour les nombreuses composantes peu conventionnelles des coups de Nadal. Ainsi, pour la prise western dite « prononcée », dans laquelle le bas de la paume est appliqué sur le chanfrein bas droit du manche, Toni sait, selon son expérience du ping-pong qu'il a appliquée au tennis, que grâce à une telle prise on peut obtenir de bons effets liftés. Et que dire des accompagnements élaborés de Nadal qui lui permettent de finir ses coups avec la raquette lui frôlant pratiquement la tête ? Rafael avait l'habitude de jouer contre des adversaires plus grands et plus vieux que lui. Il avait alors besoin de frapper plus haut avec davantage d'effets pour compenser la différence de taille.

Le tennis était chose facile pour Nadal, et Toni faisait tout pour le mettre à l'épreuve. Il faisait pratiquer son neveu avec des balles usées et sur des courts pleins de trous et de bosses provoquant des rebondissements erratiques. Après l'entraînement, l'oncle demandait à Rafa de nettoyer le court de terre battue, un travail généralement confié à un préposé. Toni lui disait: «Ce n'est pas parce que l'on sait frapper convenablement sur une balle qu'il faut se croire meilleur ou pire que qui que ce soit...» Adolescent, Rafael recevait à titre gracieux des chaussures de Reebok et de Nike, car ces deux fabricants de vêtements à la mode cherchaient à le commanditer. La première fois que Toni vit Rafael écraser le contrefort de ses chaussures pour les enfiler plus vite, Toni le gronda. «Il faut d'abord les délacer avant de les chausser. Ce n'est pas parce que tu les as eues gratis qu'elles sont sans valeur... Il faut toujours respecter son matériel.» Illustrant chaque victoire de manière imagée, Toni comparait la réussite au tir à la carabine. «Lorsqu'on touche la cible, il faut encaisser un recul déplaisant. Chaque côté positif de la vie a son aspect négatif. Voilà pourquoi il importe de ne pas se situer trop bas ou trop haut...»

Dans la vie quotidienne, Toni applique les mêmes discours de fière indépendance et de calme minimaliste que ceux qu'il prône. Malgré le fait qu'il vive avec la même conjointe depuis des décennies et qu'elle lui ait donné deux enfants, il ne porte pas d'alliance et ne parle pas de «sa» femme. «Si je suis ami avec quelqu'un, je n'ai pas à le claironner sur tous les toits. La personne le sait. Moi aussi. Ça suffit. Nous n'avons pas besoin d'étiquette. C'est la même chose avec ma petite amie.» Bien qu'il puisse citer parfois des aphorismes s'inspirant du zen, il n'a que faire de la religion. «Je ne suis pas croyant, dit-il. J'ai étudié l'histoire à l'université et je sais que les religions tablent sur l'ignorance des gens. Dans les grandes sociétés tribales, lorsque se manifestait un rayon de lumière, les gens l'imputaient à la magie ou à je ne sais quoi. Lorsque les sociétés progressent et que la science avance, la religion perd de son importance. C'est le sens moral qui compte. Pas la religion.»

Nadal a probablement gagné le gros lot à la loterie génétique familiale : des parents équilibrés, un oncle mentor, une autre vedette de soccer et une famille étendue qui le soutient. Toutefois, certaines formes culturelles militent également en sa faveur, notamment l'histoire de l'Espagne. En effet, comparativement à d'autres pays d'Europe occidentale, les sports ont eu un rôle quelque peu effacé dans la société espagnole. On parlait évidemment de tel toréro ou de tel joueur de soccer mais, jusqu'en 1988, les athlètes espagnols remportaient moins de médailles aux Jeux olympiques que leurs homologues marocains, finlandais ou néo-zélandais.

Grâce à un ensemble de facteurs où se combinent un régime démocratique, la prospérité économique et la stabilité politique, l'Espagne a fait du rattrapage. En 1992, Barcelone a été la charmante ville-hôte des Jeux olympiques d'été. Au cours des années 1990, des centres d'entraînement et des complexes sportifs furent construits à toute vitesse. *Marca*, un quotidien sportif madrilène, est devenu le journal le plus important du pays. Comme on pouvait s'y attendre, tandis que le sport prenait une nouvelle importance dans la conscience nationale, l'Espagne commença à produire des champions du Tour de France et des joueurs de basketball à profusion, sans compter l'équipe de soccer championne de l'Euro 2008. Au tennis, entre 1998 et 2003, trois Espagnols – Carlos Moya, Albert Costa et Juan Carlos Ferrero – ont remporté les Internationaux de France. Tel que le mentionnait une réclame de Nike diffusée en Espagne avant les Jeux olympiques de Pékin : « Être Espagnol n'est plus une excuse. C'est une responsabilité ! »

Nadal a rapidement surfé sur la vague mais n'a pas profité de l'Académie nationale de tennis ou d'un entraînement commandité par l'État. Il est arrivé à une époque où les sports bénéficiaient en Espagne d'une augmentation très sensible de l'aide des pouvoirs publics et où être une étoile du sport faisait partie du chic le plus branché.

En 2001, les anciens champions Boris Becker et Pat Cash devaient donner un match de démonstration à Majorque. À la dernière minute, Becker dut renoncer à cause d'une blessure. Pris de court, l'organisateur demanda à Cash s'il accepterait de se mesurer au meilleur joueur junior du coin, un gaucher de 14 ans nommé Rafael Nadal. Cash accepta et fut impressionné en constatant que le jeune homme gagnait quelques jeux. Lorsque le gamin remporta la première manche, Cash ne trouva plus cela amusant. L'ancien champion fit tout pour gagner la deuxième, et la troisième se rendit au bris d'égalité. L'Australien se souvient s'être dit: « Ce jeunot finira bien par s'incliner. » Erreur. Le vainqueur de Wimbledon en 1987 perdit le match aux mains d'un adolescent. Lorsque la nouvelle se répandit que Cash, alors dans le milieu de la trentaine, s'était fait battre par un galopin de 14 ans, ses collègues s'esclaffèrent de manière peu subtile. « J'avais beau leur répéter qu'ils ne comprenaient pas que ce petit gars n'était pas un foutriquet mais un joueur exceptionnel, ils ne voulaient rien savoir… » explique Cash. Depuis lors, bien sûr, les rieurs ont compris que le vieux pro avait raison.

Le jeu de Nadal évolua rapidement avec les modifications à son physique. Dans son adolescence, mi-homme mi-enfant, il faisait déjà près de un mètre quatre-vingt et sa musculature, notamment ses biceps et ses quadriceps, aurait pu servir de modèle à quelque sculpteur de la Renaissance. Le peu de graisse que Nadal pouvait avoir se concentrait dans ses joues encadrant un visage résolument juvénile. Nadal participa à quelques événements internationaux, mais ses parents s'inquiétaient du fait que les voyages puissent perturber ses résultats scolaires. En outre, la concurrence commençait à se faire rare dans sa catégorie.

Rafael devint professionnel en 2001 et échappa au rite exténuant consistant à faire des championnats de petites villes pour gagner du galon. En avril 2002, Nadal, un phénomène de 15 ans, joua dans une rencontre de l'ATP à Majorque et battit Ramon Delgado, un membre du palmarès des cent meilleurs joueurs de tennis. En 2003, alors qu'il avait à peine 17 ans et qu'il était encore junior, il parvint au troisième tour du tournoi de Wimbledon. Il était le plus jeune joueur à remporter deux tours à l'All England Club depuis Boris Becker et en profita pour se hisser parmi les 50 premiers joueurs de tennis mondiaux au classement de l'ATP.

Le musculeux petit prodige et son oncle formaient une drôle d'équipe, mais elle était très fonctionnelle. Le grand-père de Nadal aime raconter que lors d'un des premiers matchs professionnels de Rafael, Toni avait dit à ce dernier: « Reste calme et décontracté. Si les choses ne vont pas bien, je ferai pleuvoir. » Nadal traîna au début mais ne tarda pas à égaliser le pointage. Puis la pluie se mit à tomber. « Tu as dit que tu ferais tomber la pluie, a-t-il rappelé à son oncle à l'occasion d'une pause. Si tu es capable de l'arrêter, alors je peux gagner… »

Lorsque Rafael commença à gagner, son paternel suggéra que son fils commence à rémunérer son coach avec l'argent des primes et des commandites. Toni rejeta catégoriquement cette idée. Bon sang ! Il ne commencerait pas à laisser un ado lui faire des chèques ! « Je ne veux pas recevoir d'argent de Rafa, car je veux demeurer le patron, expliqua-t-il. Quand je fais affaire avec le père, je n'ai pas besoin de l'argent du fils. Si le garçon me paie, cela signifie que je travaille pour lui, et ce n'est pas normal… »

Contrairement à Federer, lorsque Nadal fut à l'avant-scène, il devint clair qu'il savait quel était le joueur à battre pour se hisser au sommet de la pyramide. À moins que Nadal puisse trouver un moyen de détrôner Federer, de le déplacer de sa zone de confort, de lui servir de violents coups avec effets, de ces coups vicelards qui déroutent les revers à une main, d'occuper le court, d'envahir l'adversaire et de le harceler sans cesse, il resterait un de ces joueurs résignés qui raconterait à ses petits-enfants qu'il aurait pu être champion du monde s'il ne s'était pas heurté à l'invincible Federer…

Nadal n'avait que 17 ans lorsqu'il fit face pour la première fois à Federer, qui était déjà le joueur numéro un mondial. Jouant en 2004 sur les courts de surface dure de Key Biscayne, en Floride, – un lieu qui s'autoproclame « Le cinquième Chelem » –, Nadal a flanqué une raclée à Federer 6-3, 6-3 sans esprit d'intimidation, sans glapissement de la part de Nadal lorsqu'il faisait son service.

Ce fut un choc. Surtout si l'on tient compte de la surface. Pourtant, Federer ne sembla pas avoir été assommé par les résultats. « J'avais beaucoup entendu parler de lui et vu certains de ces matchs, déclara Federer par la suite. Je crois que ce n'est pas une grande surprise pour qui que ce soit. » Lorsqu'on lui demanda de se comparer à Nadal quand lui-même avait 17 ans, Federer répondit rapidement : « Il compte davantage sur sa combativité que je le faisais… »

J'ai interviewé Nadal à Rome au cours du printemps 2005. Il avait alors 18 ans et était pressenti comme favori au tournoi de France. Au début de la journée où nous devions nous rencontrer, Nadal était avec Andre Agassi, avec qui il devait donner un match de démonstration sur la place Saint-Pierre. Au cours des dix derniers jours, il avait empoché plus de 500 000 $ en prix et avait été généreusement compensé pour porter des vêtements Nike. La vie était belle pour lui. Pourtant, il ne projetait aucunement l'image de l'adolescent éberlué, choyé par le destin parce qu'il a gagné le gros lot à la loterie. Il se considérait simplement comme un athlète doué, un honnête artisan qui a tout fait pour que sa vie se conforme au plan établi.

Il se présenta à l'interview flanqué d'un officiel de l'ATP, accompagné d'un interprète maison, un sympathique Espagnol du nom de Benito Perez-Barbadillo, qui deviendra plus tard son communicateur attitré. Il y avait aussi son ami Feliciano Lopez, un joueur espagnol à l'apparence conquérante. Dans mon carnet de notes, j'inscrivis que Nadal paraissait à la fois plus vieux et plus jeune que son âge. Il faisait des blagues avec Lopez pendant que l'interprète prenait le temps de traduire. À un certain moment, l'air absent, il pressa un bouton qu'il avait sur la cuisse.

Il regardait les gens bien en face, donnait de franches poignées de main, souriait largement et, en bon habitué des médias, répondait toujours de manière impersonnelle, par phrases hachurées. Ses objectifs ? « Continuer à se perfectionner, travailler dur et demeurer sur le qui-vive sur les courts. » Les plus grands ajustements qu'il pouvait faire pour améliorer son jeu ? «Je ne vois vraiment pas. Ma famille me manque mais je sais qu'elle me soutient constamment. » S'il n'était pas tennisman, que voudrait-il faire d'autre ? «J'espérerais être joueur de soccer. Non ? » Quel est l'aspect de son jeu qu'il aimerait améliorer ? « L'ensemble de mon jeu. Il y a toujours place pour l'amélioration. Non ? » (Un de mes collègues pense que l'habitude qu'a Nadal de terminer ses réponses par un « non » interrogatif est une autre manifestation inconsciente du renvoi de la balle au tennis.)

Se rappelant la recommandation de Flaubert selon laquelle il convient, dans la vie, d'être constant et ordonné comme un bourgeois si l'on veut faire preuve d'ardeur et d'originalité dans son travail, Nadal se fait rarement décrire comme étant autre chose qu'un garçon normal, modeste, ayant les pieds sur terre. Même à ceux qui parlent espagnol, il révèle peu de choses sur sa personne ou sur ses intérêts extérieurs au tennis. Ses amis se moquent volontiers de son attitude de repli sur soi qui, selon eux, constitue une sorte de haussement d'épaules insouciant. Et lorsqu'il blogue sur son site Web officiel – une activité censée faire ressortir la couleur et la personnalité du personnage –, Nadal se montre si terne que dans un texte de 2008 il s'excuse auprès de ses fans en leur disant: «J'espère que je ne suis pas trop ennuyeux...»

C'est pourtant lorsque le match démarre que Nadal se montre anormal, rebelle et non conventionnel.

Le moment où il se montra le plus animé fut lorsque nous avons discuté du tournoi qu'il aimerait le plus gagner. Il commença à parler plus rapidement que l'interprète pouvait traduire. «Wimbledon? Bien sûr, me répondit-il par l'intermédiaire de Perez-Barbadillo. Remporter Wimbledon signifie alors que vous êtes un champion. Pour moi, c'est le tournoi ultime...»

Nadal tenait à remporter le match romain, qui représentait un chèque de 400 000 $ de plus dans son escarcelle. Quelques semaines plus tard, il remportait ses premiers Internationaux de France. À la fin de l'été, on le citait comme étant «le meilleur tennisman mondial après Roger Federer». Malgré le fait qu'il soit un spécialiste de la terre battue, l'idée d'en faire un joueur allergique au gazon est ridicule, car pour ses 21 ans il avait non seulement décroché son troisième titre d'affilée à Roland-Garros, mais aussi son second d'affilée à Wimbledon, ce qui lui assurait une place au panthéon du tennis. À l'exception de la bataille que Nadal a dû mener contre quelques blessures, les premières années de sa carrière ne connurent pas les événements en dents de scie habituels. Elles ne constituèrent qu'une progression constante.

En qualité de star et d'athlète, Nadal semble posséder le monde au bout de ses doigts calleux. Pourtant, il ne s'est jamais montré intéressé par les signes extérieurs de richesse. Alors que Federer se propulse de tournoi en tournoi en avion privé, jusqu'en 2008 Nadal se déplaçait – notamment pour se rendre à l'Open d'Australie – en classe économique. Alors que Federer est un gastronome qui ne jure que par les maîtres-queux comme le Britannique Gordon Ramsay ou commente volontiers son dernier repas aux sushis hors de prix, Nadal est heureux de se faire monter un démocratique hamburger dans sa chambre et de jouer avec sa PlayStation. Pendant les Jeux olympiques de Pékin, Federer, qui tenait à son luxe habituel, logeait dans un palace de la ville. Non seulement Nadal demeurait-il au Village olympique, mais les autres athlètes avalèrent leur Gatorade de travers lorsqu'ils l'aperçurent dans la buanderie en train de laver son linge ! Il y a quelques années, à Roland-Garros, Mats Wilander s'entraînait avec Nadal. Une fois qu'ils eurent terminé, Wilander aperçut le champion espagnol en train de balayer le court ! – un geste qui ressemblerait à celui que Wayne Gretzky pourrait poser si ce hockeyeur décidait de passer la resurfaceuse Zamboni sur la glace entre les périodes…

En 2008, pendant le tournoi de Wimbledon, je mentionnais à Perez-Barbadillo, devenu une sorte de chef d'état-major, que Martina Navratilova mettait sa notoriété au service de causes sociales et qu'Andre Agassi avait donné des dizaines de milliers de dollars pour des causes politiques, généralement de gauche. Je lui demandais si Nadal pourrait avoir le même impact dans son pays. « Jamais de la vie ! répondit Perez-Barbadillo. Rafa a une fondation, c'est sûr, mais il ne tient pas à s'engager politiquement. Il a ses idées sur les questions humanitaires mais considère qu'il ne doit pas se disperser. »

Alors que Federer est une sorte de citoyen du monde, un petit roi à l'empire étendu (une maison-mère en Suisse, une fondation en Afrique du Sud, un agent américain, une collaboration avec l'UNICEF), Nadal veut prouver que l'adage selon lequel « nul homme est une île » n'est pas forcément exact. À chaque fois qu'il en a l'occasion, Nadal retourne à Majorque où, jusqu'à ce jour, il vit dans l'immeuble que sa famille partage. Il a la même petite amie locale, les mêmes copains de pêche et les mêmes partenaires de golf. Il signe toujours le registre des invités au club de tennis de Manacor lorsqu'il réserve un court, ce qui ne le démarque pas des jeunes joueurs et des bonnes dames membres du club. S'il possède une Mercedes, reçue en prime lors d'un tournoi, il préfère se promener dans l'ile dans une modeste Kia. Des gens influents du milieu du tennis ont tenté de persuader Nadal de demeurer dans quelque paradis fiscal comme Monte-Carlo, tout comme Federer qui possède un appartement luxueux à Dubaï, ou Moya, un Majorquin, qui a une résidence à Genève. (Tout comme il est difficile de lui faire faire ce qu'il ne veut pas sur un court, il est difficile de lui faire changer d'avis.) «Je suis heureux à Manacor, je suis chez moi, répète-t-il. Pourquoi voudrais-je aller ailleurs?»

Dans les rares cas où Rafael est dorloté ou encore qu'il bénéficie de quelque avantage, l'oncle Toni le rappelle à l'ordre, car il devient furieux. S'ils se rendent à Disneyland, on les fait passer devant tout le monde. S'ils jouent au golf, on les laisse conduire leur voiturette sur l'allée gazonnée. Lorsqu'ils mangent un morceau dans un restaurant, le patron les dispense de payer. S'ils vont chez le médecin, on les fait passer devant tout le monde. «Il n'est pas normal qu'on lui dise toujours "oui, oui, oui", s'exclame Toni. Je suis là pour lui dire "non", pour l'inciter à toujours refuser. Ainsi, tout le monde lui raconte qu'il est excellent. Je lui répète toujours: "C'est certain, tu es très bon… mais je suis plus intelligent que toi!"»

Il ne faudrait pas croire que Nadal se rebelle contre ces méthodes – *como se dice?* – «de la vieille école» ou contre cet oncle qui le traite comme un simple mortel et non comme un demi-dieu. «Il sera toujours mon oncle et la famille passe avant tout, dit Rafa. Je suis également discipliné comme il l'est et je sais d'où il vient…»

Quand sa carrière sera finie, Nadal retournera probablement à Manacor. Il continuera à fréquenter les membres de sa famille, les mêmes amis, consommera les mêmes aliments et aura les mêmes habitudes. Toni fera de même ; toujours Majorquin dans l'âme, le tonton-coach ne s'inquiète pas pour l'avenir. « Il est possible que demain nous décidions de nous séparer. Si c'est ce que Rafa désire, ce sera bien pour moi aussi. Je m'occuperai des miens et irai planter mes choux… »

Comment dit-on encore ? Ah ! oui : « Le monde suit son cours. Ne vous en faites pas. Ne vous en mêlez pas. Détendez-vous et faites-vous plaisir, car nous mourrons tous un jour… »

La foule semblait mal à l'aise tandis que Federer servait à 3-3. Méthodiquement, Nadal remporta les trois premiers points, l'un d'entre eux avec un revers plongeant exécuté en coup de débordement qui, eût-il été téléguidé, n'aurait pas pu être plus précis. Federer était maintenant déficitaire 4-6, 4-6, 3-3, 0-40. Étant donné les difficultés que Federer éprouvait pour contrer le service de Nadal, cela équivalait à un triple point de match. De la tribune où se trouvait le clan Nadal, l'oncle Toni se rongeait les ongles et les membres de son entourage se regardaient en fronçant les sourcils, en ayant l'air de se dire : « Voilà peut-être notre chance… »

Dans la section réservée à la presse, incapables de faire preuve d'objectivité et anticipant une victoire, deux journalistes espagnols se serraient la main. Il y avait des années qu'ils écrivaient à propos de ce curieux jeune gaucher qui défrayait la manchette. Ils avaient suivi ses progrès et l'avaient vu remporter tous les titres des Internationaux de France. Et voilà qu'il était en passe de remporter Wimbledon…

Cet intervalle mit une fois de plus le courage des joueurs à l'épreuve et, pour la première fois de l'après-midi, c'était Federer qui semblait avoir la réponse la plus pertinente. Comme il le confia plus tard à un ami, arrivé à ce point, il reconnut que son règne sur Wimbledon pourrait fort bien arriver à son terme, qu'il ne devait pas se laisser faire et livrer un combat acharné. Ce n'était plus la peine de ménager ses munitions. Il rata son premier service et chassa la balle errante. Il dirigea son deuxième service au corps de Nadal. La réception fut timide et Federer y alla d'un coup droit plutôt morne.

Federer servit alors à quatre reprises – des balles que Nadal ne put jamais renvoyer dans le court. L'Espagnol avoua plus tard dans un haussement d'épaules qu'il était peut-être un peu trop tendu à ce moment précis, mais il faut avouer que les spectateurs purent alors voir du Federer millésimé à son meilleur. Ses services ne furent pas particulièrement puissants, mais chacun d'entre eux fut judicieusement calculé et dirigé de main de maître selon une technique que l'on aurait pu qualifier de «puissance tranquille». Lorsque Federer sauva une troisième balle de bris en envoyant son service en plein sur Nadal, il leva le poing et eut une expression de satisfaction. La foule se mit à applaudir frénétiquement, moins pour l'action proprement dite que pour la réaction intense de Federer, qui montrait combien il investissait d'énergie dans sa performance. Lorsqu'il remporta le jeu, il émit une sorte de grognement primal ressemblant elliptiquement à un «*Come on!*» très affirmatif. Les applaudissements reprirent de plus belle.

Dans la tribune de Federer, sa conjointe, les mains sur la bouche, exultait. Passant de l'anglais au français, elle lâcha un «Allez!» énergique. Bien qu'elle ne se soit jamais retrouvée en lice pour s'approprier des titres du Grand Chelem, Mirka était en mesure d'apprécier mieux que quiconque ce que son compagnon de vie pouvait endurer. Miroslava Vavrinec est née en Slovaquie en 1978. Deux ans plus tard, sa famille et elle parvinrent à émigrer en Suisse pour fuir le régime totalitaire de leur pays. Les parents de Mirka ouvrirent alors une bijouterie dans la ville de Schaffhausen. Vers la fin des années 1980, les membres de la famille assistèrent à un événement sportif à Filderstadt, en Allemagne, où on les présenta à Martina Navratilova, qui avait également émigré de Tchécoslovaquie. Navratilova encouragea Mirka, alors âgée de 9 ans, à jouer sérieusement au tennis. C'est ce qu'elle fit et, à 15 ans, elle devenait championne junior de Suisse. À 21 ans, elle s'était hissée au palmarès des cent premières joueuses de tennis mondiales.

En 2000, Vavrinec et Federer représentaient tous deux la Suisse aux Jeux olympiques de Sydney. Elle avait 22 ans et lui à peine 19 quand ils firent connaissance. Contre toute attente, Federer parvint à atteindre les demi-finales avant de louper un match qu'il aurait pu gagner contre l'Allemand Tommy Haas. Il fut écrasé. « Maintenant, je n'ai rien d'autre à ramener chez moi que ma fierté », confia-t-il à des reporters. Mais tout cela ne reflétait pas réellement la vérité. La dernière soirée des Jeux, il trouva le moyen d'embrasser Mirka. Le joueur qui avait un jour juré qu'il choisirait le tennis plutôt qu'une femme se retrouvait maintenant avec une charmante compagne de vie !

Leurs carrières prirent toutefois des directions différentes. Après avoir franchi le troisième tour du US Open en 2001, Vavrinec se déchira un ligament dans le pied droit et n'était plus en mesure d'espérer jouer encore un jour à haut niveau. Après plusieurs mois de traversée du désert, elle devint un membre important de l'équipe de Federer. Tandis que ce dernier devenait lentement une star d'envergure internationale, Vavrinec se transforma en gestionnaire principale de Roger Inc. Elle s'occupe des interviews, du calendrier du champion et aide son conjoint à imposer sa marque de commerce. Femme d'affaires, ambitieuse, elle l'aide notamment à faire connaître la marque de cosmétique RF. (On s'imagine mal Federer en train de faire la promotion d'une eau de Cologne éponyme au parfum évocateur « de senteurs d'agrumes, d'effluves d'ozone et d'un soupçon de thé vert»...) Au besoin, cette polyvalente personne peut même faire office de partenaire d'entraînement.

Un tel parcours est parsemé d'embûches potentielles. (*Suis-je sa conjointe ou son employée?*) Malgré toute apparence, cet arrangement fonctionne. Elle a passé huit ans à parcourir le globe avec Federer et à assister à ses matchs de la tribune des joueurs, un BlackBerry pratiquement greffé à la main. Elle a d'ailleurs davantage l'air d'une femme d'affaires que de la sportive amie de cœur d'un champion, et sa voix compte beaucoup. C'est elle qui filtre les demandes d'entrevues, qui choisit la musique lors des apparitions de Roger aux Internationaux des États-Unis (notamment *Don't Stop the Music*, de la chanteuse barbadienne Rihanna) et elle s'est permise de rejeter une demande du *Late Show* de David Letterman où l'on demandait à Federer de lire la liste des dix plus grands succès de la musique pop. Elle en jugeait le contenu trop sarcastique et annula la présence de son ami alors que Federer était déjà arrivé au studio. Comme on peut le lire sur les t-shirts que portaient les fans de Federer à Monte-Carlo au printemps de 2008: «Mirka est la patronne!»

Rick Reilly, un ancien collègue du *Sports Illustrated*, a rencontré pour la première fois Federer en 2006 et fut frappé par la relation que le joueur entretient avec Vavrinec. Il écrivit à ce propos: «Sa partenaire d'entraînement et son amie sont une seule et même personne et ce n'est même pas un mannequin en lingerie fine! Il s'agit simplement d'une gentille petite Suissesse nommée Mirka. Quand je pense que l'arrêt-court des Yankees de New York, Derek Jeter, change davantage de copines qu'il ne change de ceinture!»

Reilly avait soulevé là un point. On raconte en effet que le joueur de basket Wilt Chamberlain, des Lakers de Los Angeles, se vantait d'avoir séduit plus de 10 000 femmes (certains observateurs ramènent ce chiffre à 2 000). Personne n'est allé vérifier ces prétentions, d'autant plus que l'intéressé est mort d'une crise cardiaque à un âge relativement jeune, mais cela donne une idée de la popularité des champions dont certains sont beaucoup moins connus que Federer mais qui sont jeunes, séduisants, avec de l'argent à flamber plein les proches. (Voici une vieille boutade : Quelle est la chose la plus difficile pour un athlète professionnel ? Réponse : Essayer de rester sérieux avec votre épouse ou votre petite amie en lui racontant qu'elle vous manquera pendant votre voyage…) Dans le milieu du tennis, il existe une véritable culture de groupie : les tournées. L'idée de passer mardi prochain à Los Angeles ou à Montréal ouvre la porte aux aventures sans lendemain avec des créatures toujours prêtes à encourager les sportifs. Oui, mais il y a le cas Federer. On ne trouve pas autour de lui de mannequins scandinaves au cerveau petit format qui essaient de faire passer les autres femmes pour des sorcières. Pas de chuchotements complices ou de liaisons sulfureuses, pas de poursuites en paternité. On ne connaît de lui qu'une relation stable, mûre, engagée avec une dame suisse de trois ans son aînée.

Après que les deux joueurs eurent servi sans histoire, Federer menait 5-4 dans la troisième manche. À ce moment précis, le ciel déjà d'un gris métallique devint opaque et des gouttes de pluie commencèrent à tomber sur le gazon. Ce n'était pas le moment idéal mais on accepta le répit de bonne grâce car l'intensité dramatique était si forte qu'un entracte ne pouvait être que le bienvenu.

Ce qu'il est convenu d'appeler les « interruptions de jeu » ont été rares en 2008, mais tout retard causé par la pluie est traité de manière classique à Wimbledon et tout le monde connaît le rituel, qui se déroule avec la prévisibilité d'une pièce de théâtre japonaise. L'équipe des 17 préposés au gazon évolue avec une précision militaire pour déployer une bâche de nylon sur le court tandis que de la foule jaillit un soupir de satisfaction mêlé de dépit et qu'une armée de parapluie s'ouvrent dans les tribunes.

Les membres du club se retirent dans les salons intérieurs et sur les balcons couverts, tandis que les masses détrempées enfilent leurs ponchos de plastique et parcourent les installations. Certains se rendent à la buvette pour consommer quelque cervoise bien tiède tandis que d'autres, plus téméraires, se ruent vers une gargote située sous le court et que, faute d'une appellation plus précise, nous qualifierons de « buffet ».

En ce qui concerne la restauration, Wimbledon possède sans doute les installations les plus déplorables du monde du sport. On y sert des pizzas graillonneuses, des poudings malodorants, des saucisses gluantes et des pâtisseries fourrées de mixtures inquiétantes dignes de refléter tous les clichés que l'on peut entretenir sur une certaine cuisine anglaise. Oublions la commandite déficiente des espaces publicitaires de Wimbledon. Les véritables pertes de revenus de l'organisation proviennent peut-être davantage de l'insistance de la direction à servir des aliments impropres à la consommation humaine. Profitant du répit, les journalistes, soucieux de leur heure de tombée, commencent à échafauder leur article. Ils envisagent déjà, en trichant un peu, la victoire de Nadal en trois manches consécutives. Les gens de la radio sortent de leur cabine pour s'aérer et satisfaire des besoins physiologiques réprimés depuis des heures. Tout de blanc vêtus, les juges de ligne se dirigent vers le salon surnommé « la beurrerie des officiels » où, m'a raconté un collègue blagueur, la margarine est strictement interdite.

Quant à Federer et à Nadal, on s'empresse de les mettre à l'abri. Federer ramasse méthodiquement son étui à raquettes et son sac à main en cuir blanc. Nadal, quand à lui, jette son sac de marin sur son épaule dégoulinante de sueur. Alors que Federer se rendait au vestiaire, Mirka le retrouva à l'entrée. Selon un observateur, son visage reflétait une intensité contenue. Étreignant frénétiquement le bras de son conjoint, elle en profita pour lui rappeler vigoureusement qu'il avait été cinq fois champion à Wimbledon, ce qui n'était pas le cas de Nadal. Le même observateur remarqua que Federer garda le silence et répondit aux remontrances de son amie par un air soumis.

Normalement, un joueur profite d'une telle interruption pour consulter un entraîneur, mais Federer n'a pas ce genre d'aide de camp à son service. Le travail de coach de tennis est particulièrement exigeant. L'entraîneur passe son temps à déconstruire les stratégies, à entraîner son champion sur le terrain et à se renseigner tard le soir sur les adversaires. Ensuite, c'est la minute de vérité et le match commence. Les entraîneurs sont dans les tribunes, le visage dissimulé par des lunettes de soleil, souvent immobiles, le cou tendu comme celui des gargouilles, ne manifestant aucune émotion, à moins que quelqu'un ne viole les sacro-saints règlements du coaching.

Depuis qu'il a congédié Peter Lundgren, Federer a décidé de s'entraîner tout seul. Les blagues qui courent dans les vestiaires veulent que le roi Roger se coache lui-même grâce aux feuilles de statistiques d'IBM qu'il consulte à chaque match. La fois où il a eu l'air de recourir aux services d'un entraîneur est lors d'une entente très temporaire qu'il a conclue avec Tony Roche, un Australien réservé et laconique qui a presque 40 ans de plus que lui. (Pour la campagne de 2008 sur terre battue et pour quelques matchs disputés à Wimbledon, il a travaillé avec Jose Higueras, un ancien professionnel espagnol qui fut 6e joueur mondial en 1983.) Federer assure qu'il est suffisamment futé pour organiser sa propre stratégie et suffisamment motivé pour organiser ses séances d'entraînement. « En résolvant les problèmes moi-même, j'ai davantage confiance en moi… » affirme-t-il.

Cette décision fut magistralement validée en 2005 à Wimbledon lorsque Federer profita d'une interruption causée par la pluie pour concocter un stratagème lui permettant de battre Andy Roddick en perturbant son rythme par des attaques plus fréquentes et en attaquant plus souvent au filet. À cette époque, Roddick était coaché par le voyant entraîneur Brad Gilbert. La sagesse populaire voulait que Federer n'avait pas seulement déjoué son adversaire, mais également son coach cette journée-là…

Dans le vestiaire, Nadal s'était dissimulé de telle façon qu'il pouvait épier Federer sans être vu – un avantage mental supplémentaire. Puis Nadal s'assit mais ne tarda pas à être rejoint par l'oncle Toni et Maymo, le Majorquin que Nadal avait engagé à temps plein en qualité de physiothérapeute. Nadal confirma que son genou droit allait bien et qu'il n'était pas déshydraté. À part cela, il n'avait pas grand-chose à dire. Le champion espagnol avait joué un match quasi parfait. Peu perturbé par les points importants, il était en mesure de battre Federer mentalement. À moins d'un effondrement spectaculaire de Nadal ou d'un retour providentiel de Federer, guère envisageable à ce stade précis du match, le Taureau de Manacor était en passe de remporter son premier Wimbledon.

Maymo se mit au travail pour masser Nadal. Les hormones engendrées par le stress ont l'effet de détendre le corps et d'agir comme anti-inflammatoires. Ce sont également des substances cataboliques qui permettent d'altérer le tissu musculaire et d'aggraver la détérioration des muscles causée par la fatigue. Par le massage, on essaie d'améliorer la circulation du sang, qui transporte protéines et lipides. Étant donné le genre de jeu de Nadal, il n'est pas surprenant que Maymo ait passé plus de temps sur les jambes et les pieds de son client que sur ses épaules ou sur ses bras. N'ayant rien à dire ou à faire à trois jeux de la victoire de son poulain, Toni, le tonton-coach, ferma les yeux et s'apprêta à faire une siesta bien espagnole.

Federer essaya de se rappeler comment, à Miami, en 2005, il s'était repris après avoir été perdant deux manches pour finalement battre Nadal. Oui, il pouvait encore le défaire… Lui aussi se fit masser, mais par le physiothérapeute Gary Hamilton. Ce dernier, un Australien massif aux yeux d'un vert intense, a démarré une entreprise de massage thérapeutique dans son patelin, à Wonthaggi, une ville minière située à 140 km de Melbourne. En 2007, il reçut un appel lui demandant s'il pouvait opérer sa magie dans le vestiaire des joueurs des Internationaux d'Australie. Au cours de l'une de ses premières journées de travail, il se retrouva en train de pétrir les mollets, le fessier et les dorsaux d'un certain Federer, qui apprécia tellement ce traitement qu'au printemps 2008 il demanda à Hamilton de travailler expressément pour lui. Hamilton se mit au travail huit semaines avant Wimbledon. Une journée, il malaxait les muscles froissés des joueurs de cricket de l'école secondaire locale et, le lendemain, il se retrouvait comme membre à part entière de l'Équipe Federer, résidait dans des palaces européens et se rendait à Paris, à Hambourg, à Monte-Carlo en avion privé.

Hamilton n'avait pas vu son épouse et ses deux fils depuis des mois, mais ces derniers avaient l'intention de le rejoindre à Wimbledon pour prendre des vacances en Europe en famille. Ensuite, Hamilton devait reprendre ses activités avec Federer en vue des tournois à Toronto, à Cincinnati et aux Jeux olympiques de Pékin. C'était là une belle occasion pour cet homme et mieux valait en profiter tant que cela durait. Toutefois, à Wimbledon, on n'était qu'en juillet et Hamilton avait décidé qu'il vivait là un des plus intéressants étés de son existence.

Bien que seuls quelques champions de tennis aient les moyens de se payer un physiothérapeute privé, il s'agit là moins d'un caprice que d'un investissement avisé. Hamilton est resté discret sur sa rémunération, mais nous estimons qu'il facture sa semaine 5 000 $, dépenses comprises. En 2008, Federer a empoché 6 millions de dollars en prix pour 19 tournois, soit 315 000 $ par événement. Nadal a fait encore mieux, soit 6,8 millions de dollars pour 18 événements, c'est-à-dire 375 000 $ la séance. Si les doigts magiques du physiothérapeute permettent à un joueur de rester en forme et de concourir dans d'autres épreuves (ou encore de prévenir quelque retrait précoce), le salaire dudit masseur miracle représente pour le joueur une dépense raisonnable. Et si un physiothérapeute peut aider son client à remporter Wimbledon, son intervention devient inestimable à un tarif dérisoire.

Tandis que les joueurs trouvaient refuge dans le vestiaire, dans la cabine de la NBC, sur le court, John McEnroe et son associé en communications télévisuelles, Ted Robinson, tous deux originaires de l'État de New York, passaient le temps en imitant la voix nasillarde de Marv Albert, « la Voix du baseball ». En attendant que le jeu reprenne, le réseau NBC présenta une série de spots publicitaires. Le premier montrait Boris Becker essayant de frapper une balle et manquant son coup. « Comment ai-je pu la rater ? » demande-t-il avec un accent germanique prononcé. Puis, dans un numéro à la James Bond au rabais, il passe à travers une cloison et se retrouve assis à une table de poker en annonçant qu'aujourd'hui, il a conservé « *l'atrénaline et la folonté de faincre* » de son ancienne carrière mais que c'est ce genre de jeu qui est dorénavant son domaine. Le commanditaire n'est nul autre que pokerstars.net qui, s'empressant de décharger sa responsabilité, précise que, bien sûr, « il ne s'agit pas d'un site de parieurs ».

S'il y a quelque chose de bizarre à voir un athlète de haut niveau se retrouver à faire de la réclame pour une organisation de jeu sur le Net, il y a une certaine honnêteté dans la démarche. Il est vrai qu'il existe une légion d'anciens athlètes qui se prêtent au jeu publicitaire avec la même passion qu'ils s'investissaient dans leur sport. Témoin : *l'atrénaline et la folonté de faincre*... Becker, un peu perdu depuis sa retraite, est très clair sur ce point. Le pire est que les sentiments ambigus qui viennent avec le plaisir que l'on peut retirer du pari ressemblent à la poussée d'adrénaline que les anciens sportifs ressentaient au cours des compétitions.

Curieuse juxtaposition, les trente prochaines secondes étaient consacrées à un spot pour les montres Rolex, le tout mettant Federer en vedette. Sur fond de musique triomphale de Wimbledon, on peut voir l'une de ces montres tourner sur elle-même. Le message se termine par une volée de cloches tandis que Federer lève le trophée de Wimbledon. Les amateurs de tennis ont vu cette annonce un grand nombre de fois et il est intéressant de noter que l'on n'a pas demandé à Federer de jouer un autre rôle que le sien ou de se lancer dans un laïus de colporteur de breloques. Il ne dit mot et, mieux encore, n'a même pas eu à se rendre à un studio. On lui a simplement demandé de faire ce qu'il fait de mieux.

Il y a plus : cette annonce va à l'encontre de la vieille philosophie des publicités soutenues par des personnalités sportives. Depuis belle lurette, les sociétés qui vendent des produits et des services allant des soupes aux légumes aux eaux de toilette, en passant par la chirurgie oculaire au laser, ont eu recours à des athlètes professionnels pour présenter leur marchandise. Le principe de base repose, bien sûr, sur l'association entre la personnalité sportive et le client. Si tel athlète renommé recourt à tel analgésique, M. Duval ou M. Smith voudront, eux aussi, recourir à ce remède. En plus des juteux contrats dont les athlètes bénéficient au cours de cette opération, ils y trouvent également un boni supplémentaire en utilisant le spot de trente secondes pour faire leur promotion. Le message dit en substance : « Applaudissez-moi, car si je n'avais pas l'habileté ni le physique que je possède, je ne serais au fond qu'un bonhomme lambda semblable à vous… » Au lieu de faire l'éloge du phénomène exceptionnel, l'annonce ramène la vedette au niveau de Monsieur ou Madame Tout-le-monde. Arnold Palmer doit faire vidanger sa voiture comme vous et moi, n'est-ce-pas ? Michael Jordan est un type comme les autres dans ses caleçons Hanes. Le quidam au menton taché de moutarde va chez McDo et utilise le réseau Bell pour faire ses interurbains.

Avant ses péripéties judiciaires, O.J. Simpson se présentait sans façon à l'aéroport pour prendre son vol non sans avoir au préalable réservé une voiture chez Hertz. Nul jet privé ou interminable limousine ne l'attendait. Une série d'annonces pour la bière Miller prenait pour postulat que les athlètes sont des personnages pas très brillants. Dans ce qui représentait peut-être la quintessence des publicités sportives du genre, le footballeur des Steelers de Pittsburgh, Joe Greene, dit «l'Affreux», se fait manipuler par un gamin brandissant la même bouteille de Coke que vous pouvez vous procurer pour quelques piécettes au dépanneur du coin.

Pourtant, Federer n'endosse pas seulement des montres de fantaisie aussi chères que des automobiles mais, en faisant cela, il confirme sa supériorité. Il n'est pas Monsieur Tout-le-monde, mais Superman, un être athlétique d'apparence avantageuse évoluant sur un court de gazon avec grâce, au son de quelque musique classique. Tant mieux pour Federer. C'est du moins ce que j'ai toujours pensé. Tant mieux si, dans le fond, il demeure ce qu'il est et ne joue pas le rôle populiste du champion qui dit: «Dis-donc, mon gars, prenons une bonne bière et voyons ce que t'as à me raconter…» Ne cherchons pas plus loin pour savoir pourquoi il n'a pas réussi à pénétrer le marché américain de masse…

La pluie tomba pendant un peu plus d'une heure – longueur typique d'une ondée à Wimbledon. Rappelés sur le court, Nadal et Federer commencèrent à exécuter des exercices de réchauffement. Nadal reprit ses tics, remontant ses chaussettes et jouant avec ses bouteilles d'eau, Federer attendit et l'arbitre signala que le temps était venu de reprendre le match. «Ce n'est pas par superstition, dit Nadal. Je sais que cela ne change rien au comportement de la balle, mais il me semble que le fait de me livrer à une forme de routine permet de mieux me concentrer.»

Voici une autre particularité des athlètes professionnels de haut niveau: leur cadence ne souffre aucune perturbation.

Malgré le délai relativement long provoqué par la pluie, Nadal reprit rapidement son rythme habituel. En dépit de quelques moments explosifs engendrés par Federer, Nadal n'assura pas moins un service soutenu. C'était 5-5. Les psys qui se spécialisent dans les sports disent souvent que les athlètes atteignent ce qu'on appelle au tennis une vision « canalisée » en ne se laissant pas distraire par ce qui est périphérique. Idéalement, les joueurs doivent conserver une vision globale de leur adversaire tout en la rétrécissant pour la concentrer sur la balle lorsqu'elle arrive. En observant leur opposant en plan général, les joueurs peuvent parfois remarquer un tic, un indice qui, comme au poker, peut se révéler à leur avantage. Ainsi, Pete Sampras a su tirer parti d'un tel indice alors que Boris Becker commençait à servir. Il remarqua qu'inconsciemment Becker pointait sa langue dans la direction où il ferait son service. Arrivés à ce stade de la troisième manche, Federer et Nadal passaient beaucoup de temps à s'évaluer au-dessus du filet en espérant tirer quelque bénéfice marginal de cette observation mutuelle.

À 6-6, ils se retrouvèrent en bris d'égalité, une lutte à finir, le gagnant étant le premier joueur à remporter au moins sept points avec deux points d'écart. C'est à Wimbledon qu'a été institué le bris d'égalité en 1971, mais cela ne fonctionnait seulement que lorsque l'égalité atteignait huit. En 1979, le tournoi modifia les règles en décidant que l'égalité serait à six jeux, excepté pour la manche finale, où le gagnant devait mener par deux jeux. (Je me plierai volontiers à la tradition non écrite de Wimbledon, selon laquelle on ne saurait poursuivre sans préalablement avoir rendu hommage au bris d'égalité dans la quatrième manche du match de 1980 entre John McEnroe et Bjorn Borg. Ce bris d'égalité a duré 22 minutes fébriles et, après avoir sauvé cinq balles de match, McEnroe a remporté le bris 18 points à 16. Ce que les scribes sportifs de l'époque ont appelé la « Bataille de 18-16 » est si bien ancré dans le folklore du tennis que l'on a oublié que Borg finit par reprendre ses esprits et par remporter ce match légendaire.) Les bris d'égalité sont fréquents à Wimbledon où les services sont si rarement perdus que cela a souvent avantagé Federer. Parmi les 25 bris d'égalité auxquels Federer a eu à faire face à Wimbledon, il en a remporté 22, dont deux en 2007 contre Nadal. Le message pourrait être le suivant : *« Tu peux toujours garder ton service pendant toute une manche, mais quand nous atteindrons le nombre fatidique de six, chaque point comptera et ma supériorité sera alors évidente… »*

Federer commença par un service retors, qui non seulement atterrit sur la ligne centrale, mais fit un crochet. La balle fut impossible à relancer et frappa le corps de l'Espagnol. Malgré le fait que Federer eut perdu le prochain point en ratant son revers, ce fut une charge offensive suffisamment hardie pour qu'il estime pouvoir se payer le luxe de la manquer. Décidant de jouer agressivement, il commença à bombarder systématiquement ses cibles, ces rectangles symétriques à la Mondrian qui parsèment le court. Pivotant le corps en plein envol, preuve d'une technique hautement maîtrisée, il asséna une série de coups droits comme seuls en donnent les vainqueurs, frappant d'un côté alors que son corps dérivait de l'autre dans un mouvement qu'il voulait tout ce qu'il y a de plus naturel. Juste pour le plaisir, cet exercice en aurait été un de référence, mais, dans la tension de la troisième manche de Wimbledon, il était tout simplement époustouflant. Après neuf points, Federer menait 6-3, à un point d'étirer le match pour une quatrième manche.

Nadal freina momentanément l'élan de Federer en jouant courageusement. Rendu à 6-5, Federer se prépara à l'un des moments les plus critiques de sa carrière. Il s'essuya, choisit une balle et s'apprêta à servir. Il la lança vers le haut et la frappa, se découvrant partiellement le ventre dans l'effort. Lorsque la balle parvint à son apogée, il la percuta du bout de sa raquette. Elle passa au-dessus du filet à la vitesse relativement « lente » de 185 km/h – une vitesse qui se réduisit de moitié avant que la balle ne rebondisse. Toutefois, Federer avait guidé la balle vers le carré de service de Nadal, hors d'atteinte. Ce fut un ace réalisé avec une précision géométrique…

La foule suffoquait et acclamait Federer debout. Emballés, tous ces distingués patriciens scandaient des « Rajah ! Rajah ! », couvrant les plus prosaïques et moins nombreux « Rafa ! Rafa ! » À chaque fois que les matchs de tennis vont ainsi en prolongation, les amateurs sont évidemment enthousiasmés, mais ici on était rendu plus loin qu'un simple désir d'obtenir gratuitement un prolongement du spectacle. Le champion avait été battu au cours des deux premiers jeux par le talentueux petit nouveau, mais voilà que le roi Roger reprenait du poil de la bête.

Une fois la manche remportée, Federer eut une réaction mitigée. Une seule agitation de poing et un « Yeah ! » plutôt discret. Nadal secoua la tête avec l'air d'admettre avoir été feinté. Dans ses appartements de Wimbledon, la souveraine Venus Williams soupira en sachant pertinemment qu'il y aurait encore une manche avant qu'elle puisse se préparer pour le bal des champions. Tandis que NBC passait une publicité et que les caméras fixaient Federer et ses supporters de leur œil protubérant, un technicien de cette chaîne fit jouer le disque du groupe rock alternatif Pearl Jam, *I'm Still Alive* – Je suis toujours vivant !

QUATRIÈME MANCHE

6-7

Lorsque le match commença, Federer était légèrement favori chez les bookmakers, soit 1,8 pour lui et 2,2 pour Nadal. Cela voulait dire que un dollar gagé sur Federer était susceptible de rapporter 80 cents de profit advenant sa victoire. Toutefois, avec Nadal menant toujours deux manches contre une, la cote était maintenant largement en faveur du Majorquin.

Sports et paris sont inextricablement imbriqués, car les sports constituent l'une des rares formes de distraction en direct dont l'issue est irrégulière ou imprévisible. (Par ailleurs, la plupart des amateurs ont secrètement le sentiment de posséder l'expertise nécessaire pour se livrer à des prévisions justes. Par exemple, spéculer sur un événement comme le Super Bowl est-il pire que de spéculer sur les cours du pétrole ou les carcasses de porc ?) Le moins que l'on puisse dire c'est que, dans le passé, les *Vegas Sports Books* américains (magazines pour parieurs) n'ont jamais débordé de pronostics de tennis. Qui donc, officiellement ou non, légalement ou non, parie de fortes sommes sur ce sport ? Il est vrai que jusqu'à récemment certains tournois, incluant Wimbledon, offraient sur place des officines de paris, mais elles étaient surtout fréquentées par les entraîneurs, les soigneurs, les journalistes et autres personnes ayant accès à l'arrière-scène du tennis, des gens avides de capitaliser sur l'information privilégiée qu'ils détiennent. S'ils entendent, par exemple, que quelque Slovène a reçu un traitement sérieux pour quelque blessure au dos, crac ! On parie 20 $ que ce type se ramasse une raclée, le tout dans l'expectative que leurs gains couvrent ce soir-là leurs frais de bar.

Mais Internet a modifié tout cela. Du jour au lendemain, il est devenu possible pour n'importe qui, n'importe quand et n'importe où de parier sur un match de tennis. Le mordu de ce sport désireux de parier que Sampras anéantira Agassi, mais qui est peu intéressé à faire affaire avec un casseur de jambes de la mafia ayant son bureau dans une vieille Camaro n'a juste qu'à consulter le Net. Après les courses de chevaux et le soccer, le tennis est probablement le troisième sport mondial sur lequel on parie le plus.

Le mariage forcé entre le tennis et le pari n'a jamais été aussi apparent qu'en 2007, quelque temps après Wimbledon, lorsque Nikolay Davydenko, un Russe ressemblant à s'y méprendre à un poulet à cause de sa petite tête et du duvet blond sur son crâne, participa à un tournoi éclair de l'ATP dans la renommée ville de Sopot, en Pologne. Davydenko, alors quatrième joueur mondial, avait comme adversaire Martin Vassallo Argüello, un joueur argentin sans grand lustre. L'issue de ce match, qui aurait pu se révéler d'une navrante prévisibilité, devait devenir aussi familière aux amateurs de tennis que les finales de Wimbledon.

Avant que la première balle ne soit lancée, Davydenko passa de l'état de favori fétiche à 5 contre 1 à celui de quasi-nullard. Cherchez l'erreur… Alors qu'un match de cette importance relative est susceptible d'engendrer 750 000 $ de paris, cette rencontre rapporta approximativement sept millions de dollars, en majorité de l'argent qu'avaient déposé une demi-douzaine de parieurs qui, on s'en doute, ne pointaient pas au chômage. Plus étrange encore : lorsque Davydenko remporta la première manche, plusieurs parieurs *gagèrent* sur Vassallo Argüello qui,

Ô surprise ! remporta la deuxième manche puis le match lorsque Davydenko – pourtant surnommé « la machine » et « l'homme de fer » dans son pays – déclara forfait pour claudication. Le monsieur souffrait d'un bobo au pied. On parla de manipulation des paris et une enquête de l'ATP suivit. De toute évidence, il y avait quelque chose de pourri dans ce tournoi de Sopot…

Le pire, c'est que les paris n'avaient pas été pris dans des tripots de la pègre ou encore au PMU mais, majoritairement, par le truchement de la firme britannique Betfair. Étant donné le rythme très irrégulier des gageures, Betfair prit l'initiative, peu habituelle, d'annuler tous les paris et avisa l'ATP des bizarreries de cette affaire. Bien que l'ATP affirmât avoir exploré toutes les pistes et n'avoir pas trouvé de preuve de violation des règles par Davydenko ou par Vassallo Argüello, malgré le blanchiment des joueurs, des questions demeurent en suspens. Pourquoi, par exemple, Davydenko a-t-il refusé aux enquêteurs l'accès aux archives des téléphones portables de sa femme et de son frère ? Pourquoi le Russe a-t-il attendu la troisième manche (alors que les paris étaient déjà pris) pour se retirer du jeu ? Quant aux parieurs « gagnants », dont les paris avaient été unilatéralement et brusquement annulés par Betfair, on se demande pourquoi ils ne se sont pas précipités pour réclamer à cor et à cri les millions qui leur étaient apparemment dus…

Malgré la controverse nauséabonde engendrée par ce scandale, celui-ci eut au moins le mérite d'ouvrir de nouvelles perspectives sur la nouvelle frontière des paris sportifs. Si la télévision est le moteur du complexe industriel des sports, le pari en est le carburant. Étant donné que tant de paris sont pris illégalement ou à la sauvette, les chiffres fiables sont peu disponibles, mais on peut affirmer sans se tromper que les paris sportifs représentent un chiffre d'affaires global de cent milliards de dollars, et on estime que d'ici 2010 la moitié de cet argent se transigera par Internet.

Dans ce meilleur des mondes du pari, Betfair est l'équivalent, pour cette industrie, des centres d'échange de seringues pour les toxicomanes et des distributeurs de préservatifs dans les lieux d'aisance des boîtes de nuit. Cela signifie que si vous avez l'intention de vous immiscer dans ce milieu dangereux, vous pouvez le faire avec certaines garanties de sécurité. Le slogan de la maison est d'ailleurs « Le pari, tel qu'il doit l'être ». Betfair a été fondé par deux anciens courtiers en valeurs mobilières et fonctionne comme une Bourse du pari. Disons qu'un joueur gage que *Federer battra Nadal*. Si l'on est en mesure de lui trouver une contre-proposition – par exemple *Nadal battra Federer* – eh bien ! tant mieux. Si l'on n'en trouve pas, le pari s'annule. Vu que tout cela se déroule en ligne, les paris peuvent se passer en temps réel, même lorsque les événements ont débuté. L'exercice ressemble davantage aux enchères sur eBay ou à un rendez-vous en ligne qu'à un bookmaker qui vous tend des fiches de pari. Betfair se contente de fournir le service, le serveur et le logiciel moyennant une rétribution de deux à cinq pour cent. Comme tous les books, Betfair essaie de faire concorder l'offre et la demande. La différence est qu'étant donné que la maison recourt à des ordinateurs et non à des personnes, le seuil de risque de Betfair est à peu près nul.

Le siège social de Betfair est situé à quelques kilomètres de l'All England Club, dans le village de Hammersmith, sur les rives de la Tamise. Il s'agit d'une entreprise en développement sur Internet typique et prospère. Son personnel, qui comprenait plus de 1 200 personnes au cours de l'été 2008, se compose principalement de jeunes gens dans la vingtaine, vêtus de t-shirts et de jeans, le visage luisant devant un étalage d'écrans plats. Les revenus de Betfair ont presque octuplé, passant de 64 millions de dollars en 2003 à un chiffre d'affaires envisagé de 500 millions en 2008. La société compte une filiale en Australie et a l'intention d'étendre ses activités aux États-Unis et à la Chine. Un jour de janvier 2008, la Bourse de Tokyo a dû fermer plus tôt parce que les 4,5 millions de transactions exécutées cette journée-là avaient engorgé leur système informatique. La même journée, Betfair avait exécuté 5,5 millions de transactions…

Malgré le fait que la technologie ait rendu le pari plus facilement disponible (avec tous les inconvénients qui vont de pair avec cette situation), la bonne nouvelle est que, grâce à cette même technologie, il n'a jamais été aussi facile de détecter la corruption. Étant donné que Betfair se soucie peu de la suite des événements, cette société ne craint pas de partager ses informations avec les organismes de réglementation des jeux. Dans le cas de Davydenko, Betfair n'hésita pas à fournir à l'ATP toutes les preuves demandées : les noms des parieurs, l'historique de leurs habitudes, les lieux et les moments où les enjeux avaient été décidés, les coordonnées de leurs ordinateurs, leurs méthodes de paiement. Betfair a également aidé l'ATP et un détachement spécial de la police anti-corruption à analyser les enjeux de centaines de matchs depuis les cinq dernières années. Cette équipe découvrit que 45 matchs avaient été l'objet de méthodes de paris inhabituelles « exigeant un examen plus approfondi afin de vérifier si cela avait affecté l'intégrité du tennis professionnel ou bien s'il existait d'autres raisons pour l'issue desdits matchs ». Signalons que cet examen indépendant ne découvrit pas de preuves de corruption dans le tennis ou de liens avec le crime organisé. Toutefois, les investigateurs firent une quinzaine de recommandations à l'ATP. Toutes furent acceptées et adoptées.

Le tennis est un sport qui se prête facilement aux fraudes. Les joueurs sont indépendants et n'ont pas besoin de conspirer avec leurs adversaires avant un match ou de fournir des explications à un coach ou à des propriétaires furieux. Même les champions commettent une foule d'erreurs lors des engagements. Bien malin celui qui peut affirmer qu'un joueur a perdu intentionnellement au lieu d'avoir tout simplement été battu. (Certainement pas les officiels de l'ATP qui, sublime ironie, imposèrent à Davydenko, l'homme de fer, une amende de 2 000 $ en 2007 pour « ne pas avoir fourni suffisamment d'efforts » lors du match litigieux. Ce jugement fut cassé en appel.) Il faut dire que nombre d'événements mineurs ne bénéficient pas d'une couverture télévisée. Résultat : on ne possède pas de matière à examen.

Pour se consoler des possibles magouilles, disons cependant qu'en général les accusations semblent se limiter à des joueurs de seconde zone. Pourtant, rien ne peut pourrir un sport plus rapidement que l'impression que cette compétition n'est qu'une farce, un tripotage mafieux. À la suite de l'affaire Davydenko, offensées dans leur dignité, les autorités se fâchèrent. Les joueurs pris en train de parier devinrent dorénavant passibles d'amendes ou de suspension. À Wimbledon, on a prévenu les joueurs qu'ils risquaient deux ans de prison s'ils trafiquaient un match. Les responsables des tournois refusent de fournir des références officielles à moins que le bénéficiaire jure non seulement de s'abstenir de parier, mais de rapporter toute activité douteuse dans ce domaine. On a également fermé l'accès aux sites Web de paris pouvant se trouver sur les lieux. Relâchée à une certaine époque, la sécurité des vestiaires fut renforcée à tel point que même Rafael Maymo, le fiable physiothérapeute de Nadal, fut interdit de séjour dans l'enclave ensemencée où se tenaient les joueurs la première semaine de Wimbledon.

Cette réaction a permis de contenir le pari dans son milieu habituel mais a aussi prouvé clairement que le tennis, comme tous les sports, ne peut empêcher n'importe quel mordu du jeu possédant une ligne numérique d'abonné et une poignée de livres, de dollars ou d'euros à flamber de se livrer à sa passion. Durant la Coupe du monde de soccer 2006, Betfair traita pour

64 millions de livres sterling de paris. Au cours de la rencontre Nadal-Federer, la même société géra 49 137 328 £ en gageures (représentant approximativement 100 millions de dollars américains). Ce fut d'ailleurs un record pour un seul événement sportif.

Au début de la quatrième manche, Nadal eut à subir une de ces cruautés dont le tennis a le secret. Quelques minutes auparavant, il lui suffisait d'un bris d'égalité pour devenir le champion de Wimbledon. Voilà maintenant qu'il lui fallait remporter une autre manche. Au tennis, il n'y a pas de K-O, comme à la boxe ; de coup de circuit pouvant mettre un terme à une partie, comme au baseball; de passe avant désespérée (à la «Je vous salue Marie»), comme au football américain. Il s'agit avant tout d'un sport progressif qui s'élabore comme on édifie un mur, brique par brique. Andre Agassi a déjà expliqué que, blessures mises à part, il n'y a aucun moyen de gagner excepté de manière cumulative.

Nadal soutient que cette vérité, décourageante en soi, n'a jamais affecté sa manière de penser. «Je ne me suis jamais laissé influencer par ça… Je ne pouvais rien y faire, alors pourquoi gaspiller de l'énergie en vain ? Je n'ai jamais envisagé de perdre. Alors tout baignait dans l'huile… » Qu'il gagne ou qu'il soit en difficulté, il est vrai qu'il ne trahit aucun signe de découragement, sa disposition et son regard d'aigle ne diffèrent pas. Aussi Nadal entama-t-il la quatrième manche de manière désinvolte.

Dans sa maison de Memphis, au Tennessee, c'est vers ce moment-là que Diane Morales arrêta de regarder le match sur son téléviseur. Cette enseignante d'espagnol âgée de 58 ans n'était qu'une amatrice occasionnelle de tennis lorsqu'en 2005 sa fille lui fit remarquer qu'il y avait à la télé un jeune Espagnol sympathique en train de remporter les Internationaux de France. Mme Morales regarda et devint une fan inconditionnelle de Nadal. «Ce n'était pas une réaction physique, plutôt quelque chose de viscéral. Je ne pouvais m'empêcher de le regarder, se rappelle-t-elle. Il est si adorable, si passionné, si différent des autres joueurs. Rafa est tellement *vivant*[14]. »

Dans son école de la banlieue de Memphis, à Germantown, cette dame n'a pas tardé à tapisser les murs de sa classe avec des posters de Nadal. Elle apprit vite qu'elle n'était pas la seule à admirer le jeune homme. À son instigation, des milliers d'admirateurs autour du globe devinrent des « Rafaélites » convaincus. Cette tribu se retrouve sur vamosbrigade.com, un site non officiel consacré à Nadal, beaucoup plus intéressant d'ailleurs que son insipide site officiel, commandité par Nike et qui a pour nom rafaelnadal.com. Le site officieux est administré par quatre dames qui, étant donné l'absence de frontières créée pat Internet, sont localisées en France, en Allemagne, à Wallingford, en Angleterre, et à Baton Rouge, en Louisiane. Pour la modique somme de 13 $ par mois pour le serveur, elles ont créé un fan club où des milliers de personnes se rencontrent pour discuter des mérites de leur joueur favori. On y trouve une mise à jour des matchs, des articles archivés, une chaîne de messages d'encouragement pour chaque match du champion, ainsi qu'une section « artistique » où les Rafaélites peuvent exposer le fruit de leur labeur. Il existe même un lien pour les « obsédés anonymes », où les admiratrices et admirateurs plus délurés peuvent inscrire tout ce qui leur passe par la tête. Le site est principalement anglophone, mais des volontaires le rendent disponible en six langues, dont le français. La plupart des 2 000 membres inscrits n'ont jamais rencontré Nadal et certains ne l'ont même jamais vu jouer en personne. Seuls quelques-uns ont eu le plaisir de le voir de près. Cependant,

---

[14] En tant qu'observateur impartial, je dirais qu'il s'agit là d'une réaction assez commune. Nadal plaît beaucoup aux dames d'un certain âge, non pour une question de sex-appeal primaire, comme si elles étaient attirées, par exemple, par quelque bellâtre, mais parce que Nadal symbolise pour elle comme une sorte de gentil et séduisant frère cadet.

les liens sont suffisamment forts pour que tous ces gens décident de communiquer entre eux pendant les matchs de leur idole. Si le pari sur Internet peut se révéler destructeur, cette liaison entre les fans rend honneur au réseau télématique mondial, qui assure cette communication humaine.

Dès qu'elle découvrit la technique, Mme Morales travailla sur vamosbrigade.com dès le petit matin. Sous le nom de plume de Daylily, elle se mit à écrire des articles dithyrambiques sur Nadal. Lorsque quelqu'un la surnomma *«la Meiga»* («la sorcière» en espagnol), elle joua le jeu. À chaque fois que Nadal disputait un match important, elle faisait semblant de brasser le contenu de quelque chaudron où elle concoctait un philtre censé porter chance à Nadal. Lorsque Nadal affronta l'Écossais Andy Murray, par exemple, elle incorpora de la panse de brebis au mélange. Si Nadal fait face à Novak Djokovic, elle ajoute des piquants de porc-épic pour symboliser la coiffure hérissée du Serbe. Chacune de ces «potions magiques» virtuelles contient évidemment de la cannelle, l'épice «chanceuse» de Nadal. Bref, Mme Morales fait partie de ces 20 pour cent de fans américains qui, selon un sondage de l'Associated Press, «font des choses dans l'espoir d'améliorer les chances de leurs équipes favorites ou pour les protéger d'une éventuelle malédiction».

Notre sympathique sorcière a regardé la finale de Wimbledon en compagnie de sa fille, également «nadalisée» puisqu'elle a appelé sa voiture «Rafa». Les deux fans se rendaient périodiquement sur le site vamosbrigade.com pour renforcer la chaîne d'encouragements, qui fait office de thérapie de groupe durant le match. Cependant, dès que le sort sembla favoriser de nouveau Federer, les deux femmes décidèrent qu'elles portaient la poisse à Nadal. Elles se mirent à faire le ménage au cours de la quatrième manche en ne regardant le petit écran qu'à l'occasion.

Federer répondit au jeu énergique de Nadal en contrant une autre série de services bien placés et de coups droits. Alors que

Nadal essayait de s'en prendre aux revers de Federer, il encourageait ce dernier à « contourner » ses revers et à les transformer en une série de coups droits inversés. *Peut-être y penseras-tu à deux fois avant de t'aventurer de ce côté-ci du court…* semblait-il dire. Lors du troisième point de son jeu de service, le Suisse expédia avec la précision d'une visée laser trois de ces coups droits, les jambes écartées, en plein envol en frappant la balle. Le dernier de ces coups frôla Nadal et le score fut de 40-0.

Que l'on me permette une digression. Suivant le système de pointage du tennis qui, comme bien des aspects de ce sport, peut se révéler d'une sentimentalité mièvre et parfaitement dépassée ou encore d'un charme désuet, le tout dépendant de votre point de vue, le terme « love » viendrait, dit-on, du mot français « œuf », dont la forme rappelle un zéro. Les autres scores sont censés rappeler le cadran d'une pendule. En d'autres termes, le joueur qui remporte quatre points en 60 minutes remporte le jeu. On me demandera alors « Pourquoi 40 et non 45 ? » Les opinions diffèrent. Une théorie voudrait qu'au Moyen Âge le chiffre 45 représentait la prostitution, tout comme le 666 était celui du diable. Une référence aussi sulfureuse aurait dérangé des officiels du tennis plutôt dévôts. Une autre version veut que le chiffre 45 ait été utilisé à l'origine mais qu'au cours des années la tradition l'a abrégé à 40. Allez savoir…

Si l'on avait été à la boxe, la quatrième manche aurait représenté les rounds intermédiaires, lorsque les adversaires épuisés s'accrochent en essayant de trouver leur second souffle. Nadal et Federer continuaient à se renvoyer la balle, haussant la qualité de leur jeu proportionnellement au drame qui se déroulait dans ce match. À un certain point, Nadal décocha un coup gagnant assez m'as-tu-vu, atteignant le coin du terrain grâce à un revers frappé à quelques mètres derrière le court. Le point suivant, Federer se livrait à un tour de passe-passe aussi époustouflant. Les statistiques du tennis semblent avoir une valeur relative. Les termes « coups gagnants » et « fautes non provoquées » sont subjectifs surtout lorsqu'on sait, avec deux joueurs aux capacités de récupération exceptionnelles, qu'il fallait souvent une demi-douzaine de coups gagnants pour décrocher un seul point. Toutefois, la majorité des points se remporte en posant un acte et non pas en en omettant un. Avec 1-1 à la quatrième manche, Federer et Nadal cumulaient ensemble autant de coups gagnants que d'erreurs et bénéficiaient de l'appui empirique de tous les amateurs qui savaient d'instinct que ce match était très loin d'être ordinaire.

Alors qu'ils parcouraient le court entre les points, les deux joueurs diffusaient un sentiment de force intensive. Bien que cela soit une sorte de marque de commerce pour Nadal, Federer diffuse plutôt une impression de calme des plus reposantes. Le réputé coach de tennis Vic Braden, qui est également psychologue, a suivi récemment un séminaire organisé par le Dr Gerard Medioni, un professeur de sciences informatiques à l'université Southern California. Cet expert y avait évoqué les travaux de spécialistes de l'intelligence qui étudient les expressions faciales des terroristes dans le but de les repérer. Braden a alors décidé d'appliquer cette technique au tennis. Après avoir visionné des DVD de Federer image par image, le coach remarqua quelque chose d'inhabituel. Contre tous ses autres adversaires, Federer joue les yeux ouverts et il les fixe du regard, la bouche tournée vers le haut. Lorsqu'il affronte Nadal – et seulement Nadal –, il a tendance à froncer les sourcils et à regarder vers le bas. Et il fait cela pas seulement quand il perd ! Braden a remarqué aussi que Federer adopte les mêmes expressions faciales lors des réchauffements, au début des matchs. Oublions le vieux cliché du tennis selon lequel Nadal serait constamment « dans la tête » de Federer. Il se retrouve également sur le visage prétendument imperturbable du Suisse.

Cela rappelle John McEnroe, qui ne perdait jamais son calme lorsqu'il devait faire face au suffisant Borg, ou encore Chris Evert riant nerveusement avant d'affronter la ravageuse Martina Navratilova, ou encore Larry Bird se livrant à un petit jogging avant le match dans le stationnement d'un complexe sportif avant d'affronter Magic Johnson et les Lakers. Une rupture avec les procédures classiques fait partie de la thermodynamique unique d'une rivalité et c'est l'une des plus étranges relations dans les sports.

La rivalité Federer-Nadal s'est concrétisée non officiellement au printemps de 2006 et elle survint à point nommé. La nature conflictuelle du tennis se prête à merveille à de telles rivalités. En fait, en l'absence de rivalité, le sport dépérit. McEnroe et Borg ont joué 14 fois l'un contre l'autre (et chacun, de façon opportune, a remporté sept matchs), mais leurs relations étaient si structurée, leurs contrastes si évidents qu'ils imposèrent un véritable âge d'or au tennis. Borg ayant renoncé au tennis (notamment à cause des effets claustrophobes causés par la rivalité de McEnroe), même les simples messieurs les plus prestigieux qui suivirent parurent plutôt fades, de simples événements sportifs et non des batailles de nature quasi homérique. Pete Sampras et Andre Agassi possédaient tout ce qu'il faut pour entretenir une rivalité soutenue, mais ils ne furent jamais en mesure de synchroniser leurs meilleures années. Pour une foule de raisons, d'autres combinaisons de concurrents, comme Marat Safin contre Gustavo Kuerten, Lleyton Hewitt contre Andy Roddick, Roddick contre Federer, n'atteignirent jamais un degré de rivalité suffisant pour en parler vraiment.

Dans le cas de Federer-Nadal qui, à première vue, représente toutes les conditions préalables d'une rivalité soutenue, il convient de prendre en compte les données suivantes :

- Ils représentent différents pays, sont issus de différentes cultures et ont des valeurs dissemblables.

- Ils jouent souvent l'un contre l'autre.
- Ils sont vraiment à leur naturel lorsqu'ils s'affrontent.
- Leur jeu est très différent. Les deux hommes possèdent différentes techniques mais visent le même objectif.
- Ils sont tous deux au meilleur de leur forme.
- Ce sont les meilleurs. Ensemble, ils ont créé une sorte d'oligarchie qui déstabilise le reste du monde du tennis. Nadal était considéré au départ comme étant inférieur mais, par un effet pervers, il a remporté la majorité des rencontres, créant par le fait même une curieuse déformation : le numéro deux ayant le dessus sur le au numéro un – le superman incapable de battre celui qu'on lui disait inférieur.

Il a fallu du temps à Federer pour réaliser qu'il avait trouvé son maître, l'étalon par rapport auquel on le jugerait (et il n'est pas clair que le Suisse digère complètement cette rivalité imposée). Lorsqu'on lui parle de Nadal, Federer s'empresse tout d'abord de le placer dans un groupe d'une demi-douzaine d'adversaires. Entrer directement en conflit avec un adversaire n'était pas conforme à sa vision mondialiste du tennis, mais lorsqu'il fut évident que Nadal était le joueur qui s'aventurerait aux confins de son jeu et de son caractère, Federer accepta de relever le gant et d'en finir avec son *Soft Power*, sa « puissance douce[15] ».

La plupart des stars du tennis actifs et se trouvant dans la position de Federer auraient snobé le petit nouveau en le traitant comme on traite un « bleu » au collège ou à l'université, mais Federer agit différemment. Lorsqu'il parlait (en bien) de Nadal, il l'appelait toujours par son diminutif, soit « Rafa ». Il serrait

[15] Allusion à un concept géopolitique utilisé en politique internationale et développé par le professeur américain Joseph Nye. (N.d.T.)

chaleureusement la main de son rival dans le vestiaire et l'emmenait à bord de son avion privé pour disputer quelque tournoi. En 2005, Nadal s'est rendu à Bâle, la ville de son adversaire, pour prendre part à un événement de l'ATP. Bien que Nadal fut blessé au pied et momentanément absent du court, Federer ne fit pas moins irruption à l'hôtel de Nadal juste pour lui dire bonjour. En 2007, entrant dans le vestiaire, Federer vit Nadal jouer avec un ballon de soccer, une habitude qu'il a adoptée pour récupérer après un match. Federer lui ayant jeté un regard amusé, Nadal lui envoya le ballon et tous deux se firent des passes en discutant de choses et d'autres. « Hé ! Hé ! blagua Federer, tu es aussi bon que Maradona ! »

Nadal dut également faire l'apprentissage de la rivalité. Semblant au début n'accorder que peu d'importance à la relation, il franchit la fine ligne de démarcation qui existe entre la déférence et l'obséquiosité. Plus d'une fois, Nadal infligea une cuisante défaite à son rival, non sans s'empresser de déclarer qu'il avait battu le plus grand joueur de tous les temps. En 2007, Nadal accepta de figurer dans un documentaire hagiographique sur Federer – une décision qui voulait tout dire – et, en souriant, comme frappé de crainte religieuse, il déclara : « C'est le joueur parfait. Service impec ; volée irréprochable ; coups droits et revers de première classe ; très rapide sur le court. Tout est parfait chez lui… » (*Parfait!* Imaginez-vous, au sommet de leur rivalité, le massif Ted Williams parlant de son homologue, Joe DiMaggio, comme étant le joueur de baseball parfait… Autre culture, évidemment.) Nadal commença à appeler Federer « Rogelio », puis « Numero uno ». Comme le fait remarquer Federer en parlant du niveau de respect que lui portait Nadal en 2008 : « Il pense toujours que je suis le plus grand. »

Même après avoir flanqué une raclée à Federer lors de la finale des Internationaux de France en 2008, Nadal se fit le Salieri de son modèle, Federer jouant le rôle de Mozart. Après le match, je me hasardais à lui demander si, en toute franchise, il ne se considérait pas comme le meilleur joueur du monde. Il haussa les épaules et secoua négativement la tête. « Non, non, non, je me considère comme le numéro deux maintenant. Oui, le numéro deux… et plus près du numéro trois que du numéro un[16]. »

Plus Federer et Nadal passaient du temps ensemble et plus ils avaient l'occasion de s'apprécier mutuellement. Malgré toutes les différences qui les caractérisent, ils ont beaucoup de choses en commun : une sœur qui fuit les événements « people », une éducation conventionnelle avec de belles traditions familiales, l'affection qu'ils portent à leur petite ville d'origine, la passion du soccer, un code sportif similaire. De plus, ils ont décidé de jouer un rôle actif dans l'ATP. En effet, ils eurent maille à partir avec le directeur général de l'organisme, le Sud-Africain Étienne de Villiers, un ancien président de Walt Disney International Europe, un être doucereux, semeur de noms et spécialiste des analogies vaseuses[17]. (Par le truchement de leurs représentants, Nadal comme Federer ont comparé de Villiers à un tennisman possédant tous les coups dans sa panoplie mais étant incapable de passer à l'action et de faire de bons choix sous pression[18].)

---

[16] Et, bien sûr, il y a aussi l'épisode surréaliste qui suivit la finale des Internationaux d'Australie 2009. Après avoir été battu par Nadal en cinq manches, Federer craqua en s'adressant à la foule en sanglotant sans pouvoir se contrôler. « Mon Dieu ! Ça me tue… » marmonna-t-il en laissant le micro. Nadal s'approcha ensuite de la scène et, avant de prendre la parole, passa son bras autour de l'épaule de Federer et déclara au rival qu'il venait tout juste de défaire : “Tu es un grand champion. Tu vas battre le record du quatorzième” (des titres du Grand Chelem).

[17] L'un de ses mots d'esprit favoris : « On ne peut demander aux dindes d'être en faveur de la fête de Noël. »

[18] On ne sait l'influence exacte que les deux champions eurent sur la démission de de Villiers mais il quitta son poste à l'ATP le 21 août 2008. (N.d.T.)

Les valeurs communes de Federer et de Nadal sont également renforcées par la froideur qu'ils manifestent envers Novak Djokovic, un Serbe qui monte au classement et qui, parfois, a la prétention d'ignorer la rivalité Nadal-Federer pour glisser sa fausse pièce de monnaie dans le juke-box et claironner que, dorénavant, tous trois forment une « trivalité ». Djokovic devint l'un des joueurs, sinon *le* joueur, à déchaîner la colère de Nadal lorsqu'il se mit à imiter l'Espagnol jusque dans des détails regrettables comme la mauvaise habitude qu'il a de toujours remonter son pantalon. Dans le petit monde du tennis, on estime que ce ne sont pas des choses à se faire entre collègues. Federer n'a pas commenté ce qu'il considère par ailleurs comme un manque de savoir-vivre et une grossièreté épaisse de la part de la tribu Djokovic.

Le ciment le plus solide s'est renforcé au cours de leurs matchs. Comment Nadal ne pouvait-il pas apprécier le talent de Federer et comment ce dernier pouvait-il ignorer la remarquable forme athlétique et la volonté de vaincre de son adversaire ? Chacun de leur côté, ils ont pris conscience que, si leur rivalité les privait parfois de certains titres, ils ne s'en portaient que mieux. Une heure après avoir remporté la victoire finale de 2007 à Wimbledon, Federer expliqua que battre Nadal s'était révélé pour lui un événement particulier. « Dans une certaine mesure, je cherchais à remporter un match de ce genre, admit-il plus tard cet après-midi là. Se rendre en finale du Grand Chelem, jouer cinq manches contre Nadal, fut un test utile ; réussir un tel match procure un sentiment extraordinaire. »

Étant donné la nature de la rivalité, il existe des limites aux liens qu'une amitié peut tisser. Lorsqu'on lui demande s'il est ami avec Federer, Nadal hésite. « Mes amis sont à Majorque. Ce sont mes camarades de classe depuis l'âge de cinq ans, répond-il. Et puis, mon anglais a besoin de s'améliorer. Vous savez, il n'est pas facile d'entretenir une amitié étroite quand on ne connaît pas parfaitement l'anglais. Cela mis à part, Federer et moi entretenons une belle relation. Nous parlons toujours beaucoup. »

Les rivalités sportives les plus tenaces viennent de représentations qui, quoique souvent simplistes, vont plus loin que les athlètes eux-mêmes. On connaît la passion explosive de McEnroe juxtaposée à l'impassibilité apparente de Borg. (Ironiquement, ce fut ce dernier, le grand stoïque nordique, que l'on surnommait « l'homme de glace », qui décida de prendre abruptement sa retraite et de mener une folle vie, dilapidant ses biens avec des personnes de petite vertu, consommant des stupéfiants pour se retrouver à deux doigts de la faillite.) Sur fond de Guerre froide, on se rappellera aussi l'affrontement (très « cliché ») de Chris Evert, la « gentille », celle que l'on considérait comme une évanescente créature, la petite voisine émouvante dont rêve tout soupirant, opposée à la « méchante » Navratilova, avec son style gardienne de prison soviétique se doublant d'une lesbienne aux opinions provocatrices.

La dichotomie Nadal-Federer se situe généralement dans un contexte favorable au champion suisse. Federer et Nadal, c'est le grand art contre le travail besogneux, l'éthéré contre le terre à terre. Un de mes amis a une idée originale à ce propos. Il pense qu'en Europe beaucoup de gens reconnaissent l'art de Federer parce qu'il est annonciateur de temps nouveaux. Durant tout le XXe siècle, qui se révéla particulièrement sanglant pour l'Europe occidentale à cause des deux guerres mondiales et de la rivalité Est-Ouest, les populations subissaient les contrecoups de tels conflits ou craignaient que d'autres catastrophes du genre ne surviennent. Les derniers vingt ans ont marqué une période « post conflictuelle ». La culture, la beauté et l'art peuvent dorénavant s'exprimer, attirer l'attention et mobiliser les ressources préalablement consacrées à la simple survie. Federer est capable d'élever le tennis au niveau des beaux-arts sans se salir, alors que l'on décrit Nadal comme une sorte de tâcheron inélégant. L'un des sophistiqués chroniqueurs du magazine de mode *GQ* a décrit Federer comme étant à la fois le roi et la reine des sports, un être réfléchi et rempli d'aisance, tandis que Nadal n'est pour lui « qu'un quartier de bœuf qui se roule dans la boue, un gratte-cul qui supplée à son manque de cervelle par ses muscles, un gugusse tout en biceps, affublé de pantalons de pêcheur de moules... »

Nadal s'en tire mieux lorsque la masculinité encadre la rivalité des deux joueurs en donnant deux définitions de celle-ci. Avec ses muscles protubérants, sa transpiration abondante et ses efforts ponctués de borborygmes, Nadal est un être indéniablement macho. Federer est plus délicat. Mon collègue de *Sports Illustrated*, S.L. Price, a déjà décrit Nadal comme étant une sorte de voyou faisant irruption dans un bal de la haute société. « Il arrive en suintant la testostérone, dit-il, en faisant saillir ses biceps dans des maillots sans manches. C'est l'image du mâle pour nanas de banlieue, Marlon Brando contre Fred Astaire... » Le fait que Nadal semble émasculer Federer lorsqu'ils jouent – le pointage de 6-0 dans la troisième manche de la finale des Internationaux de France en est le plus récent exemple –, renforce ce fait.

Une heure après que Federer eut perdu aux mains de Nadal dans la finale des Internationaux de France en 2006, Mats Wilander, le triple champion de Paris, se trouvait sur la terrasse du salon des joueurs à Roland-Garros et hochait la tête. Commentateur avisé et respecté, mais dont ses paroles dépassent parfois sa pensée à son détriment, il ne dissimulait pas sa déception après le match. « Le langage corporel de Federer était défaitiste, dit-il. Il ne prenait aucun risque et avait l'air absolument intimidé par Nadal. » Sans avoir l'air de plaisanter le moins du monde, Wilander poursuivit : « Rafael a quelque chose que Roger n'a pas : des couilles ! Je pense même qu'il en a trois... » Ces considérations de l'anatomiste amateur Wilander ne s'arrêtèrent pas là. Sur son site Web, il reconsidéra la question. « Federer en a peut-être, mais devant Nadal elles rétrécissent énormément. Le phénomène n'est pas inopiné. Ça arrive à tout coup ! »

Le choix de mots n'était certes pas très heureux, car le Suédois ne pouvait oublier que Federer avait gagné sept Grands Chelems à cette époque, le même nombre que lui. Un titre de plus et les exploits de ce Wilander auraient été éclipsés. Pourtant, il y avait quelque chose de troublant au niveau des métaphores. Federer a la réputation de lire ou d'écouter le moindre commentaire en provenance des médias. L'observation de Wilander n'était pas une critique de son coup droit ou de sa propension à servir large du côté droit du court chez l'adversaire. C'était plutôt une attaque directe à sa *virilité* et, fait inattendu, Federer confia à Price : « De la part d'un joueur de haut calibre, presque une légende, il est décevant d'entendre de tels propos. J'ai toujours pensé bien m'entendre avec lui, et c'est toujours vrai, car il ne m'a jamais dit de telles choses en face. La prochaine fois que je le verrai, je lui en parlerai ou alors, peut-être, se défilera-t-il. Quelle idée de raconter des histoires à dormir debout... Il y a la vie professionnelle et l'amitié. Si vous traversez trop souvent la ligne, vous finirez pas perdre vos amis. C'est peut-être ce qu'il est en train de faire... »

Pourtant, Federer étant comme il est, lorsqu'il eut l'occasion de rencontrer Wilander à l'occasion d'autres tournois, il fut heureux de lui serrer la main et de l'interpeller d'un joyeux « Hello Mats ! » En 2008, Wilander travaillait aux Internationaux de France pour le réseau Eurosport. Il demanda à interviewer Federer après le match. Celui-ci accepta, puis la conversation bifurqua sur Nadal. Wilander s'excusa pour avoir utilisé autrefois des paroles offensantes à l'égard de son vis-à-vis. Touchant amicalement ce dernier à l'épaule, Wilander ajouta :

«Je n'ai d'ailleurs jamais cru que tu éprouvais des complexes…» Federer sourit malicieusement, lâcha un «OK» sans acrimonie, mais n'excusa pas pour autant le Suédois un peu trop bavard; puis il répondit aux autres questions du journaliste. La diplomatie à puissance douce venait une fois de plus de faire des miracles…

En plein milieu de la quatrième manche du tournoi de Wimbledon 2008, Federer montra «qu'il en avait»… et en bronze par-dessus le marché! Quatre semaines avant cela, à Paris, il avait reculé après que Nadal l'eut intimidé au cours des deux premières manches. Maintenant, il ripostait. Lentement mais perceptiblement, il s'imposait dans le match et présentait sa quasi interminable collection de coups divers. Il suivit un second service au filet et renvoya la balle d'une superbe volée. Puis il servit un ace, le centième de ce tournoi. Travaillant les angles à la manière d'un tailleur de diamants jusqu'à ce qu'il puisse ouvrir le court et frapper un coup gagnant, il s'exécutait sans transpirer abondamment et sans pousser de grognements.

Lorsque Federer eut le service à 2-2, il se rendit à sa chaise et changea de raquette. Comme le font de nombreux joueurs, il fit signe au ramasseur de balles de l'aider à enlever l'emballage de cellophane enveloppant la raquette, un rituel désuet qui donne à une vulgaire pellicule transparente l'apparence d'un conditionnement élaboré nécessitant une seconde personne pour s'en débarrasser. Lorsque quelqu'un voit Federer changer de raquette au milieu d'une manche, il est facile d'attribuer cela à un de ses rares mouvements d'humeur. C'est toutefois le contraire qui se produit. Federer aime changer de raquette en même temps qu'il remplace les balles. (Ce qui survient après les sept premiers jeux du match et chaque neuvième jeu par la suite.) Le problème est qu'il n'aime pas effectuer de service lorsqu'il utilise sa nouvelle raquette pour la première fois. Ayant calculé mentalement – et déterminé – qu'il fallait en changer à tel ou tel moment précis sous peine de se retrouver à servir avec une nouvelle raquette. Même en pleine finale de Wimbledon, son esprit demeure organisé. Alors que Federer semblait planer dans ses services, Nadal exécutait son travail de tâcheron, grognant avec véhémence, détrempé de sueur. De la tribune verte de la presse, à une demi-douzaine de rangs derrière le court, on pouvait l'entendre ahaner entre les points. De plus, il agitait le poing de haut en bas à chaque coup qu'il réussissait.

Même au repos, l'apparence physique de Nadal est impressionnante, particulièrement ses bras musculeux, sillonnés de veines de la taille de filins. Lorsqu'il agite le poing, il a l'air d'un de ces culturistes spécialistes de la « gonflette » prenant une pose avantageuse pour les magazines spécialisés. Voilà une génération, le torse hyper développé de Nadal aurait affolé les amateurs de culturisme qui auraient comparé le garçon à Hercule ou à Adonis (les petits malins auraient parlé de Popeye). Sa résistance aurait alors été attribuée à l'héritage légitime de tant d'efforts et de temps passés sur les courts.

L'athlète actuel ne jouit malheureusement pas du bénéfice du doute. Des muscles super développés ? Une endurance peu commune ? Des records de vitesse ? Plus jeune ou plus âgé ? L'excellence en général ? Toutes ces qualités s'accompagnent d'un cynisme sous-jacent, peut-être de bon aloi. « Cause toujours, tu m'intéresses… disent les ténors médiatiques, mais j'ai besoin de voir les résultats de tes tests d'urine et de tes prélèvements sanguins pour être complètement convaincu. »

Quelques jours avant la finale de Wimbledon 2008, une nageuse américaine, Dara Torres, fit un retour très remarqué aux sélections de son pays en prévision des Jeux olympiques. Madame Torres, une mère de famille de 41 ans, revenait sur la scène olympique après six ans d'absence et s'était qualifiée pour les Jeux de Pékin. Selon les mesures conventionnelles, il s'agissait d'un remarquable retour et pourtant l'atmosphère était lourde d'insinuations malveillantes. Une étude du réseau sportif ESPN demanda à sa clientèle si elle soupçonnait que Mme Torres avait obtenu une telle qualification de façon honnête ou si elle avait recouru à une pharmacopée interdite pour améliorer ses performances. Sans l'ombre d'une preuve, plus d'un tiers des répondants étaient d'avis qu'elle avait triché[19] !

Il faut dire que le public a de bonnes raisons de se montrer sceptique. Les stéroïdes anabolisants, les hormones de croissance, l'érythropoïétine ou EPO sont populaires auprès de maints athlètes. Les « substances visant à améliorer les performances » est un terme générique qui, à la manière des termites, ronge les fondations et les structures des sports. Chat échaudé craint l'eau froide… Aux États-Unis, certains joueurs de baseball réussissaient des coups de circuit fracassants et lançaient des balles rapides à 152 km/h et ce, jusque dans la quarantaine. On pouvait attribuer, apprit-on plus tard, ces résultats à la consommation par ces joueurs peu scrupuleux de divers « jus de tigre » composés de substances interdites. En Europe, le dopage est commun depuis des années, particulièrement parmi les cyclistes du Tour de France, ce qui a enlevé beaucoup de crédibilité à cette prestigieuse compétition. Dans le public, bien des gens en déduisaient que le gagnant n'était pas forcément le meilleur cycliste, mais le petit futé suffisamment habile pour ne pas se faire prendre. Des champions olympiques, des sprinteurs, des nageurs, des boxeurs, des lutteurs et même des joueurs de ping-pong, trop nombreux pour les citer ici, ont été pénalisés pour

---

[19] Confondant ses détracteurs, Dara Torres décrocha trois médailles d'argent en 2008 à Pékin. En 2000, à Sydney, elle avait remporté deux médailles d'or et trois de bronze, une médaille d'or à Barcelone en 1992, une médaille de bronze à Séoul en 1988 et sa première médaille d'or à Los Angeles en 1984. (N.d.T.)

dopage. Et encore n'a-t-on réussi à coincer qu'une petite partie de ce beau monde.

Il y a pire : même lorsque les athlètes prétendent être « propres », il peut être illusoire de prêter foi à leurs affirmations. Par exemple, le joueur de baseball Rafael Palmeiro. Agitant un index accusateur devant le Congrès américain, il déclara : « Je n'ai jamais utilisé de stéroïdes. Point final. Je ne sais comment le dire plus clairement. Vu ? Jamais ! » Impressionnant mais, quelques mois plus tard, il échoua à un test permettant de détecter la présence de stanozolol, un stéroïde anabolisant, dans son organisme. La sprinteuse étoile Marion Jones tenait tellement à se disculper face à des accusations laissant entendre que ses médailles olympiques avaient été obtenues grâce au dopage qu'à la page 173 de son autobiographie elle affirme en lettres majuscules rouges : « J'AI TOUJOURS ÉTÉ SANS ÉQUIVOQUE DANS MES DÉCLARATIONS ; JE SUIS CONTRE LES SUBSTANCES VISANT À AMÉLIORER LES PERFORMANCES. JE N'AI JAMAIS UTILISÉ DE DROGUES ET N'EN UTILISERAI JAMAIS. » Non moins impressionnant mais, en 2007, elle plaida coupable pour mensonges aux enquêteurs fédéraux en admettant s'être injecté des stéroïdes (THG), alors indétectables, avant les Jeux olympiques de Sydney en 2000. Elle écopa de six mois de prison et de 400 heures de travaux d'intérêt général et ses médailles lui furent enlevées[20].

On croit qu'à cause de ses bras élégamment dimensionnés et de son manque d'agressivité rageuse au cours de son jeu Federer a échappé aux flics amateurs affalés devant leur téléviseur, mais Nadal a eu moins de chance. Son ascension soudaine, couplée à

---

[20] Et puis il y a Alex Rodriguez, la star des Yankees de New York, qui avait expliqué à Katie Couric, de CBS, qu'il n'avait jamais consommé de substances destinées à améliorer ses performances pour la bonne raison qu'il ne s'était jamais senti supplanté sur le terrain. À peine un an plus tard, il admettait être un autre de ces joueurs de baseball membres de la « culture des stéroïdes ».

sa musculature tumescente, ont malheureusement engendré les spéculations les plus folles. À la même période que les épreuves de Wimbledon en 2006, un médecin espagnol s'est fait prendre avec des stéroïdes, du sang surgelé et de l'appareillage de transfusion durant le Tour de France. Un journal européen a prétendu que ce Dr Miracle comptait Nadal parmi ses clients. Nadal – et c'est la seule fois qu'on s'en souvienne – fit une colère mémorable en public. Il réagit instantanément en déclarant aux médias spécialisés, avec son accent à couper au couteau : « Les gens qui déblatèrent des mensonges sur les autres sont des salopards ! »

On prouva éventuellement que ces allégations n'étaient que le travail de la presse à scandale, et on pense que si Nadal avait eu le temps et l'envie de poursuivre le torchon en question, il aurait eu gain de cause devant un tribunal. Toutefois, les rumeurs insidieuses ont persisté, même à Wimbledon en 2008. Un chroniqueur du *Los Angeles Times*, se gardant de citer ses sources et de fournir quelque preuve que ce soit, se demandait si Nadal réussissait vraiment en se cantonnant à des moyens « naturels ». Il étayait son argumentation sur les soupçons d'un de ses amis, qu'il appelait Tom, « un fanatique du tennis devant l'Éternel » ! Foudroyant, en effet…

La plus grande horreur occasionnée par les fameuses « substances visant à améliorer les performances » est de saper la dignité et l'intégrité des compétitions. Les perdants gagnent et les gagnants perdent, mais les dommages collatéraux résident principalement dans un scepticisme plutôt moche et la mort de la simple notion qu'il puisse exister dans notre espèce des êtres plus doués que les autres. Ces phénomènes que l'on admirait à une certaine époque pour leur génétique exceptionnelle, leur déontologie du travail bien fait, leur talent naturel, sont maintenant remis en question par les poseurs de bémols professionnels. Si les accusés gardent le silence, on dit : « Mais qu'ont-ils au juste à cacher ? » S'ils protestent de leur innocence, les mêmes poseurs de bémols diront : « Hé ! Hé ! Bien sûr, bien sûr… Mais regardez donc le cas de Marion Jones… »

En ce qui concerne Nadal, la spéculation est particulièrement triste. Même si le tennis n'a pas la blancheur immaculée des neiges éternelles (et quelle industrie peut se vanter de posséder un tel attribut ?), parmi toutes les malédictions que les drogues imposent aux sports, les substances illicites qui stimulent les performances n'ont pas une place importante dans la liste éventuelle des substances dopantes susceptibles d'être utilisées au tennis. J'ai en effet demandé à un certain nombre de joueurs, de grandes vedettes comme des espoirs en bas de l'échelle, d'estimer le pourcentage de leurs collègues qu'ils soupçonnent de se droguer. On ne m'a guère répondu autre chose que « Je dirais peut-être quelques-uns… » Oublions l'absence de preuves. Qu'il suffise de dire qu'en 2008, sur les quelque 2 200 tests antidopage administrés à 670 athlètes professionnels, on n'a mis à jour que deux infractions, dont l'une pour utilisation d'une substance stimulant les performances.

La République du Tennis préférerait, évidemment, que nous puissions croire qu'elle est supérieure à d'autres sports, mais il existe deux explications plus pertinentes. Premièrement, le tennis ne se prête pas au dopage. Il s'agit davantage d'un sport de coordination entre la main et l'œil, de forme mentale, qu'un sport de vitesse brute et de déploiement de forces déferlantes. La masse musculaire développée par les anabolisants serait certainement plus néfaste qu'utile aux joueurs, surtout si elle se développait au détriment du mouvement et de la vitesse. Il est vrai que certaines substances stimulantes qui accélèrent le temps de récupération, améliorent les capacités musculaires et l'endurance pourraient se révéler utiles aux joueurs et joueuses de tennis, mais ces derniers doivent toujours frapper leurs coups.

De plus, il est difficile pour des athlètes avec une saison de onze mois de se prêter à un régime dopant de type alternatif.

Deuxièmement – et c'est ce qui est le plus important –, le tennis possède la plus rigoureuse et la plus systématique des politiques antidopages de tous les sports. Contrairement à la plupart des ligues professionnelles qui, problématiquement, administrent des tests en accord avec des règles qu'elles ont elles-mêmes établies, le tennis a signé le code d'honneur de l'Agence mondiale antidopage (AMA), un organisme indépendant. Aux termes de son code, l'AMA peut tester les athlètes avant et après les compétitions, et ce, sans avis préalable. Elle peut le faire de manière aléatoire ou encore selon une planification au moyen de prélèvements sanguins et urinaires, ce qui permet de détecter des centaines de substances illicites déclinées alphabétiquement, de l'androsténédione jusqu'au zilpatérol. Certains joueurs de tennis ont eu la surprise de se voir convoquer le matin de leur anniversaire et même le jour de Noël. Bien que les tests soient administrés de façon aléatoire lors des tournois, pour une question de rituel les gagnants comme Federer ou Nadal, par exemple, sont obligés de se soumettre aux tests sanguins et urinaires. (La logique derrière cette politique est que les officiels du tennis tiennent à prouver que leurs champions sont irréprochables.) Souvent, les vainqueurs prennent part à leur conférence de presse le bras orné d'un sparadrap, prouvant qu'ils ont été soumis à un prélèvement sanguin quelques minutes après la fin du match.

Lorsqu'on teste un joueur, le prélèvement est envoyé à un laboratoire accrédité par l'AMA à Montréal. On en fait l'analyse et cet échantillon est mis de côté. Si une nouvelle drogue fait son apparition après le test, on récupère l'échantillon, qui peut être soumis à une analyse rétroactive. Ainsi, l'hormone humaine de croissance (HGH ou HHC), qui à une certaine époque était considérée comme indétectable, peut dorénavant être décelée dans des échantillons prélevés antérieurement. Le code de l'AMA se veut d'une transparence à toute épreuve. Voulez-vous savoir combien de fois un joueur a été testé ? Où ? Quand ? Comment ? Pourquoi ? Les résultats sont disponibles sur le site de la Fédération internationale de tennis. Ainsi, ceux qui veulent jouer aux détectives y découvriront que Nadal et Federer ont chacun été soumis à des prélèvements de sang et d'urine plus d'une douzaine de fois en 2008, en compétition et hors-compétition. Ils ont également été testés par d'autres agences comme les fédérations olympiques de leurs pays respectifs. Il est certainement préférable pour les joueurs d'être testés « négatifs », car l'utilisation de substances destinées à améliorer les performances constitue une infraction, tout comme le fait de refuser de fournir des échantillons aux agents de l'AMA qui fréquentent discrètement les vestiaires et les abords des courts ou qui frappent à la porte du domicile des joueurs.

Lorsque vous déclarez un athlète contemporain comme étant « propre », vous le faites à vos risques. Toutefois, il est non seulement improbable qu'un joueur de haut niveau atteigne les sommets par autre chose que son habileté, sa force physique et son endurance ; il est à peu près impossible.

Tandis que quelques rayons d'un soleil vespéral illuminaient le court central, pendant la majeure partie de la quatrième manche, Federer et Nadal semblaient jouer à « Peux-tu faire mieux que ça ? » Émettant un grognement caractéristique, Nadal expédia un droit musculeux rappelant une phrase du joueur de baseball Willie Mays, le célèbre frappeur et lanceur droitier : « Ils lancent la balle, je la frappe ; ils frappent la balle, je l'attrape. » Federer répondait par un service impeccable où, manœuvrant avec une fluidité incomparable, le pied léger, jamais en déséquilibre, il se mettait en position et finissait son point par un coup dans le court ouvert. Pour la majorité des joueurs, la balle entrante élimine toute possibilité, mais Federer et Nadal semblent immunisés contre ces aléas, car ils peuvent passer dans un même coup de la défensive à l'offensive.

Lorsqu'on observe le tennis de près, on réalise le nombre de parties du corps qui se trouvent à être sollicitées dans l'acte consistant à frapper la balle. Le bras accomplit, bien sûr, le gros du travail, mais ce sont les jambes qui assurent la poussée lors du service et ce sont l'abdomen, le dos et les cuisses qui assurent l'effet lorsque le joueur frappe. Toutefois, l'avant-bras et le poignet sont mis à contribution pour les autres effets. Les plus grands joueurs mondiaux possèdent, évidemment, bien des différences corporelles. Il suffit de noter que les 20 premiers joueurs au sommet du classement de l'ATP mesurent entre un mètre soixante-cinq et deux mètres sept.

Federer nivela la quatrième manche, 4-4, grâce à une série de coups droits agressifs. Alors que Pascal Maria annonçait le score, Federer eut un regard approbateur pour sa raquette, une Excalibur en graphite. Pour ses dix ans, Federer reçut de sa mère une raquette signée Wilson, un fabricant de Chicago, le plus important du monde dans son domaine. Devenu adolescent, Federer se retrouva naturellement commandité par Wilson et reçut gracieusement de cette firme tout l'équipement dont il pouvait avoir besoin. Cette initiative se révéla payante pour ce commanditaire auquel le champion suisse est resté fidèle depuis lors.

Il faut dire que le roi Roger est payé royalement pour faire mousser la publicité de Wilson – dans les sept chiffres après les bonis aux performances. De plus, il jouit d'une entente pour la durée de son existence et peut aussi revendiquer des redevances sur les résultats des travaux de recherche et de développement de sa raquette actuelle. Voilà plusieurs années, des représentants de Wilson l'approchèrent pour qu'il passe de sa raquette habituelle, de type nCode, à un nouveau modèle. Une nouvelle gamme de raquettes signifie davantage de ventes au public amateur de tennis. Les fabricants espèrent donc convaincre leurs stars sous contrats de s'adapter aux plus récentes technologies. Certains champions s'y plient de bonne grâce, tandis que d'autres se demandent pourquoi ils devraient changer une formule qui leur a toujours souri jusqu'à maintenant. Ainsi Sampras a juré qu'il ne changerait jamais sa Wilson Pro Staff au tamis de 548 cm^2, peu importe combien dépassée elle pouvait avoir l'air. En fin de carrière, la petite raquette au cadre lourdaud de Sampras pouvait ressembler à un attelage de chevaux sur une autoroute, mais il ne la changea jamais[21].

---

[21] Les contrats courants liant les joueurs à leur fabricant de raquettes contiennent une clause aux termes de laquelle les joueurs s'engagent « à déployer tous les efforts pour utiliser les derniers modèles ». Lorsqu'ils refusent, on pratique ce qu'on appelle un « maquillage », un secret de Polichinelle dans le monde du tennis. Supposons qu'un joueur tienne à tout prix à continuer à jouer avec sa fidèle raquette de modèle X, mais que la société qui le commandite tienne à ce qu'il préconise l'usage du modèle Y. Dans un compromis plus ou moins honnête, notre joueur utilisera donc sa raquette X maquillée en Y. Ce maquillage (qu'on devrait peut-être appeler maquignonnage) équivaut à placer un moteur de BMW de Série 3 sous le capot d'une carrosserie de Série 5. Au cours du tournoi de Wimbledon de 2008, Novak Djokovic a poussé le maquignonnage à l'extrême. Alors qu'il disputait un match du Queen's Club, Djokovic trouva que les chaussures Adidas qu'il portait – et dont les fabricants le commanditaient – étaient trop glissantes pour le gazon des courts. Il prit alors les choses en main (on devrait dire en pied) et fit son apparition à Wimbledon avec des Nike Air Max trafiquées à la peinture blanche pour dissimuler le logo et le nom de la marque. Lorsque l'on découvrit la supercherie, mine de rien, le conglomérat Adidas émit un communiqué de presse expliquant que la société « s'engageait à fournir le meilleur équipement de sport afin d'inspirer tous les athlètes et leur permettre de réussir l'impossible ». Adidas poursuivait en ces termes : « Toutefois, dans la tradition de notre fondateur, Adi Dassler, nous n'obligeons pas les athlètes à porter nos produits en compétition s'ils trouvent qu'ils ne sont pas cent pour cent conformes à leur style de jeu. » Djokovic, « le Djoker », y alla également de ses commentaires. « Depuis les cinq dernières années, l'engagement d'Adidas pour faire progresser ma carrière a été incomparable. Adidas m'a toujours largement consulté pour la mise au point de ses nouveaux produits et de ses nouvelles technologies et je suis heureux de collaborer à ces recherches pour la saison 2009. »

Antoine Ballon, le directeur de la commercialisation des raquettes de compétition chez Wilson, a demandé à Federer quelles caractéristiques il comptait trouver dans ses nouvelles raquettes. Federer expliqua être prêt à sacrifier de la puissance et de la surface de frappe en échange d'une meilleure maîtrise. Sachant cela, les technologues passèrent une année à mettre au point des prototypes en laboratoire, Ainsi, ils ajoutèrent des nanofibres de carbone à la base de graphite, ce qui donnait une raquette assez lourde et rigide, bien équilibrée, conservant néanmoins un tamis relativement modeste de 580 cm^2.

Le prototype terminé, Ballon approcha Federer pour obtenir son évaluation. Les fabricants soumettent un prototype qui a souvent coûté des milliers de dollars et de nombreuses heures de mise au point. Presque instinctivement, le joueur l'aime ou ne l'aime pas, et lorsqu'on lui demande ce qu'il apprécie ou non dans ce modèle, les réponses peuvent être plutôt évasives. La plupart du temps elles sont du genre : « Je n'aime pas du tout... Ça me fait une drôle d'impression. Je ne me sens pas à l'aise avec ça... » Ballon signale qu'au contraire Federer collabore de façon plus pragmatique, avec beaucoup de sensibilité. Le Suisse précisera par exemple que, lorsqu'il effectue une volée un peu décentrée en revers, la nouvelle raquette lui donne une certaine impression de rigidité. Le personnel de Wilson retourne donc à sa planche à dessin et, au cours de l'année, Federer mettra à l'épreuve des douzaines de différents prototypes.

Ballon demanda également à Federer ce qu'il pense de l'esthétique de l'objet. Federer approuva les couleurs blanche et rouge, symbolisant celles du drapeau helvétique, mais laissa entendre qu'elles étaient trop brillantes. Lorsqu'il devait frapper la balle, la ligne blanche le distrayait momentanément. Après qu'on lui eut soumis seize différentes maquettes, Federer en choisit enfin une qui lui convenait. « Ça a l'air cool, dit-il, mais il faut que je demande à Mirka... » Cette dernière ayant apparemment approuvé le design, Ballon se souvient que le champion revint quelques minutes plus tard et lui dit d'un air triomphant : « Allons-y. C'est extra comme ça ! »

Aux Internationaux des États-Unis, en 2006, les représentants de Wilson rencontrèrent encore Federer et lui soumirent leurs derniers prototypes qu'il testa sur les courts d'entraînement. Ballon se souvient que Federer lui affirma que les fabricants travaillaient dans la bonne direction mais qu'ils n'étaient pas encore parvenus au but. L'équipe Wilson travailla tout l'automne en effectuant de légers ajustements au poids et à la rigidité de la raquette. Ils lui présentèrent enfin un instrument qui répondait à ses attentes, dynamiques comme esthétiques, et dont la prise lui convenait. Le tamis de 580 cm^2 signifiait qu'il utilisait la plus petite raquette du tour, mais qu'elle lui assurait une meilleure maîtrise. Il accepta donc de changer.

Federer accepta de débuter avec ce que l'on appelait officiellement le modèle [K] Factor Six à l'Open d'Australie en 2007. La firme Wilson garda le silence quant à ce changement d'instrument, même si Federer avait contribué à le mettre au point. En effet, si le joueur avait perdu le tournoi, on aurait blâmé le produit, et Wilson aurait essuyé un échec au plan des relations publiques. Dans ce cas, Federer remporta le titre et Wilson put déclencher sa campagne de publicité dans les semaines qui suivirent.

Les raquettes K Factor servirent bien Federer pour le reste de la saison et se révélèrent profitables pour Wilson, mais elles attirèrent l'attention durant la baisse de records que le tennisman accusa en 2008. Alors qu'il y allait de coups qui laissaient à désirer, en boisant de plus en plus fréquemment, les critiques remarquèrent que l'exigüité de la tête de sa raquette était peut-être à blâmer, tout spécialement contre Nadal, dont les coups vigoureux et lourds rendaient la balle difficile à reprendre au milieu du tamis. On en déduisait que, de toute évidence, Federer aurait dû utiliser une raquette de plus grande dimension. Entêté mais hautement professionnel jusqu'à la fin, Federer se garda d'incriminer le moins du monde un matériel qu'il avait choisi.

Il ne faudrait pas se surprendre de constater que Nadal est beaucoup moins pointilleux avec son matériel. Son attitude rappelle celle d'Alan Ladd, le pistolero justicier du film *Shane* (un classique datant de 1953) dont l'une des répliques est : « Un flingue n'est qu'un outil. Il n'est aussi bon ou aussi mauvais que celui qui s'en sert... » Depuis ses jeunes années dans les juniors, Nadal a joué avec des raquettes Babolat, une société française dans le tennis depuis 135 ans mais qui ne fait des raquettes que depuis la fin des années 1990. Le Majorquin Carlos Moya, qui précéda Nadal, a longtemps été un adepte de cette marque. C'était la seule référence dont Nadal avait besoin.

Alors que Nadal changeait plusieurs fois de modèle au cours de sa carrière, Éric Babolat, le président qui représente la cinquième génération du nom, décrit Nadal comme un « tennisman de rêve ». Tout d'abord, l'Espagnol remporte des matchs à gogo. Ensuite, il ne fait pas le difficile. Aussi ne faut-il pas s'étonner que Nadal soit devenu une force commerciale. Son arme de choix, l'AeroPro Drive de Babolat, est devenue la raquette qui se vend le plus en Europe. Et, contrairement à une foule de joueurs, Nadal ne discute pas sur des insignifiances. Toni Nadal se souvient à ce propos d'un match où Rafael jouait avec des raquettes disparates. Pour satisfaire sa curiosité, Toni s'amusa à les peser. Il découvrit que certaines d'entre elles pesaient jusqu'à 30 grammes de plus que d'autres, une variation de quelque 10 pour cent. Malgré cela, son neveu n'avait ressenti aucune différence.

La raquette de Nadal, dont le tamis est de 645 cm^2, est jaune canari et est fabriquée en Chine. Même légèrement lesté sur son périmètre afin d'alourdir sa tête (le seul détail qui distingue la raquette de Nadal de la vôtre), cet article de sport peut s'acheter non cordé pour 185 $[22] et ne pèse que 312 grammes. Celle de Federer est plus proche des 400 grammes.

La seule particularité étonnante de la raquette de Nadal est la taille de sa prise. Bien que les mains de Nadal soient loin d'être fluettes, sa prise est seulement de 10,47 cm, soit la circonférence de plusieurs raquettes pour juniors. La plupart des professionnels de l'ATP utilisent des prises d'au moins 11,43 cm. Si la prise de Federer est de 11,09 cm, il n'en applique pas moins plusieurs couches de cuir sur le manche. Sampras, dont les mains ne sont pas plus volumineuses que celles de Nadal, a une prise excédant 12,7 cm. Nadal affirme qu'une petite prise lui permet d'envelopper ses mains autour de la base et de mieux utiliser son poignet pour imprimer une accélération fulgurante à la tête de sa raquette. (Cela pourrait expliquer aussi son jeu incertain au filet : cette prise fragile le prive des sensations qu'il devrait ressentir au cours des volées, tout particulièrement lorsqu'il ne frappe pas la balle en plein milieu du tamis.) En résumé, les raquettes de Federer et de Nadal sont aussi différentes que le sont leurs utilisateurs.

Lorsque certains critiques comme John McEnroe se plaignent du fait que les raquettes plus légères ou plus larges encouragent les cogneurs et jouent un rôle majeur dans la disparition de l'esthétique au tennis, ils tendent à surévaluer le rôle de la technologie. Les fabricants de raquettes claironnent avoir mis au point des produits « révolutionnaires » mais, en vérité, la plupart des modèles contemporains ne sont que légèrement plus avancés que les anciens modèles en bon vieux bois. De plus, contrairement à la rumeur populaire, les raquettes d'aujourd'hui n'ont pas avantagé les spécialistes du service ou les cogneurs. Elles ont au contraire aidé les joueurs de moindre gabarit qui, réduits à

---

[22] Ce qui est raisonnable lorsqu'on sait que les raquettes d'un niveau professionnel se vendent couramment plus de 500 $ en Europe. (N.d.T.)

l'époque à se tenir sur la défensive à cause de leurs limites physiques, peuvent maintenant déployer leurs ailes. Prenons par exemple Ivo Karlovic, le grand échalas croate de 2,08 mètres, l'homme aux mille aces en une saison. C'est peut-être une machine peu artistique à collectionner ces derniers, mais il pourrait frapper une balle avec n'importe quoi ressemblant à une raquette, même une poêle à frire. Donnez une raquette en bois à Nadal et il serait probablement forcé de bloquer les services plutôt que de les renvoyer à grands coups. Il se bornerait à des coups slicés défensifs au lieu d'attaquer avec la précision qu'on lui connaît. Si les nouvelles raquettes ont éliminé le tennis « classique » et le service suivi de volée, il faut avouer une chose : elles ont diversifié le domaine.

C'est ainsi qu'il en est dans le tennis. Comme le faisait remarquer en 1950 un célèbre tacticien du sport : « Dès que le premier élan de jeunesse et de prouesses athlétiques commence à baisser, le jeu moderne se désintègre, car il ne peut s'appuyer sur aucune fondation solide ou intelligente. La vitesse et la puissance doivent faire partie des attributs de tout grand joueur, mais cela ne suffit pas… » L'homme qui disait cela était Bill Tilden, un champion des années 1920 et 1930.

L'un des changements les plus significatifs, mais souvent oublié, réside dans le cordage des raquettes. Pendant des années, les grands joueurs ont utilisé un cordage confectionné à partir de boyaux de bovins – et non de chats (*catgut*), comme le veut la légende – ou encore de fibre synthétique aux propriétés similaires. Les joueurs avaient également l'habitude de tendre leur cordage à l'extrême. Bjorn Borg, par exemple, tendait tellement ses cordes qu'elles cassaient en pleine nuit, ce qui parfois le réveillait !

Voilà plusieurs années que les fabricants de cordes, et particulièrement une entreprise belge nommée Luxilon, ont développé un nouveau marché pour des cordes en polyester. Ce fut une innovation aussi importante que le passage du bois au graphite pour les cadres de raquettes. La première fois qu'Agassi a utilisé un cordage de Luxilon, il a déclaré qu'il lui était dorénavant presque impossible de rater ses coups.

C'était en 2002. Aujourd'hui, pratiquement tous les pros utilisent des cordes de polyester. Ainsi Nadal utilise-t-il des cordes de polyester Babolat de gros calibre. Roman Prokes, le spécialiste du cordage pour maints champions, pense que si Nadal frappait comme il le fait avec des cordes faites de boyaux d'origine animale, « il ne toucherait pas une seule balle ». Federer, quant à lui, utilise un cordage mixte, en boyaux naturels pour ses cordes verticales et en polyester pour les cordes horizontales. Les cordes de polyester ne cassent pas souvent mais ont la mauvaise habitude de perdre leur tension. Voilà pourquoi Nadal comme Federer prévoient jusqu'à une douzaine de raquettes par match.

Demandez à une douzaine d'experts de vous expliquer la physique des cordes à base de polyester et ce qui les rend apparemment si magiques et ils vous fourniront une multitude de réponses différentes. Certains pros disent aimer ce genre de cordes parce qu'elles ne créent pas d'effet « amortisseur » sur la raquette. Ces cordes épaisses, peu élastiques, semblent agripper et retenir la balle à la surface du tamis pendant un moment extrêmement fugace. Un ancien champion de Grand Chelem compare les cordes de Luxilon au fait d'avoir comme une « ventouse » sur leur cordage, ce qui permettrait à la balle de demeurer là une milliseconde de plus tout en engendrant un certain effet. D'un autre côté, un gourou estimé donne une explication diamétralement opposée à celle-ci en soulignant que les qualités antiadhésives du polyester, qui réagit rapidement au contact de la balle en retrouvant rapidement sa place, permettent des coups plus efficaces. Les débats sont toujours ouverts…

Si l'on se fie à la physique pour expliquer les avantages des cordes de polyester, on avance sur un terrain glissant. Il y a eu en effet très peu de tests et de données véritablement scientifiques sur le sujet, et les sociétés ne sont guère enclines à divulguer leurs petits secrets de fabrication. On soupçonne donc que les véritables avantages du polyester sont avant tout psychologiques et qu'il n'y a que la foi qui sauve. Le coup de raquette d'un joueur serait moins déterminé par le poids de son instrument que par la perception qu'il réussira ou non à frapper exactement là où il le veut. Garantissez donc à des joueurs que leur cordage leur permettra de donner des coups irrésistibles, et ils frapperont avec une belle assurance en mettant tout en œuvre pour que la balle reste dans le court. C'est d'ailleurs ce qu'ils font.

Les commentateurs et poseurs de bémols en chaise longue tergiversent sur les effets de la technologie, mais tous leurs beaux discours font fi des capacités des athlètes actuels. Dans n'importe quel sport, il est facile de comparer les joueurs d'aujourd'hui avec leurs prédécesseurs: les nôtres sont plus grands, plus musclés et plus souples, leur entraînement est plus rigoureux et plus technique, leur alimentation plus saine et ils bénéficient davantage des données scientifiques. Ils sont au courant des techniques avancées beaucoup plus jeunes et, vu la participation d'une quantité croissante de pays, la compétition est devenue plus féroce. Les sports prenant de l'ampleur et mobilisant des capitaux incroyables, les fédérations et regroupements de joueurs professionnels, même marginaux, peuvent se payer des entraîneurs personnels, des diététistes et autres spécialistes. Les athlètes font donc progresser le sport bien plus rapidement que l'équipement.

* * *

David Law était perché au-dessus du court central dans une cabine aussi exiguë qu'une toilette d'avion de ligne. Ce journaliste de la radio *5 live* de la BBC fournissait à ses auditeurs des faits de nature statistique. Au cours des trois premières manches,

Law avait accaparé du temps d'antenne pendant quelques jeux pour commenter le pourcentage de réussite des deuxièmes services de Federer, les ratés de Nadal concernant ses services accompagnés de volées ou la décision de Nadal de servir au corps de Federer le quart du temps. En dehors de ces remarques, on avait l'impression que Law commentait le match à son propre profit par des remarques du genre : « Non, c'est impossible ! La qualité du jeu ne saurait baisser ! »

À la quatrième manche, Law fut saisi de sentiments mitigés quant au travail qu'il effectuait pour la BBC. Lorsque le réalisateur l'appela dans la cabine pour obtenir d'autres statistiques, Law souleva une objection. « Les statistiques n'ont plus d'importance, lui répondit-il. Il se passe dorénavant quelque chose que les chiffres ne sauraient traduire. Si nous cessions de décrire l'action et l'atmosphère qui règnent ici ne serait-ce qu'une seconde, nous perdrions notre temps… » Le réalisateur obtint le même genre de réponse de Michael Stich. Le champion de Wimbledon en 1991 commentait également le match pour la radio de la BBC mais il était prêt à sortir du studio. « Je veux me rendre dans la foule et hurler ! affirma-t-il. Je sais que je travaille pour mes auditeurs mais je tiens également à être un spectateur enthousiaste ! »

Servant à 5-6 pour demeurer dans le match, dans le tournoi et dans la hiérarchie du monde du tennis, Federer se mit à jouer un jeu clinique et efficace. Se fiant à sa mémoire musculaire, faisant abstraction des enjeux en cause, il se concentrait sur son service et ses coups droits, provoquant un autre bris d'égalité. Virginia Wade, la dernière Britannique à remporter Wimbledon, a déjà décrit le court central comme ayant à la fois la respectabilité d'une vénérable mammy et l'exubérance d'une adolescente un peu fofolle. On en avait la preuve à cet instant précis. Tournant la tête de concert pour suivre les mouvements de la balle, les partisans comptaient tranquillement les points. On pouvait entendre le choc des balles contre les raquettes et le crissement des espadrilles sur le gazon, sans compter les grognements primaux et sauvages de Nadal. Dès que le point fut marqué, le court central devint le rival de n'importe quel amphithéâtre rempli de partisans apoplectiques saisis d'extase ou d'hystérie collective. Les cris combinés de « Roger-Rajah » et de « Rafa » mélangés aux tapements de pieds formaient une indescriptible cacophonie.

Toutefois, le niveau de jeu et l'intensité dramatique s'élevèrent durant le bris d'égalité. À l'occasion du premier point, Nadal s'éloigna temporairement de son jeu habituel et fit une superbe volée du coup droit, démontrant simultanément une confiance en soi renforcée et une amélioration de son travail au filet. Federer exécuta alors un lob parabolique à effet lifté et, se souvenant de changer de tactique, envoya la balle du côté droit de Nadal. Le dos au filet, Nadal bondit dans les airs et asséna un smash renversé, peut-être le coup le plus compliqué à réaliser dans ce sport. Il n'aurait pu être plus parfait, car il coupa la balle à un angle extrême. Federer vit venir le coup. Il intercepta la balle et riposta par un coup droit qui frôla l'Espagnol. Les téléspectateurs ne purent malheureusement apprécier tous les effets de ce coup mais les fans, exaltés, sautèrent devant les caméras en levant les bras et en gesticulant.

Sans s'énerver, Nadal remporta le prochain point avec un droit imparable et provoqua une autre erreur du revers de Federer. Il n'y avait pas eu de balle de bris pendant toute la durée de la manche. Pourtant, les trois points du bris d'égalité étaient allés au receveur. Alors que Nadal se battait farouchement, remportant point après point et ne montrant aucune émotion, Federer grommelait en aparté à chaque fois qu'il ratait une bonne occasion. À 5-2, Nadal avait la possibilité de servir pour le match et de remporter Wimbledon.

Il cligna des yeux.

C'était comme si l'effet de son vaccin mental contre la pression s'était dissipé. Même s'il devait plus tard le nier, il est difficile de ne pas concevoir que, dans quelque coin de son cerveau, il ne s'imaginait pas déjà champion. Il admit n'avoir jamais été aussi nerveux de toute sa vie et confia avoir eu du mal à contrôler sa raquette.

Alors que le silence s'abattait, il rata un premier service, ce qui provoqua un mugissement dans la foule. Dans les tribunes, Toni le tonton-coach interpella l'agent de son poulain, Carlos Costa. « Rafa va commettre une double faute… » lui annonça-t-il. Comme l'avait redouté Toni, les deux services consécutifs de Nadal échouèrent. Une double faute flagrante à un très mauvais moment. « Tu avais raison… » murmura Costa à Toni. Nadal sourit d'un air amusé, mais à 5-3 il envoya un droit très prosaïque dans le filet. Cette fois-ci, il regarda ce dernier comme pour lui reprocher de se trouver là ! Il eut ensuite un mouvement d'humeur en jetant sa raquette et ce fut sa première manifestation émotionnelle vraiment négative de la journée.

À son tour au service à 4-5, Federer prit pleinement avantage de la situation, lançant un coup droit triomphal, puis un service impossible à retourner. Quatre-vingt-dix secondes plus tôt, Nadal servait avec pratiquement le titre de Wimbledon en poche. Maintenant, Federer était à un point de la quatrième manche ; un élan capricieux du destin. Lorsque Pascal Maria annonça le score – « Six-cinq, Federer… » –, il dut se forcer pour se faire entendre de la foule. « Que pouvais-je y faire ? se rappela Nadal plus tard. Simplement continuer à me battre… » Et c'est ce qu'il fit. Il remporta un échange de 18 coups lorsque Federer rata un droit, puis Nadal récolta une balle de match quand Federer récidiva en donnant un autre coup droit avorté – une erreur que confirma une reprise télévisée.

Sans se donner la possibilité de méditer sur le pourquoi ou le comment de la situation ou sur la perspective de perdre le prochain point, Federer alla résolument au service en faisant autant que possible le vide dans son esprit. Son service toucha le coin du carré et la balle rebondit d'un air innocent sur la raquette de Nadal. On en était à 7-7 et la foule poussa un soupir de soulagement général. « Au moins le prochain point ne décidera pas du vainqueur… » devait-elle se dire. Toutefois, ce répit ne dura pas.

Federer visa le coin du court avec un droit. Debout à quelque cinq mètres derrière la ligne de fond, Nadal se précipita à pleine vitesse, le bras gauche étendu, puis il décocha un droit carabiné par-dessus la ligne. Federer lâcha un de ses rares cris, « un feulement d'angoisse », comme le décrivit la BBC, alors qu'il plongeait pour atteindre la balle. Mais celle-ci, saturée par un effet lifté, fila près de lui et amorça un piqué en plein court. Une fois de plus, les bras des fans délirants obscurcirent les objectifs des caméras de télévision. Nadal tomba à genoux et agita le poing de bas en haut. Il se redressa rapidement, conscient qu'il était dans l'obligation de gagner un point supplémentaire. Sanglé dans un chic costume rayé, dépassé par les événements, Sebastian, le père de Rafael, s'enfouit la tête dans les mains.

Puis ce fut au tour de Federer d'afficher son sens du génie du tennis. Après avoir contrarié les projets du Suisse par un service brutal et ample, Nadal y alla d'un droit qui cloua Federer derrière la ligne de fond et le força à sortir des limites, derrière les couloirs. De plus, la balle parvenait plus faiblement à Federer, du côté du revers, sursautante d'effets. Petite question pour poseur de bémols : à un point d'obtenir le titre, Nadal est-il en mesure de choisir une combinaison simple pour remporter Wimbledon ? Si oui, que devra-t-elle être ? Il est difficile d'imaginer le frondeur des Baléares choisissant autre chose qu'un service ample puis un coup droit afin de contrer les redoutables revers de Federer.

Il suffisait rien de moins qu'un coup parfait et le match, le tournoi, la suprématie du roi Roger étaient terminés. Federer recula et se baissa. Ménageant l'avenir afin d'éviter les médisances possibles quant à ses réserves de courage, il envoya un revers parallèle cinglant. Comme tout bon rival, Nadal avait forcé Federer à afficher d'autres dimensions de son caractère et de son jeu, et c'est précisément ce que Roger était en train de faire. Le temps que Nadal réagisse, la balle l'avait dépassé et avait atterri en plein entre les lignes. Soumis à une immense pression, Federer ne choisit pas d'éviter un coup exceptionnellement difficile mais au contraire d'agir comme si de rien n'était. Une fois de plus, les fans du Suisse, censés êtres des gens compassés et peu communicatifs, levèrent les bras dans une manifestation extatique et bloquèrent l'objectif du caméraman. Dans la cabine de la NBC, John McEnroe, un commentateur généralement volubile, eut du mal à dire en hoquetant : « Voilà qui est pertinent ! N'est-ce pas ? »

Même Sebastian Nadal, qui avait vu son fils dans l'impossibilité de marquer une balle de match, applaudit à l'exploit du rival de Rafael. Dans les tribunes des joueurs, d'autres membres du clan Federer et du clan Nadal échangèrent des regards incrédules mais pleins de bonhomie. On pouvait dire en quelque sorte que les deux meilleurs coups du tournoi avaient été frappés sur des points successifs. Lorsque les ovations cessèrent, Pascal Maria se pencha sur son micro. Ne pouvant dissimuler sa joie, il sembla sourire en annonçant : « Huit partout ! »

Catalysé, Federer remporta le prochain point d'un coup droit pénétrant. Possédant une balle de manche, il rata un premier service et guida ensuite son deuxième vers le carré. Lorsque Nadal riposta en renvoyant la balle au-delà de la ligne de fond, le jeu décisif – qui avait duré14 minutes et s'était soldé par 18 points – se terminait sur un pointage de 10-8. Federer hurla un *Yeeahhh!* sauvage et fit une pirouette de 360 degrés. Nadal sortit du court solennellement tandis que son oncle secouait la tête et regardait par terre. Le nombre de spectateurs présents représentait à peu près l'assistance d'un concert rock. Nadal et Federer avaient alors joué 302 points et chaque joueur en avait marqué 151. Il était 19 h 30 et la finale de Wimbledon s'acheminait vers une cinquième manche.

Et comment !

CINQUIÈME MANCHE

9-7

Les quinze mille amateurs de tennis suffisamment favorisés pour obtenir des places dans les tribunes du court central ne représentaient au fond qu'une minuscule fraction des spectateurs. On sait que la télévision est dorénavant l'élément vital de la plupart des sports, tennis y compris. En effet, le tournoi de Wimbledon a été diffusé sur 85 réseaux dans 185 pays et a rejoint des millions de personnes. Ces différents réseaux ont versé des droits de diffusion à l'All England Club, le montant desdits droits variant selon le marché potentiel. Même si le club ne divulgue pas ses chiffres, il suffit de dire que la NBC, qui détient les droits exclusifs pour diffuser la finale aux États-Unis, a versé davantage d'argent que le réseau polonais Polsat (on s'en doutait). La NBC a dû débourser quelque 10 millions de dollars… Lorsque Steffi Graf et Boris Becker remportèrent Wimbledon, les droits exigés des réseaux allemands dépassèrent ceux que l'on exige d'eux actuellement. Dans le même esprit, étant donné la popularité de Nadal, les droits exigés des radiodiffuseurs et télédiffuseurs espagnols sont dorénavant beaucoup plus élevés qu'il y a cinq ans…

On réserve aux plus grands réseaux des cabines plutôt exiguës donnant sur le court central, mais le gros de l'activité télévisuelle se trouve à une cinquantaine de mètres de là, dans le centre de télécommunications, haut de plusieurs étages. À Wimbledon, si l'espace réservé aux joueurs fait penser à un bateau de croisière, le centre de télé ressemble en quelque sorte à un hôpital. Les réseaux, qui en assument les frais, reçoivent un espace correspondant à l'importance de leurs opérations. Il y a des salles de triage et des services semblables à ceux de traumatologie avec des professionnels affairés poussant des portes battantes. Jamie Reynolds, qui supervise les émissions d'ESPN, pousse la comparaison avec un hôpital encore plus loin. « Si l'écran devient blanc, nous sommes vraiment dans la mélasse... »

Il faut dire que Wimbledon pratique une politique télévisuelle assez unique. Les matchs sont retransmis localement par la BBC et BBC 1, le réseau britannique pour lequel tous les citoyens de Sa Majesté versent des redevances annuelles, qu'ils aiment cela ou non. En échange de droits de retransmission, la BBC accepte d'être « l'hôte diffuseur » pour la durée de l'événement et elle assume les frais de couverture des sept courts de Wimbledon pendant deux semaines. Les 40 caméras réparties sur le terrain (9 d'entre elles se trouvent sur le court central) envoient leurs images à un centre de contrôle. La NBC est le seul réseau ayant le privilège d'avoir ses propres caméras sur le court central.

Dans l'immeuble de la télé, les réalisateurs et les responsables des autres réseaux détenant des droits de retransmission sont alimentés par la BBC. C'est un peu comme s'ils passaient à la cafétéria et qu'après avoir reçu leur portion de salade ils aient à l'assaisonner à leur goût. Ils choisissent donc « l'habillage » de leurs reportages en rajoutant graphiques et statistiques de leur cru. ESPN, par exemple, dispose sur place de 125 employés à cet effet. Les petits pays au budget restreint ont un choix plus économique : ils versent une certaine somme pour une transmission « internationale » déjà montée par les soins de la société de production de Wimbledon, une solution faisant penser aux services de presse (UPI, Associated Press, AFP, Presse canadienne) qui alimentent les médias.

Les différents réseaux sont donc servis de manière similaire, mais les différences de styles télévisuels sont légion. Imitant les émissions dramatiques télévisées américaines, où l'on ne s'attarde guère plus de 90 secondes sur une scène, ESPN saute souvent d'un court à un autre. C'est ce que Jamie Reynolds appelle une « approche similaire à celle du golf, une pure expérience pour les amateurs ». Par contre, la chaîne japonaise NHK ne se consacre qu'aux joueurs japonais, peu importent les autres. Federer pourrait être en péril à la 5e manche, le visage ensanglanté et les vêtements en feu, si la Nippone Ai Sugiyama jouait en même temps sur un autre court, Federer ne serait même pas relégué aux nouvelles anecdotiques et la représentante de l'Empire du Soleil levant occuperait toute la place.

Aussi différents que soient les styles de télédiffusion, le dernier dimanche, tous les réseaux avaient une chose en commun : alors que le match en devenait un de référence, on pouvait constater que les commentateurs parlaient beaucoup moins et qu'au centre de télédiffusion les réalisateurs donnaient moins d'instructions. Dans les cabines-cercueils du court central, les commentateurs laissaient passer de longs moments avant de prendre la parole. John McEnroe, peu connu pour son mutisme – et d'ailleurs grassement *rémunéré* pour fournir ses commentaires –, était si peu disert que bien des téléspectateurs se demandaient s'ils n'avaient pas, par inadvertance, appuyé sur la touche sourdine de leur télécommande. Comme le fit remarquer plus tard McEnroe : « Nadal et Federer étaient si éloquents... Qu'aurais-je donc pu ajouter ? »

Assistait-on à cet hypothétique match de tennis envisagé par le bien connu rédacteur sportif Bill Simmons, de chez ESPN, qui en parlait trois semaines auparavant dans sa chronique où il affirmait que le tennis était en pleine dégringolade aux États-Unis et que, si l'on proposait aux gens le meilleur match du monde, personne ne le suivrait[23] ? Là, le chroniqueur était littéralement hypnotisé, comme s'il avait vu passer le père Noël à bicyclette[24]. Il n'était pas le seul. À Mumbai, en Inde, Priscilla Singh, qui se décrit comme étant « la fan la plus inconditionnelle de Federer », veilla toute la nuit et s'enfonça un pan de son t-shirt dans la bouche pour ne pas empêcher ses voisins de dormir à cause des cris qu'elle poussait. Dans le nord de la Californie, les Giants de San Francisco se préparaient à affronter les Dodgers de Los Angeles, ce qui mettait un terme à la série de baseball ce week-end là. Dans leurs vestiaires respectifs, passionnés par le match, les joueurs s'agglutinaient devant les petits écrans. On pouvait voir que peu de ces hommes connaissaient quoi que ce soit au tennis. L'un d'entre eux demanda même ce qu'était un court. Ils n'en étaient pas moins pris par le jeu et plusieurs choisirent rapidement leur camp. Les Dominicains et les Latinos adoptèrent Nadal, tandis que les Américains d'origine anglo-saxonne, plus « nordiques », optèrent pour Federer. En plusieurs endroits du stade, les appareils de télé n'étaient pas branchés sur le baseball mais sur Wimbledon, et les amateurs voulaient à tout prix voir l'issue du match. Le baseball pouvait attendre car, après tout, une *page d'histoire* sportive s'écrivait…

---

[23] Simmons, que les Américains appellent « le mecton bostonien des sports », est réputé pour ses billets d'humeur et ses opinions controversées. (N.d.T.)

[24] N'en étant pas à une contradiction près, quelques jours après Wimbledon, Simmons fit, d'une certaine manière, amende honorable pour rectifier ses propos lorsqu'il interviewa James Blake lors de son émission radiophonique. « Voilà quelques semaines, a-t-il dit, j'ai lu qu'un idiot d'ESPN avait écrit qu'il s'inquiétait de l'avenir du tennis. Il en donnait pour preuve que si quelqu'un vous disait que le plus important match du monde allait se dérouler, vous ne seriez probablement pas prêt à le suivre. Eh bien ! Quelques semaines plus tard, ce match a eu lieu et un nombre relativement important (sic) de personnes l'ont regardé… »

À Austin, au Texas, Andy Roddick s'aperçut en descendant d'avion que son téléphone était bombardé de messages textes qui lui posaient tous à peu près la même question : « As-tu déjà vu un tel match ? » Roddick, un finaliste de Wimbledon quelques années auparavant, s'arrêta devant un des téléviseurs de l'aéroport et regarda la dernière manche du match. À Memphis, Diane Morales, la « sorcière du tennis », convaincue qu'elle avait porté la poisse à Nadal avec ses philtres à la gomme, laissa sa télé fermée en oubliant qu'elle faisait partie des centaines de membres de vamosbrigade.com qui célébraient leur idole ou s'apitoyaient sur le sort de celle-ci. Dans le village français de Naves, Peter Carry, un New-Yorkais branché (il faut dire que c'est un de mes anciens patrons) et son épouse recevaient des amis dans leur résidence secondaire. Les deux couples ne s'étaient pas rencontrés depuis une décennie et avaient projeté de se promener à pied et à bicyclette dans ce sympathique coin de l'Ardèche. Ils renouèrent plutôt avec leur vieille passion de Wimbledon et finirent par passer la belle journée ensoleillée devant leur appareil de télévision. Ils durent même repousser par trois fois l'heure de leur souper au restaurant.

L'émission de la NBC aux États-Unis enregistra une cote d'écoute de 4,6. Ce chiffre représentait 5,2 millions de spectateurs, une augmentation de 43 pour cent par rapport à la finale de l'année précédente. En Grande-Bretagne, la cote d'écoute de la BBC atteignait 13,1 millions de personnes, soit plus de deux fois le nombre de spectateurs qui avaient suivi le Grand Prix d'Angleterre, remporté par le Britannique Lewis Hamilton. Le match avait été suivi en Suisse par 1,2 million de personnes (sur quelque 7,7 millions d'habitants), encore une assistance qui avait doublé par rapport au précédent record, la finale en 2003 de Federer, qui avait retenu l'attention de 545 000 spectateurs. En Espagne, l'indice d'écoute atteignait les 7 millions sur une population de 40 millions de personnes. En France, 2,3 millions de foyers suivirent le match, un chiffre considéré comme très respectable. Malgré tous les aléas qui rendent le tennis peu attirant pour les gros bonnets de la télé – dont la durée imprécise des matchs, un auditoire étalé sur plusieurs fuseaux horaires, les temps morts entre les points –, ces téléastes semblèrent considérer ces résultats comme satisfaisants et ce genre de spectacle sportif générateur de cotes d'écoute. Tous les amateurs de tennis occasionnels qui, pour une raison ou une autre, avaient laissé tomber ce sport y revenaient comme attirés par un aimant. Le lendemain matin, cette finale était le sujet de conversation autour des machines à café dans les bureaux. Elle eut l'honneur de la une du *New York Times* et des manchettes sportives des médias écrits et télévisuels. Bref, pendant quelques jours, le tennis fut roi.

Comme s'il avait besoin d'un autre avantage, Federer était au service pendant la manche finale. Plus de deux manches et quatre heures s'étaient écoulées depuis le dernier bris de service, incluant le délai en raison de la pluie. Si l'on tenait pour acquis que la tendance se maintiendrait, après neuf jeux, Nadal aurait à subir l'immense pression de garder son service simplement pour demeurer dans le match. Il lui suffisait de quelques coups capricieux lors de son service et il risquait de se retrouver perdant. (Borg eut la bonne fortune de servir en premier lors de la 5e manche de la célèbre finale de 1980, que d'ailleurs il remporta.) Sautillant, les yeux grands ouverts, Federer entama la 5e manche par un service qui atteint Nadal au corps. Il servit à coups mesurés, car il n'avait pas intérêt à changer de rythme maintenant et jouait de manière presque fantaisiste. Certains de ses tours de passe-passe firent merveille (par exemple, un revers en volée) et d'autres (comme un amorti mal calculé) ratèrent complètement, mais son jeu demeurait désinvolte et sûr de lui.

Dans le coin des tribunes réservé aux joueurs, l'oncle Toni baissait la tête et se mordait la lèvre. Il avait l'air de ces entraîneurs de chevaux au Derby du Kentucky dont le poulain préféré s'est fait coiffer au poteau par un tocard. Il pensait notamment au tournoi de soccer de l'Euro 1996, qui se tenait au Wembley Stadium, non loin de l'All England Club. Son frère, le défenseur Miguel Angel Nadal, avait manqué un tir au but, une erreur qui avait permis à l'Angleterre de triompher de l'Espagne. « Peut-être qu'une malédiction frappe les Nadal dans ce pays… » se dit Toni. Il se souvenait aussi quand après la finale de 2007, il était entré dans le vestiaire pour voir Rafa effondré devant son casier, en train de pleurer. « Arrête de chialer ! ordonna Toni. Tu pleures parce que tu n'as pas gagné Wimbledon ? C'est comme si je braillais parce que je n'ai pas les moyens de rouler en Rolls Royce… » Mais c'était en 2007… Rafael perdrait-il maintenant la finale pour la troisième année consécutive ? Et toujours contre le même adversaire ? Quand vous déteniez une balle de match ? « Eh oui ! admit Toni en blaguant à peine. Après tout, il avait peut-être de quoi pleurer… »

Pour Toni, tout cela illustrait une vérité cosmique de la vie : la victoire et la défaite ne sont pas symétriques. Pour ce nouveau philosophe qui s'ignore, chaque action n'est pas une réaction forcément égale ou opposée. « La victoire n'est pas aussi agréable que la défaite peut être désagréable, aime à dire le tonton. Si vous avez un fils, vous êtes heureux, mais si vous le perdez, l'intensité de votre souffrance est beaucoup plus grande que l'intensité de la joie que vous ressentiez lorsqu'il était là. Si vous gagnez le million, vous êtes heureux, bien sûr, mais si vous le perdez, vous serez bien plus peiné que vous étiez heureux en le gagnant. Si Rafa remporte Wimbledon, il sera heureux et nous avec, mais que se passera-t-il s'il perd ? » À un moment donné, Sebastian Nadal, assis dans la rangée de l'autre côté de l'allée, interrompit le soliloque de Toni en lui demandant de mieux dissimuler ses émotions. « Rafa a besoin de toi. Il faut que tu demeures positif… » lui rappela-t-il.

Reprenant quelque peu du poil de la bête – inconsciemment avoua-t-il plus tard –, Nadal ralentit le rythme de son service. Il fit rebondir encore et encore (une dizaine ou une douzaine de fois) la balle avant de se décider à frapper. Après s'être épongé abondamment, il inspecta les balles avec une attention d'horloger avant de les choisir. Lorsqu'on lui demanda ce qui lui passait par l'esprit à ce moment crucial, Nadal eut une réponse digne d'un archer zen : « Rien… » Pas de conflits intérieurs, pas d'états d'âme, de remords ou d'autoflagellation. À cet instant précis, il se fiait simplement à sa mémoire musculaire inconsciente. Il se remit à frapper des coups droits chargés d'effets et riposta vigoureusement à Federer. Au tennis, il existe un vieil axiome voulant qu'une attitude défensive soit la pierre angulaire des succès dans les championnats et qu'elle permette de garder le service avec une relative facilité. Toutefois, il était parvenu à compartimenter une vérité peu glorieuse quelques moments auparavant : il avait bousillé des points de match. Là, il s'était remis à jouer sérieusement au tennis. Sur le plan émotionnel, cela faisait penser à ce coyote de dessin animé qui se fait assommer par une enclume ou une poêle en fonte et qui revient presque immédiatement à ses activités comme si de rien n'était.

Federer passa en vitesse surmultipliée. Il servit et monta au filet. Une telle décision constituait un geste de refus. Non, pas question ! Les coups de débordement de Nadal n'affaibliraient pas le rythme d'enfer du Suisse. Ce dernier poursuivit ses services diversifiés et ce fut au tour de Nadal de ralentir son tempo et de chercher à gagner méthodiquement des points. On aurait dit deux frères aux goûts musicaux différents en train d'essayer de s'approprier le contrôle d'une chaîne stéréo. À 2-2, les spectateurs arrêtèrent de bouger la tête de droite à gauche pour la bouger de haut en bas. Puis le ciel s'obscurcit et la pluie se remit à tomber. Lorsque le jeu fut à égalité, après qu'il eut raté ce que la BBC appela « un petit lob impertinent », soucieux de manifester son désir de mettre un peu d'ordre dans la situation, Federer lança à Pascal Maria un regard revendicateur le sollicitant discrètement de suspendre le jeu. Lorsque les gouttes de pluie se changèrent en averse, Maria ne put que s'exécuter. Les joueurs se précipitèrent hors du court, laissant la place aux préposés à l'entretien du gazon, qui étendirent leurs bâches pour la seconde fois de la journée.

Si la première averse fut la bienvenue en apportant quelque répit aux tensions qui régnaient sur le court, la seconde fut reçue par des grognements dans l'assistance. Retarder le match à ce moment précis ressemblait à l'histoire de ce fusible qui saute dans le projecteur de cinéma au moment de la scène finale d'un film à suspense. Si l'on faisait abstraction des complications logistiques que cette interruption occasionnait aux chaînes de télévision et aux spectateurs sur place, on appréhendait un risque plus pernicieux : celui de terminer un match aussi épique le lendemain matin. Malgré tout, il ne fallait pas s'attendre à autre chose avec une finale que l'on jouait, pour la dernière fois, dans un court central non couvert, et ce, dans un pays où les ondées abondantes font partie de la culture.

Federer fut le premier à se retirer dans le vestiaire et grimpa l'escalier quatre à quatre, suivi de Nadal qui escaladait les marches plus posément. L'un des employés du club qui traînait près du vestiaire remarqua que Nadal faisait du jogging sur place, comme pour bien faire remarquer à Federer que son moral était toujours aussi solide. D'ailleurs, l'Espagnol rapporta plus tard qu'il se motivait lui-même : « Je me disais "Ne lâche pas. Tu es dans la finale et tu joues bien." Si je perdais, je pouvais lui serrer la main en lui disant : "Félicitations, Roger !" mais cela ne m'empêchait pas d'être prêt à reprendre la partie… »

Moins exubérants que la dernière fois, l'oncle Toni et Maymo se dirigèrent vers le vestiaire. Ils savaient pertinemment que leur champion avait laissé passer deux balles de match qui auraient pu faire de lui le vainqueur de Wimbledon et que cette perte pourrait le déprimer. À leur grande surprise, Nadal était assis sur le banc devant son casier, l'air sérieux mais aucunement affecté par la situation.

Nadal s'arrangea pour que Maymo lui administre un rapide massage et lui applique du ruban gommé sur les doigts calleux de sa main gauche. Federer entrait et sortait du vestiaire. Bien qu'il n'existe aucune cloison dans le vestiaire entre les joueurs, la différence de langue limite automatiquement les échanges verbaux. Federer s'entretenait en suisse allemand avec Severin Lüthi, son confident qui est aussi capitaine suisse de la Coupe Davis. Pour sa part, Nadal pouvait discuter sans crainte avec sa suite en espagnol. Federer demeura un bon moment perdu dans ses pensées.

C'est alors que Nadal se tourna vers son oncle et qu'il lui demanda : « Hé, Toni ! Essaie de ne pas t'endormir cette fois-ci… OK ? »

Toni sourit et, faisant allusion au premier arrêt occasionné par la pluie, lui répondit : « J'aimais mieux l'état d'esprit dans lequel tu te trouvais la dernière fois où j'étais ici… »

Nadal sourit à son tour et lui répondit : « Laisse faire… »

Toni, le nouveau philosophe du tennis, redevint sérieux et se lança dans un soliloque. « Regarde, Rafa, commença-t-il. Roger sera aussi nerveux que toi. Jusqu'à maintenant, il a joué pour ne pas perdre. Maintenant, il jouera pour gagner, ce qui signifie qu'il sera aussi nerveux que toi. Il faut que tu maintiennes la pression et que tu travailles avec elle, car c'est ta chance de remporter Wimbledon. Si Federer gagne, c'est OK, mais je ne vois pas pourquoi tu devrais être le perdant. Fais ce que tu dois et ne perds pas confiance si par malheur tu commets des erreurs… »

Nadal resta assis et écouta. Lorsque son oncle eut terminé, le joueur prit la parole d'un ton posé, exempt de fanfaronnade. « Tu te rappelles l'an dernier lorsque j'ai perdu ? J'avais dit ne pas savoir si j'allais me retrouver une autre fois en finale. »

« Oui… » répondit Toni.

« Eh bien ! Je me souviens te l'avoir dit et me revoilà en finale. Je ne peux te dire qu'une chose : je ne perdrai pas. J'y arriverai. Et si jamais je ne réussis pas, je réussirai l'an prochain. Alors, garde ton calme… »

Toni leva les yeux. « Tu me dis de rester calme ? »

« Oui, j'ai perdu deux jeux décisifs, mais il n'a pas réussi à faire de bris de service au cours de ces deux manches. J'ai remporté la première et la seconde manche, non ? Pourquoi ne pourrais-je pas aussi remporter la cinquième ? »

Lorsque Maymo et Toni réintégrèrent les tribunes, le clan Nadal s'enquit de l'état d'esprit de son champion. « Comment va Rafa ? Garde-t-il le moral ? » Toni hocha la tête. « Ou bien Rafa est un acteur surdoué qui s'ignore et il nous fait un cinéma monstre ou alors il est vraiment relax… » répondit-il.

Dans la salle de presse, les médias se précipitèrent pour récupérer dans les archives d'anciens articles annonçant l'effondrement possible de Nadal. Avec des passages que les journalistes laissaient en blanc pour annoncer le dénouement final et le vainqueur, le « papier » typique contenait des passages élogieux sur le caractère épique du match. Les journalistes se dépêchaient également pour essayer de replacer le match dans un contexte historique. Quatre-vingt-un ans auparavant, il y avait eu la rencontre d'Henri Cochet, dit « le magicien », avec Jean Borotra, dit « le Basque bondissant », où un joueur avait effectué ainsi une telle remontée après avoir tiré de l'arrière deux manches à zéro. Il s'était écoulé 60 ans depuis que l'infortuné Australien John Bromwich, qui menait 5-3 à la cinquième manche en finale contre Bob Falkenburg, a perdu le tournoi de Wimbledon lorsque l'Américain sauva trois balles de match avant de conclure 7-5… Et il y avait 120 ans depuis que Willie Renshaw avait remporté six tournois de Wimbledon consécutifs, ce qui est un peu saugrenu puisque dans les années 1880 le champion défenseur du titre avait automatiquement sa place dans la finale.

C'est durant cette seconde interruption à cause de la pluie que la rumeur s'amplifia, soit qu'on était en train d'assister au plus grand match de tennis jamais disputé. Il s'agissait évidemment d'une considération subjective exigeant un peu plus de détachement, mais en vérité, qu'est-ce qui pouvait bien battre un tel événement ? En effet, deux rivaux s'affrontaient pour la troisième fois dans la finale de Wimbledon et jouaient pendant cinq manches à un niveau d'excellence insurpassé. Disons que pour être un grand match – surtout « un plus grand match » –, ce dernier doit être empreint d'une certaine gravité, une éventualité qui n'arrivera jamais à l'Open de Memphis, à la Classique de Budapest ou dans le début d'un tournoi. Et les candidats se font rares. Le seul exemple dont l'on pouvait s'inspirer maintenant était, bien sûr, la finale de Wimbledon en 1980 avec l'affrontement de Borg, dit « Iceborg », et de McEnroe. Ce match avait peut-être atteint en intensité dramatique le match Federer-Nadal, mais (et plusieurs personnes s'exclameront en des termes imprécatoires que je m'empresse de censurer) jamais elle n'approchait en excellence la finale de 2008. Comparez un enregistrement de 1980 et un autre de 2008 et, malgré les différences dans la technologie, il n'y a aucune comparaison possible entre les deux matchs. De plus, la première manche de ce match historique se termina par le score de 6-1, alors que chaque manche du match Federer-Nadal avait été chaudement disputée. Jusqu'à maintenant, s'il y avait eu de légères défaillances, elles n'avaient duré que quelques points. McEnroe en personne fut le premier à dire que la finale de Wimbledon de 2008 était «le plus grand match auquel il avait assisté». Même le controversé et imprévisible Borg se rallia à cette opinion un peu plus tard.

Passez les éléments de cette rencontre en revue et vous les trouverez tous présents: le talent, le courage, l'esprit sportif, la grâce, la discipline, la vaillance, le sang-froid, l'intelligence, l'humilité, les blessures, la poursuite du combat malgré celles-ci, le dynamisme, même les catastrophes naturelles et intempéries, que les Américains citateurs de Bible nomment «actes de Dieu». Ce match était aussi remarquable par ses lacunes: l'absence de mélodrame, de langage épais ou pornographique, de triche. On n'avait pas vu de tableau d'affichage indiquant aux spectateurs quand applaudir ni d'aboyeur public excitant la foule d'une voix de baryton; pas de majorettes emplumées, de mascotte débile, de meuglements de trompettes en plastique et de musique d'orgue électrique pendant les interruptions. On s'était également passé de ces personnages faussement enjoués qui catapultent dans la foule des t-shirts gratuits à l'aide de canons à air. La morale de l'histoire pourrait être celle-ci: injectez un peu de dignité dans un sport et le public répondra de manière adéquate.

Convaincus que la pluie continuerait et que le match devrait reprendre le lendemain matin, les cadres des chaînes de télévision élaborèrent des plans de remplacement pour une éventuelle reprise le lundi. Les spectateurs se demandaient ce qu'il adviendrait de leurs billets. Les visiteurs internationaux appelèrent les transporteurs aériens et les agences de voyage pour voir comment ils pourraient prolonger leur séjour à l'hôtel ou changer leur réservation. Mais, par bonheur, comme par intervention divine, le retard causé par la pluie fut bref. À peine une demi-heure. Cette fois-ci, Federer et Nadal ne s'affrontèrent pas du regard en retournant sur le court et ne se réchauffèrent que pendant trois minutes tandis que la foule reprenait sa place. Ne perdant guère de temps pour s'affirmer de retour dans le match, Federer reprit l'initiative du jeu avec une paire d'aces. C'était 3-2.

Depuis que la République du Tennis observait Federer, elle ne l'avait jamais vu performer de cette façon. On pouvait enfin voir le champion sous son aspect de bagarreur de rue. Il avait toujours été clair qu'il éprouvait un vif plaisir à jouer, à gagner et à distraire les foules. Me rappelant que John McEnroe avait déjà affirmé au sommet de sa gloire qu'il ne trouvait aucun plaisir dans le tennis, j'avais demandé à Federer s'il aimait vraiment ce jeu. « Si j'aime le tennis ? me répondit-il comme si je lui avais posé une question parfaitement idiote, mais j'adore ça, voyons ! » Malgré ses nombreuses victoires, ses admirateurs n'avaient jamais l'impression qu'il cultivait vraiment l'instinct du guerrier. Il y a des joueurs qui n'aiment rien de mieux que d'être au cœur d'une gigantesque empoignade, luttant à mort pour s'imposer dans une cinquième manche. Nadal, pour sa part, a déjà décrit le tennis comme étant pour lui une sorte de « job-hobby » et admet qu'il aime mieux la compétition que le tennis lui-même. Federer préférerait laisser déferler sa magie et gagner 6-2, 6-2, 6-2, car il ne prise guère la bagarre de rue. Il préfère vaincre par son talent inné et prendre son envol par rapport à l'adversaire plutôt que de rouler dans la poussière.

Loin de moi l'idée de déprécier Federer, mais la plupart des athlètes de son niveau – Woods, Jordan, Tom Brady, Roger Clemens, Sampras, les sœurs Williams – s'arrangent pour bonifier leur talent naturel par un plus haut niveau d'esprit compétitif. Lorsqu'ils jouent, ils adoptent l'attitude du prédateur, celle du guerrier, du tireur d'élite qui tient à abattre son adversaire à tout prix. Que Federer ne semble pas cultiver son instinct de prédateur ne peut que rehausser son statut de grand seigneur des courts, direz-vous peut-être, car il réussit à afficher sa supériorité au combat sans être un massacreur. Il ne triomphe pas en vertu de quelque implacable code bushido, de quelque esprit samouraï. Il gagne grâce à son génie. Je me suis souvent senti forcé de parler de cet athlète qui présente un tel écart entre son talent naturel et sa détermination mentale de « tueur ».

Federer se trouvait en plein cœur de la cinquième manche de la finale de Wimbledon face à son adversaire naturel et on ne peut aucunement affirmer qu'il ne savourait pas la compétition. Quatre dimanches auparavant, à Paris, face à l'alternative consistant à se bagarrer ou à laisser aller, il avait choisi de perdre de manière passive. Ce n'était pas le cas aujourd'hui. Il se battait avec l'énergie du désespoir, gagnant l'avantage dans les échanges puis lançant des coups gagnants. Il se trouvait dans la position d'un boxeur ramollissant son adversaire avec des directs avant de l'achever par une droite spectaculaire. Il agitait les poings de bas en haut et criait « *Come on!* » comme un forcené, rempli de fierté et délimitant par ses déplacements son territoire. Le regard intense, comme s'il avait oublié ses clignements d'yeux habituels, son instinct de combattant avait rarement été aussi bien mis en évidence dans le passé. Le champion n'avait rien à prouver mais on pouvait publiquement le constater de manière ostensible.

À la suite d'un peu brillant 3-4, à 30-30, Nadal y alla d'un vigoureux second service que Federer eut du mal à retourner. Nadal essaya alors de marquer un point de façon peu conventionnelle. À la troisième balle, Federer expédia un coup droit hors de la portée de l'Espagnol pour marquer une balle de bris. Un point de plus et Federer pourrait servir pour le championnat en menant 5-3. Le temps que le ramasseur de balles fasse son travail, le réseau Betfair s'affola littéralement. Nadal était soudainement estimé à 3,8 alors que Federer se traînait à 1,35 sur le même point. En d'autres termes, si vous aviez parié un dollar sur Federer à ce moment précis, cela ne vous aurait rapporté qu'un dollar et trente-cinq cents alors que le même dollar misé sur Nadal vous en aurait rapporté trois dollars quatre-vingt.

Dans les secondes qui suivirent, cette singulière « Bourse » aux paris rebondit encore. Nadal égalisa le score en poussant Federer dans un coin du court et en cinglant son droit d'une manière particulièrement agressive. (Qui aurait pu d'ailleurs s'attendre à ce que Nadal fasse dans la dentelle à ce moment précis ?) Federer riposta dans un style rappelant davantage le squash que le tennis et exécuta un lob sans grand nerf. Nadal frappa un smash si puissant que la balle, après avoir rebondi sur le court, alla se perdre dans les tribunes. Maintenant, Federer n'avait pu capitaliser que sur une seule des 13 balles de bris qu'il avait eues durant le match. Nadal y alla continuellement en profondeur pour provoquer une erreur de son adversaire et conclut le jeu par un autre de ses grands coups droits. C'était 4-4. Sur les 354 points qui avaient été joués, Federer en avait gagné 177 et Nadal 177.

Federer remporta son service sans difficulté. On en était à 5-4. La foule profita du changement de côté pour exulter en scandant les noms des joueurs. Il suffisait à Nadal de garder son service pour demeurer en lice. Et, sans jeu décisif dans la 5e manche, cela risquait de demeurer statique à moins de pousser Federer à réaliser un bris. Entre les *¡ Si !* et les *Come on !* lorsque les compétiteurs marquaient des points, Nadal conserva son service. Pointage : 5-5.

Voilà quatre heures et 17 minutes qu'ils jouaient, ce qui surpassait la célèbre rencontre entre McEnroe et Connors en 1982, qui s'était révélée la plus longue de l'histoire de Wimbledon. Il faut dire que ni Federer ni Nadal ne montraient le moindre signe d'épuisement, ce qui est rare lors d'affrontements de ce genre. Pas de crampes ni d'essoufflements non plus. Ils continuaient à poursuivre chaque balle. Il est vrai que les interruptions en raison de la pluie leur avaient permis de récupérer leur énergie mais, au-delà de ces considérations, on pouvait dire que les deux athlètes étaient au summum de leur forme, les meilleurs de leur spécialité. Leurs méthodes peuvent différer, mais Nadal comme Federer fonctionnent selon un principe simple : le tennis est un sport principalement anaérobie et les exercices d'entraînement doivent tenir compte de ce fait. Par exemple, au lieu de faire de la course de fond – une activité aérobie qui ne sollicite pas la mécanique ni les fonctions neuromusculaires du tennis –, les deux champions passent davantage de temps à pratiquer des lancers brusques, à sprinter sur de courtes distances, à s'accroupir, des exercices stimulant les mouvements et les changements de direction survenant durant un match.

Nadal est bien connu pour son endurance, mais dans le cas de Federer, il s'agit de la composante la plus sous-estimée de son jeu. Dès les débuts de sa carrière professionnelle, après avoir maîtrisé la technique, Federer avait eu le bon sens de reconnaître l'importance de la mise en forme. Vous pouvez connaître tous les bons coups et les astuces que vous voulez, mais si vous êtes trop fatigué pour courir après la balle, cela ne vaut pas grand-chose. Aussi le champion engagea-t-il comme entraîneur Pierre Paganini, de la Fédération suisse de tennis, un vieux coach de ses connaissances. Plusieurs fois par année, dans la touffeur inhumaine de Dubaï, Paganini fait subir à Federer un entraînement digne de celui d'un commando. Il passe quatre heures par jour à s'entraîner avec des partenaires qui varient. Ainsi Jesse Levine, un jeune tennisman professionnel américain – gaucher comme Nadal et pouvant fort bien l'imiter –, servit de partenaire à Federer à plusieurs reprises. Levine dévoile que Federer porte souvent un moniteur cardiaque qui vérifie les battements de son cœur et indique le temps que l'organe met à récupérer. « Je crois n'avoir jamais vu Federer transpirer… » confie-t-il également. Le résultat de cette préparation intense à l'extérieur des courts habituels se traduit par d'étonnantes données. La finale de Wimbledon 2008 a marqué le 737e match professionnel de la carrière de Federer. Disons qu'au cours de son parcours, il n'a jamais été incapable de terminer un match. En forme, le monsieur ?

Tout comme le parcours d'une balle, l'élan du match continuait à se déplacer d'un côté à l'autre du filet. À 5-5, Nadal s'offrit une double balle de bris. Calmement, Federer en conjura une avec son 24e ace du match. Il épargna l'autre avec un point patiemment préparé, qu'il exécuta à l'aide d'un droit cinglant. Dans les tribunes, les mains en porte-voix, Mirka glapissait des instructions à son conjoint tandis que Lynette Federer applaudissait en se répétant à voix basse *Come on Roger !* Robert Federer, la tête engoncée dans une casquette aux initiales de son fils, souriait à peine mais avait l'air moins préoccupé que les parents de l'autre joueur. Poursuivant ses attaques musclées, Federer conclua le jeu par une série de droits imparables. C'était 6-5. Une fois de plus, Nadal devait servir pour rester dans le match.

On approchait maintenant de 21 heures. En Californie, ce qui avait commencé comme un « breakfast à Wimbledon » débordait sur l'heure du thé. Pendant le changement de côté, le téléphone sonna sur le perchoir de l'arbitre. Maria prit la ligne et son visage se décomposa. C'était la régie du Hawk Eye qui appelait : à cause de l'obscurité les caméras étaient incapables de capter les images du parcours de la balle dès qu'elle touchait le court. Cela signifiait qu'il n'y aurait pas de reprise instantanée pour le reste du match. Après avoir branché le micro, Maria annonça la nouvelle aux joueurs, puis soupira. « Ce fut vraiment un de ces matchs comme on n'en rencontre qu'une fois dans la vie… » expliqua-t-il plus tard mais, de son point de vue, tout s'était déroulé dans le meilleur des mondes. En cette heure tardive, alors que chaque point était crucial, on ne pouvait plus recourir au filet de sécurité qu'offrait la reprise instantanée disponible grâce au Hawk Eye. Il lança un regard à sa femme pour y chercher quelque réconfort. Tout comme les joueurs, il essayait de se motiver en se répétant mentalement : « Ne perds pas de vue l'objectif ! »

Pendant les deux prochains jeux, les deux joueurs exécutèrent des coups d'une précision presque parfaite. Fort heureusement, aucun de ceux-ci ne fut controversé et ne nécessita de reprise télévisée. Nadal garda son service. C'était 6-6. Federer servit pour se dégager et y alla d'un coup spectaculaire à 205 km/h, ce qui était son deuxième service le plus rapide du match. La marque était de 7-6.

Nadal riposta en faisant preuve d'une grande initiative dans son jeu de service.

À 40-15, il se précipita vers le filet pour renvoyer violemment un amorti droit devant lui. Federer saisit la balle au vol au milieu du court et expédia à travers le terrain un coup de débordement d'un revers à une main, une manœuvre très difficile à réaliser. Cinq années plus tôt, lorsque Federer avait remporté son premier tournoi de Wimbledon, il avait pratiquement exécuté le même coup contre Mark Philippoussis en finale et cet exploit fut cité comme preuve de son génie et de son style de haute classe. Aujourd'hui, contre Nadal, il lui fallait recourir à des coups aussi élaborés tout simplement pour survivre au jeu et au match.

Servant à 40-30, Nadal ouvrit le bal par un droit furieux. Toujours léger, Federer intercepta la balle et la renvoya en lob. Après le smash de Nadal, Federer ne lui concéda pas le point car il avait bien prévu le coup. La fortune souriant aux audacieux, il retourna un lob très défensif qui se détacha un moment du ciel grisâtre pour atterrir à quelques pouces à l'intérieur de la ligne de fond de Nadal, ce qui provoqua des cris modulés dans la foule.

Pour Nadal, il était extrêmement frustrant de lancer ce genre de coup pour voir finalement son adversaire rester dans la course. Nadal fit marche arrière, se positionna et renvoya la balle en reculant et en matraquant un droit démentiel qui frôla Federer. Sebastian en perdit son maintien de père digne en costume à rayures. Debout, il agitait le poing de bas en haut comme un fêtard en pleines libations. Pointage : 7-7.

Les autorités du tournoi prirent alors la décision qu'il ne restait que deux jeux à jouer avant que le match ne soit interrompu à cause de l'obscurité. Même si on ne communiqua pas la nouvelle aux joueurs, ils sentirent implicitement la pression qui les menaçait. Dans la fosse aux photographes, derrière le court, des dizaines de ces reporters et paparazzi pelliculeux, adeptes du film ou de l'électronique, changeaient d'objectifs ou munissaient leur appareil de dispositifs leur permettant de compenser la lumière ambiante qui baissait à vue d'œil.

Malgré le crépuscule, Nadal ne manquait pas de riposter aux services de Federer en lui renvoyant coup pour coup. Après avoir gagné deux des trois premiers points, Nadal se retrouva forcé d'exécuter un revers à quelques mètres derrière la ligne de fond. Utilisant sa main droite de manière dominante comme pour guider la balle, il lança un coup qui traversa victorieusement le court, une initiative que la plupart des joueurs n'ont pas l'audace de tenter et encore moins de renvoyer. Dans la cabine de la NBC, derrière la ligne de fond, McEnroe se leva pour mimer le coup avec force commentaires.

Imperturbable, Federer marqua son 25e ace et gagna un point lorsque Nadal glissa sur une plaque de gazon humide. Federer ménagea une autre balle de bris grâce à un service magistral en coin. Puis, sans qu'on puisse l'expliquer, il cafouilla. Sur un coup droit décroisé, le même qu'il avait exécuté avec tant de *maestria* pendant les trois manches précédentes, Federer s'attendit à frapper sans encombre au-dessus du filet. Comme une illustration de la pression qu'exerçait Nadal pour déstabiliser son adversaire, Federer évalua mal le rebond de la balle et l'envoya dans le filet.

À la quatrième balle de bris de Nadal dans le jeu, Federer s'amena pour frapper un coup droit de Nadal qui rebondit près du T de la ligne de service, au beau milieu du court. Au tennis, il s'agit du coup le plus élémentaire, celui que la plupart des moniteurs utilisent lorsqu'ils enseignent le sport aux débutants. Les jambes tournées en dehors, frappant plus amplement la balle que la situation ne l'exigeait, Federer décocha son coup qui envoya la balle à quelques pouces au-delà de la ligne de fond. Il lâcha un *Nie!* qui, en allemand, signifie «jamais», tandis que la balle poursuivait sa route. Dans les tribunes des joueurs, le clan Nadal se congratula, sauf Toni qui se rendit seul dans une allée pour s'isoler. Il était décidément trop à cran. C'était 8-7.

La tête baissée, Federer se rendit vers sa chaise d'un air dépité. Il prit une gorgée d'eau Évian au goulot et, dans un mouvement d'impatience, jeta la bouteille par-dessus son épaule, non sans avoir pris soin de refermer le bouchon. (Même contrarié, le roi Roger sait limiter ses sautes d'humeur!) Nadal prit également une gorgée d'eau Évian en tentant, expliqua-t-il ultérieurement, «de ne penser à rien». Essayant de se faire entendre au-dessus des bruits de la foule, Maria annonça le score et ajouta une instruction aux joueurs avant la reprise du jeu: «Nouvelles balles, s'il vous plaît…»

Il ne restait plus qu'un jeu entre l'exultation de la victoire et les douleurs de la défaite… et Nadal avait l'avantage de jouer avec de nouvelles balles. Il bondit de sa chaise comme un diable d'une boîte et se rendit en joggant vers la ligne de fond avant d'entreprendre un service qui devait le rapprocher de sa première victoire à Wimbledon. Lors du premier point, la nouvelle balle rebondit sur le tamis de la raquette de Nadal à l'occasion d'un coup droit peu convainquant. Dans ce 62e jeu du match, il ne s'agissait que de sa 27e faute directe.

Nadal prouva ensuite combien il pouvait avoir de l'énergie en réserve et combien on pouvait sous-estimer sa tactique. Pour la première fois du match, il se lança dans un service-volée. Après avoir servi, monté au filet et affronté le revers de Federer, Nadal poursuivit son élan. Federer reçut la balle qui semblait flotter. Il suffisait à Nadal de rétorquer par un droit en volée, une parfaite stratégie au bon moment. Il ne s'agissait pas seulement d'un témoignage de courage de la part de l'Espagnol, mais aussi une preuve de la stratégie inconsciente qu'il entretenait dans son cortex tennistique – un rejet des critiques en chaise longue qui voudraient que le jeune Majorquin soit brutal et élémentaire. Ayant perdu le point précédent à la ligne de fond, il avait pensé essayer autre chose.

C'était 15-15. Comme s'il avait été soudainement sensibilisé aux mérites du jeu au filet, Nadal remporta le prochain point de cette façon en forçant Federer à reculer puis en catapultant un autre coup droit à la volée. Le pointage : 30-15. Nadal s'approcha une fois de plus du filet. Pour la troisième fois, Federer se fendit d'un coup de débordement que Nadal put seulement retourner au-delà de la ligne de fond. Deux sur trois. Pas mal. C'était 30-30.

Comme s'il n'y avait pas eu assez d'ennuis au cours du match, une lumière se mit à clignoter au fond du court. Il s'agissait de quelque difficulté dans le tableau d'affichage. Déjà agacé par tous les inconvénients qui avaient ponctué ce match – les retards causés par la pluie, la diminution de la lumière, la foule houleuse – Federer secoua la tête d'un air découragé et montra du doigt le voyant défectueux à Pascal Maria. L'arbitre parut embarrassé, mais voyant que ce n'était pas le moment de discuter, il se pencha sur son micro et annonça : « S'il vous plaît, n'utilisez pas d'appareils photo munis de flash… »

Nadal joua de manière conservatricc ct prit avantage d'une erreur de revers de la part de Federer. On en était à 40-30, et à un point du championnat. Toni Nadal se leva et alla se placer dans l'allée, près de son frère Sebastian. Derrière la ligne de fond, Bjorn Borg s'était redressé sur son siège. Diane Morales, la prof d'espagnol de Memphis (au Tennessee), devenue sorcière de fantaisie à cause de son idolâtrie pour Nadal, appela sa fille avec des cris aigus. Convaincue que si elle regardait la télé elle collerait la poisse à Nadal, elle ne prêtait qu'une oreille distraite au score annoncé à la radio. « C'est Rafa ! » hurla-t-elle suffisamment fort pour qu'on l'entende dans l'État d'Arkansas voisin. Elle ouvrit la télé et s'exclama : « Il en est à une balle de match ! »

À la télévision, le court pouvait sembler relativement bien éclairé, mais il nc s'agissait que d'une simple impression. En réalité, il aurait pu être aussi bien illuminé par des torches électriques de scouts. Pourtant, lorsque sur son troisième point de championnat Nadal servit à nouveau pour affronter Federer, ce dernier, comme s'il portait des lunettes à infrarouge, repéra nettement la balle. Il se tourna et frappa un revers délicat, à angle aigu à travers le court, un coup qui se voulait gagnant. Avec le recul, on peut dire qu'il y avait un aspect un peu triste dans cette initiative. Il ne s'agissait que d'un coup ordinaire à froid, de ceux que l'on exécute lorsqu'on n'a rien à perdre. Il s'agissait moins d'un coup que d'une fioriture, l'art pour l'art, une dernière démonstration de *Soft Power* avant l'abdication du roi Roger.

Si Federer avait pu démontrer son talent pour exécuter des coups fumants, Nadal avait démontré son courage. Imperturbable après avoir perdu sa *troisième* balle dc match, il se montra constant et servit à la vitesse de 185 km/h. Federer pensa évidemment contre-attaquer par son légendaire revers, mais Nadal remporta là une autre bataille tactique en visant le côté coup droit du carré, rendant la balle hors de la portée de son adversaire. Un quatrième point de championnat.

Indifférent aux cris « *Come on* Rafa ! », Nadal s'essuya le visage, fit rebondir la balle sept fois et tenta un premier service précautionneux, suivi d'un revers non moins prudent. La balle atterrit à peine derrière la ligne de service, mais rebondit inopinément vers la droite. Rien de grave, mais suffisamment pour dérégler le rythme de Federer. Cela rappelait que, malgré toutes ses vertus, un événement sportif porte aussi en soi un facteur de chance.

Federer frappa vigoureusement mais de manière maladroite, les bras vers l'avant et le reste du corps latéralement, en porte-à-faux. Comme toujours, il fixa la balle lorsqu'elle quitta le cordage de sa raquette, mais elle heurta le haut du filet et tomba de son côté du court. Pointage final : 9-7.

La malencontreuse balle n'avait pas encore cessé de bouger que Nadal s'allongea sur l'herbe comme s'il avait reçu un coup de fusil. Bref, il avait remporté Wimbledon. Ses fans, hystériques, se levèrent comme un seul homme. On assistait à l'épilogue d'un drame qui avait duré quatre heures et 48 minutes. Les commentateurs de télé étaient pantois et laissaient les images parler d'elles-mêmes. Les membres du clan Nadal se donnèrent l'accolade. Le panneau d'affichage était engorgé et ne suffisait pas à la tâche.

La touche finale vint de Pascal Maria, l'arbitre de chaise. Pendant que Nadal se trémoussait dans l'herbe, Maria annonça fermement : « Jeu, manche et match. Rafael Nadal, six-quatre, six-quatre, six-sept, six-sept, neuf-sept… » C'était superflu, mais parfait.

Il était 21 h 16 lorsque le panneau cessa d'afficher.

Ceux qui aiment bien ce qui est symbolique ont peut-être remarqué que le logo de Rolex qui se trouvait près du nom de

Federer (ces montres le commanditcnt) montrait une couronne comportant cinq pointes et non six. Le record de cinq victoires consécutives de Bjorn Borg à Wimbledon ne serait donc pas éclipsé. Par contre, sa distinction consistant à être le dernier homme à remporter les Internationaux de France et Wimbledon au cours du même été ne tenait plus. Le champion était maintenant Nadal. En 2007, c'était Federer qui avait mis un terme au record que Nadal détenait sur terre battue (81 matchs). Maintenant, Nadal avait mis fin au record de Federer consistant en 65 victoires consécutives sur gazon.

Comme deux boxeurs sonnés, Federer et Nadal se rencontrèrent au filet, se serrèrent la main dans un joyeux claquement et sortirent du court en se tenant par la taille. Après sept heures de relations pour ainsi dire intimes, c'était la première fois qu'ils pouvaient prendre physiquement contact. Lorsqu'ils s'assirent, Nadal sonna à Federer une dernière tape dans le dos. Cc n'est pas en vain que l'on appelle le tennis un sport de gentleman.

Pour la première fois de la journée, Nadal défit son serre-tête et libéra sa crinière. Bras levés, applaudissant ses admirateurs dont l'investissement émotionnel lui avait été si propice, Nadal sauta sur le toit de la cabine de la NBC – un rituel en quelque sorte – puis dans les tribunes où ses supporters l'attendaient. Il donna l'accolade aux siens et à son oncle Toni. Afin de rendre hommage à sa patrie, il déploya un drapeau espagnol et se dirigea vers la loge royale où le prince Felipe et la princesse Letizia d'Espagne se trouvaient.

Pendant ce temps, Robert Federer regardait, souriait et applaudissait de ses mains potelées. Derrière lui, sa femme Lynette applaudissait également. Il aurait, bien sûr, souhaité que son fils remporte la victoire et semblait se demander comment Roger réagirait à sa défaite. « Mais quel événement sportif ! Un sacré match ! Une sacrée empoignade ! » conclut le père du champion suisse sans tomber dans les jérémiades et les regrets.

Sa déception était tempérée par le bonheur ostensible qui avait envahi le clan Nadal. « Ils forment une si belle famille ! déclara Robert Federer. Nous avons toujours entretenu de bonnes relations avec eux. Maintenant, c'est à leur tour de savoir ce qu'est d'avoir un fils qui remporte Wimbledon ! » Quelques jours plus tard, il devait ajouter : « En toute honnêteté, j'ai ressenti comme une pression, expliqua-t-il en se frappant la poitrine, et je n'ai pas du tout aimé cela, mais alors pas du tout… Mais immédiatement après le match, non, on ne peut pas dire que j'ai souffert… »

Les deux joueurs prirent le temps de brandir leur trophée tandis que la nuit empiétait sur le crépuscule. Les deux champions n'étaient éclairés que par les flashs des photographes. Habillés de blanc dans l'obscurité, ils avaient l'air de spectres. Le tonnerre d'applaudissements se poursuivit. Dans la position inconfortable de second du tournoi de Wimbledon, Federer dut se soumettre à une interview in situ. Il parvint à rassembler quelques commentaires : « Ouais, j'ai tout essayé, mais il y a des moments où je me suis mis en retard. Mais écoutez, Rafa est un champion plein de mérites et il a joué de manière exceptionnelle… Il est certain que l'obscurité n'a pas facilité les choses, mais il faut s'habituer au pire et je peux dire que Rafa est l'adversaire le plus coriace sur le meilleur des courts possible. Non, ce fut encore un grand plaisir de jouer ici. Il est triste de ne pouvoir gagner dans ces conditions, mais je serai de retour l'an prochain… »

Comme il se doit, Nadal rendit politesse pour politesse à son rival. Lorsqu'on lui demanda si le fait de battre Federer aux termes d'un combat aussi épique ne faisait pas de l'événement une occasion vraiment particulière, il répondit : « Bien sûr. Vous savez, battre Roger ici même après cinq ans… J'avais perdu les deux dernières finales de justesse. Mais tout ça n'empêche pas Roger d'être toujours le numéro un. C'est le meilleur. Il a tout de même été champion cinq fois ici. OK Pour le moment, j'ai remporté un championnat. Pour moi, c'est donc une journée très importante. »

Nadal posa avec son trophée, la Challenge Cup, et mordilla l'une des anses de cette vénérable antiquité victorienne – un rituel un peu infantile datant de sa première victoire, alors qu'il n'était qu'un petit garçon. Puis les joueurs, chacun exposant son prix, firent le tour du périmètre du court. En se croisant, ils se frappèrent spontanément la main, comme de vieux copains.

Entre-temps, John McEnroe s'était extirpé de la cabine de la NBC et s'installait entre le bord du court et le vestiaire. À la fin des Grands Chelems, les finalistes gagnants comme perdants sont fortement encouragés à se prêter à une interview d'après-match avec le détenteur des plus importants droits de télévision, dans ce cas la NBC. Alors que Federer aurait certainement préféré sacrifier son chèque de 375 000 £ plutôt que de commenter sa cuisante défaite à chaud, McEnroe l'accrocha et, étant ce qu'il est, le champion se laissa fléchir.

Après avoir passé les sept heures précédentes, interruptions pour cause de pluie comprises, à commenter le match, McEnroe semblait épuisé. Il commença donc à amadouer Federer par un compliment et non en lui posant des questions. « Écoute, Roger, lui dit-il, en tant que joueur de tennis, tout d'abord je tiens à te remercier de nous avoir permis de participer à un spectacle aussi grandiose… »

Un réalisateur grognon chuchota dans l'oreillette de McEnroe de couper court aux politesses et de poser des questions croustillantes par les moyens les plus rapides.

McEnroe obtempéra et demanda à Federer si le superbe tennis que les concurrents avaient joué le consolait de ses déboires.

« Dans une certaine mesure, marmonna Federer en hésitant subtilement. Merci John. C'est difficile, très difficile... » Il ajouta en se passant les doigts sur ses yeux embués de larmes : « Cela fait mal... »

À ce moment précis, Nadal apparut en arrière-plan, son trophée à la main, mais il eut le bon goût de ne pas pavoiser. Au fond, on pouvait encore entendre les cris « Rafa ! Rafa ! » fusant de la foule. McEnroe poursuivit : « Ce fut certainement le plus grand match dont j'ai été témoin, un match à suspense... Après tout ce que tu as vécu au cours de la quatrième manche, tu as dû penser que tu t'en tirerais vers la fin ? »

Sa voix trahissant son humeur, Federer fit la grimace. « Oui, c'est du moins ce que j'espérais. J'avais cette balle de bris, mais Rafa (même dans la défaite il faisait affectueusement allusion au diminutif de son adversaire) a effectué durant le match ses services de manière excellente. Même si j'avais remporté les troisième et quatrième manches, il ne m'a guère donné de chances. Disons qu'au cours des deux premières manches j'ai raté beaucoup de bonnes occasions et j'en ai peut-être payé le prix vers la fin, mais que voulez-vous que je vous dise ? Rafa a très bien performé... »

Maintenant, le visage de Federer semblait prêt à se décomposer. Les endorphines devaient encore circuler dans son organisme, mais l'euphorie engendrée par la montée de l'adrénaline avait diminué. McEnroe poursuivait : « ... Ainsi va la vie. Écoute, je sais que tu ressens beaucoup d'émotions à ce moment précis... » Comme tout conseiller pédagogique débutant le sait, on ne parle point d'émotions à quelqu'un sur le point d'éclater en sanglots. Dès que McEnroe prononça le mot « émotions », Federer eut un mouvement de recul. Comprenant qu'il ne tirerait rien d'autre de son interlocuteur, McEnroe plaça sa main sur l'épaule gauche du champion et lui dit : « Je veux... Viens ici que je te serre dans mes bras. Merci Roger, merci. Merci pour tout, OK ? » Federer fit un signe de tête et s'éloigna. McEnroe eut besoin de quelques secondes pour ravaler sa salive et se ressaisir. Quiconque pouvait encore douter de l'impact qu'un match de tennis pouvait avoir sur des personnes – des professionnels en plus – serait insensible aux sentiments humains. McEnroe, l'enfant terrible du tennis à une certaine époque, avait appris à se réinventer pour devenir une sorte d'Oprah Winfrey.

Federer rentra au vestiaire la tête basse, comme un homme qui s'est fait prendre sous une averse sans parapluie. Il s'effondra sur le banc, les larmes aux yeux, épuisé physiquement et émotionnellement, envahi par d'incontrôlables sanglots. Un ami qui passait par le vestiaire décrivit Federer comme « totalement anéanti, pratiquement en état de choc ». Son téléphone enregistrait une foule de messages. L'un de ceux-ci disait : « Pas de chance. Dommage. Mais il fallait bien un perdant… » Ce genre de message-texte avait pour but de souligner que Nadal et lui avaient élevé le tennis au niveau des beaux-arts. Celui qui l'avait envoyé n'était nul autre que Pete Sampras.

Comme des gens en deuil se rendant à quelque veillée funèbre, des supporters envahirent le vestiaire pour offrir leurs témoignages de sympathie. Federer levait parfois ses yeux rougis par les pleurs et parfois les gardait baissés. À l'extérieur du vestiaire, Robert Federer prit l'initiative d'informer gentiment différentes personnalités suisses que malgré toutes les meilleures intentions du monde son fils n'était pas en mesure de recevoir de visiteurs à ce moment précis.

Le roi Roger avait indiscutablement touché un point crucial de sa carrière. Ce n'était pas la première fois qu'il se faisait battre par Nadal, mais perdre à Wimbledon – un tournoi qu'il avait non seulement remporté, mais *dominé* chaque année depuis 2003 –, c'était une toute autre affaire, quelque chose de plus profond et de plus déterminant. Au zénith du tennis, Nadal partagerait probablement la place prépondérante de Federer et cet événement consacrerait ce transfert de pouvoir. Cela constituait essentiellement une défaite. C'était comme l'imbattable cheval Man O'War se faisant coiffer au poteau par Upset[25], un *outsider*. Ou encore, en 1892, le célèbre boxeur John L. Sullivan perdant aux mains de Jim Corbett par KO au 21e round. Ou encore, en 1964, le footballeur des Giants de New York Y.A. Tittle, agenouillé dans la boue, tête nue, le visage en sang après avoir été percuté par un Steelers, une photo classique des sports américains, aussi célèbre que la levée du drapeau sur Iwo Jima.

Affecté par une sorte de complexe du survivant, tout comme il l'avait été quatre dimanches avant cela à Roland-Garros, Nadal abandonna le vestiaire à Federer, puis se rendit passer ses tests de dopage en en profitant pour serrer les membres de sa famille dans ses bras dans le corridor. Lorsque ses supporters tentèrent de l'approcher avec une bouteille de champagne à la main, ils furent repoussés. Même à ce moment précis, au sommet de sa carrière, Nadal était conscient que s'il faisait entrer la bruyante cohorte dans le vestiaire cette présence amplifierait le désespoir de Federer.

Au fil des ans, le Suisse avait adopté un rituel. Après avoir remporté un titre majeur, il ouvrait son ordinateur, lisait les comptes rendus élogieux sur sa personne et regardait les photos du match. Puis il consultait les moments saillants sur YouTube. «J'aime voir ce que mes fans ont vu et ont vécu, car pendant que l'on joue on perd évidemment de vue ces aspects de la rencontre», avait-il déjà expliqué. Mais ce soir-là, il était peu intéressé à regarder sur son ordinateur des images de Nadal brandissant son trophée. «Voilà quelque chose que j'aurais préféré ne jamais voir», avoua-t-il deux mois plus tard. Il

---

[25] En 1919, Man O'War était alors considéré comme le meilleur cheval de course américain. (N.d.T.)

réintégra son logement, prit un dîner frugal en se faisant livrer de la pizza pour lui et son entourage. Après avoir joué silencieusement aux cartes, il s'endormit. Il décida de prendre de courtes vacances en Corse dès la journée suivante et ne se fit pas prier pour sauter dans un avion par les moyens les plus rapides.

Le champion ne tenait pas à vivre cette évidente vérité du tennis qui veut que, sur les 128 joueurs qui s'inscrivent dans un tournoi majeur, 127 abordent le prochain événement sous des auspices de perdant. Le fait était d'autant plus ironique que, pendant plusieurs années, il n'avait pas commis d'erreur majeure. Pourtant, tous ses fans l'identifieraient dorénavant comme le perdant du plus grand match de tous les temps. Quelques jours plus tard, Federer eut l'honneur d'apparaître sur la couverture du *Sports Illustrated* pour la première fois, bénéficiant ainsi davantage de renom dans la défaite qu'il avait pu en acquérir au cours de ses nombreux triomphes.

Il était très pénible de voir un champion aussi affecté par les événements, mais Federer avait démontré sa fortitude dans la défaite, lutté âprement et s'était révélé autre chose qu'un artiste de la raquette, un surdoué. On laissa entendre qu'il imiterait l'irascible Borg et qu'il disparaîtrait dans la brume pour réagir contre toute future réalité (et sa propre mortalité tennistique ?), mais cette rumeur s'envola deux mois plus tard lorsque Federer, quoique tête de série numéro deux pour la première fois en quatre ans, sauva sa saison en remportant les Internationaux des États-Unis en 2008, le tournoi majeur suivant du calendrier, battant Andy Murray en finale. On ne releva pas là de choc post-traumatique. L'assaut contre le Mont Sampras prenait une autre forme, l'histoire se répétait[26].

---

[26] Du moins jusqu'à ce que Federer se fasse battre par Nadal en cinq manches au cours de l'Open d'Australie 2009, un exploit qui n'était pas pour amenuiser la rivalité entre les deux champions.

D'une manière assez perverse, cette défaite à l'occasion du plus grand match jamais disputé et la remontée de Federer finirent par mieux redorer son blason que s'il avait remporté Wimbledon. Cela illustrait bien l'inscription extraite du poème *If* de Rudyard Kipling que l'on peut lire au-dessus du court central[27] de Wimbledon, signifiant que la vraie marque du génie humain est la capacité de traiter de la même façon les deux imposteurs que sont le succès et l'échec.

Heureux au-delà de toutes leurs espérances, les membres de la vamosbrigade continuèrent à diffuser sur leur blogue tard dans la nuit. À Austin, au Texas, Andy Roddick, finalement sorti de l'aéroport, avait été émerveillé par les performances de ses collègues. Au Royaume-Uni, à 21 h 20, la compagnie d'électricité remarqua une hausse du courant de 1 400 mégawatts – l'équivalent de un demi-million de bouilloires branchées en même temps. Un porte-parole du réseau électrique national britannique laissa entendre que cette pointe de consommation était attribuable aux téléspectateurs trop occupés à regarder leur écran une fois le match terminé.

Dans le petit village de Naves (en Ardèche), Peter Carry et ses invités ayant annulé leur réservation au restaurant afin de pouvoir regarder la fin du match se rendirent à la ville voisine pour aller manger une pizza. Le propriétaire de la pizzeria ne put les servir ; il leur expliqua qu'une foule de gens avaient eu la même idée qu'eux, avaient annulé leurs projets pour le dîner et s'étaient rabattus sur son établissement. Malheureusement, il était à court de pâte !

À l'All England Club, après avoir vécu une expérience collective inoubliable, les fans sortirent de l'enceinte. Les préposés

---

[27] *Si tu peux accueillir triomphe ou bien défaite*
Et traiter ces menteurs sur un pied d'égalité. (N.d.T.)

défirent les filets et réparèrent les mottes de gazon abimées. Dans le stade, qui résonnait encore récemment des clameurs de la foule, on pouvait maintenant entendre le bruit des structures temporaires que l'on démontait et le craquement des émetteurs-récepteurs radio du personnel de sécurité. Sur le site Web de wimbledon.org, un préposé tourna un bouton et engagea ainsi le compte à rebours du tournoi de Wimbledon 2009. Il ne restait que 350 jours, 15 heures, 27 minutes et 44 secondes avant la prochaine fois…

Sentant encore les effets de l'adrénaline, Pascal Maria sortit du court et chercha sa femme. En qualité d'arbitre de chaise du match final, on l'avait invité à assister au bal des champions plus tard dans la soirée. Il avait l'intention de rentrer chez lui, de prendre une douche et de se mettre en tenue de soirée, mais son esprit fonctionnait à 300 à l'heure en revoyant le match dans sa tête. De par ses fonctions, il se devait de tenir les joueurs à distance, mais il ressentait une vive émotion pour Federer et Nadal. « Ils représentent la crème des tennismen, expliquait-il, de vrais champions. Pas juste des gagnants, mais de vrais champions… »

Tenant sa femme par la main en circulant dans les aires de dégagement du complexe sportif, il lui fit remarquer qu'elle n'aurait pas pu choisir meilleure occasion pour assister à son premier match de tennis. « Tu n'auras pas besoin d'assister à un autre match, lui expliqua-t-il. Tu risquerais d'être déçue… » L'arbitre avait passé sept heures exaltantes sur le court à la vue de tous mais, dans la foule, il retombait dans l'anonymat. Il croisait des centaines de fans qui avaient été éblouis par le match mais personne ne changeait de parcours pour le saluer. Pour la troisième personne en importance sur le court, à l'occasion du plus grand match jamais disputé, il s'agissait là du plus beau compliment possible.

Pour l'armée de supporters de Federer, cette défaite aux mains de Nadal ne représentait rien de moins qu'une tragédie. C'est le mal qui avait défait le bien, la violence qui avait triomphé de la paix, les forces des ténèbres qui avaient succédé à la lumière. L'un de mes amis, qui avait suivi le match dans les tribunes du court central à la rangée M, a comparé ce match à la « chute d'un ange » et à « l'effondrement de valeurs traditionnelles ». Commentant le match deux mois plus tard, Federer lui-même remarqua : « Je pense qu'il y a plus de gens qui se sentent mal à l'aise pour moi que d'amateurs de tennis heureux du succès de Rafa et cela me fait un peu mal[28]. » Toutefois, cela ne tenait pas compte d'une chose : il était impossible de ne pas voir la vérité, la luminosité, la grâce de la gestuelle – sous une différente forme, bien sûr – dans les performances de Nadal.

Lorsque Nadal se retrouva dans la salle de presse, il avait beaucoup de mal à exprimer ses sentiments. « Impossible à décrire… disait-il. Je ne sais pas. Je suis très heureux. C'est incroyable de décrocher un titre comme ça à Wimbledon. C'est probablement un vieux rêve. Quand j'étais enfant, je rêvais déjà de jouer ici. Mais gagner ? C'est merveilleux ! Non ? » C'était peut-être sa façon de s'exprimer dans une langue qui lui était étrangère, mais ses réponses aux médias espagnols étaient aussi proches de ce langage quasi monosyllabique : « On dirait comme un rêve. Gagner un premier tournoi à Wimbledon… Battre Federer, le plus grand joueur de tous les temps ? Un match comme ça ? Comment ne pas considérer cela comme un rêve ? Non ? »

---

[28] En toute justice, se rendant peut-être compte de l'ambigüité de ses propos, Federer ajouta ce qui suit : « Par la même occasion, j'apprécie le fait que, grâce à ce match, le tennis ait monté d'un cran et c'est précisément ce que j'ai toujours cherché à faire au cours de mes cinq ans comme numéro un, c'est-à-dire améliorer le tennis et le rendre plus populaire. J'admets que ce tournoi de Wimbledon a réussi à réaliser ce rêve, même si j'ai perdu. »

Alors que Nadal se déplaçait dans le complexe sportif, le genou qui lui avait causé des difficultés dans la troisième manche (cela lui semblait être arrivé voilà des jours) commença à l'élancer. Malgré le fait que le logement de l'Espagnol ne se trouvait qu'à une centaine de mètres de l'All England Club, il demanda d'un air piteux une voiture de courtoisie pour se faire véhiculer sur cette courte distance. Les journalistes et cameramen de la presse écrite et électronique non accrédités par Wimbledon et qui, par conséquent, n'avaient pas la permission de travailler sur les lieux avaient envahi le logement temporaire de Nadal. Lorsque ce dernier arriva, il se tint à la porte pour se soumettre aux interviews.

Tandis que la voiture attendait, Nadal enfila un habit de soirée et se dirigea vers le bal des champions. Il était plus de minuit lorsqu'il y fit son apparition. Les quelque cinq cents personnes présentes lui offrirent une dernière ovation debout. Curieusement, Venus Williams, qui attendait depuis des heures, arriva quelque temps après. « Ça a été un match incroyable ! » dit-elle à Nadal. « Le vôtre aussi... » répliqua-t-il. Tandis que Nadal parcourait la salle, serrant des mains et posant pour les photos d'usage, ses parents et grands-parents en étaient rendus au dessert.

Il était près de 4 heures du matin lorsqu'il réintégra son logement. Il se fit masser une dernière fois par Maymo tandis que le démarcheur de Nike et le publicitaire attitré de Nadal étaient assis près de la table. En d'autres temps, le champion de Wimbledon aurait passé la nuit en beuveries mais, à cette époque postmoderne, pendant que la vedette se faisait masser, ses amis s'amusaient avec leurs BlackBerry et leurs téléphones à lire tout haut les centaines de messages textes et courriels de félicitations qu'ils avaient reçus.

Dans quelques heures, une voiture conduirait Nadal à l'aéroport. Il devait transiter par l'Allemagne pour s'y excuser en personne de s'être retiré du tournoi de Stuttgart. Il devait ensuite s'arrêter à Barcelone et consulter un médecin pour son genou. À la fin de l'après-midi, il devait retourner à Majorque où il serait accueilli comme un héros. Dans un mois, c'était officiel : après 160 semaines – plus de trois ans –, il avait obtenu sa promotion et n'était plus qu'un bon second. Et, pour compléter un été particulièrement faste pour lui, il devait décrocher une médaille d'or en simple aux Jeux olympiques de Pékin.

Maintenant, Nadal était couché et, pour la première fois de la journée, il se retrouvait avec ses pensées, essayant de mettre de l'ordre dans ce qui s'était passé au cours des dernières 24 heures. Il avait finalement remporté Wimbledon, l'ambition de sa carrière, et avait réussi cet exploit devant sa famille, ses amis et les têtes couronnées de son pays. Il l'avait emporté dans un match qui remettait à niveau les normes d'excellence du tennis. Cela était également éloquent pour son rival, son adversaire, son collègue, celui qui l'avait poussé à bout comme personne d'autre sur la planète. Tandis que Nadal revivait cette journée mémorable et qu'il en déroulait mentalement le fil, il eut l'agréable impression d'avoir dépassé ses propres espérances.

WIMBLEDON 2008
SIMPLE MESSIEURS
STATISTIQUES FINALES

Federer	4	4	7	7	7
Nadal	6	6	6	6	9

	FEDERER (Suisse)	**NADAL (Espagne)**
Premier service (pourcentage)	128 sur 195 = 66 %	159 sur 218 = 73 %
Aces	25	6
Doubles fautes	2	3
Fautes directes	52	27
Coups victorieux au 1er service	93 sur 128 = 73 %	110 sur 159 = 69 %
Coups victorieux au 2e service	38 sur 67 = 58 %	35 sur 59 = 59 %
Points reçus gagnés	73 sur 218 = 33 %	64 sur 195 = 33 %
Conversion de balles de bris	1 sur 13 = 8 %	4 sur 13 = 31 %
Montées au filet	42 sur 75 = 56 %	22 sur 31 = 71 %
Points totaux gagnés	204	209
Service le plus rapide	207,5 km/h	193 km/h
Rapidité moyenne du 1er service	188 km/h	180 km/h
Rapidité moyenne du 2e service	160 km/h	149 km/h

(Compilé par le système informatique IBM de Wimbledon)

REMERCIEMENTS

Tout comme les joueurs de tennis souhaitent accéder aux records époustouflants de Federer et de Nadal (et n'y parviennent pas toujours malgré leur bonne volonté), durant la rédaction du présent ouvrage, ce fut le livre de John McPhee *Levels of the Game* qui m'a inspiré et s'est révélé pour moi un guide. Grand classique par définition, *Levels* entrelace les thèmes, les réflexions et les profils de personnalités du tennis qui gravitaient autour du US Open 1968, mettant en vedette Arthur Ashe et Clark Graebner.

McPhee est le journaliste des célébrités sportives. Dans ce cas, il a eu également la possibilité d'interviewer de grands athlètes à une époque où ils étaient plus accessibles qu'ils le sont de nos jours. On raconte que McPhee avait obtenu de CBS trois bobines de film, avait loué un projecteur de cinéma et rencontré les sujets dans une chambre d'hôtel des Antilles. Pendant plusieurs jours, ils avaient reconstruit le match point par point. Quarante ans plus tard, qu'il suffise de dire que je n'ai pu rééditer cet exploit avec Federer, Nadal et un DVD de la finale 2008 de Wimbledon. Toutefois, au fil des ans, j'ai eu l'occasion de passer pas mal de temps avec ces deux athlètes, tout particulièrement au cours de mes reportages sur le tennis, conduits pour le compte du *Sports Illustrated*. Nombre de citations de ces joueurs proviennent de ces entrevues ainsi que de conférences de presse auxquelles ils ont participé.

Bien qu'aucun des deux joueurs n'ait officiellement attaché son nom au présent ouvrage – et à plus forte raison reçu quelque compensation monétaire –, je dois préciser que ni Federer ni Nadal ne se sont opposés à mon projet, ce qui est une bonne chose en soi puisque je comptais sur plusieurs autres personnes pour me fournir de l'information de base, des anecdotes et des conseils techniques.

Le circuit du tennis est souvent affublé du nom de « spectacle ambulant », mais il prend aussi les dimensions d'une communauté aux mailles serrées. Il existe dans ce milieu une foule de conflits internes et des rivalités qui se règlent de manière beaucoup moins digne et chevaleresque que dans le cas de Federer et Nadal. En dépit des coups bas, on y trouve aussi du respect, de l'entraide et le sentiment qu'en bout de piste tous les joueurs font partie d'une grande famille, du moins par la passion qu'ils manifestent pour ce sport hypnotisant.

Au cours du présent travail, j'ai pu apprécier la crème des tennismen et tenniswomen, de Pete Sampras en passant par Martina Navratilova. J'ai reçu l'aide d'une foule de personnes que je ne peux toutes mentionner ici, mais je tiens à remercier en particulier Graeme Agars, Nicola Arzani, Antoine Ballon, Madeleine Bärlocher, Per Bastholt, Philippe Bouin, Peter Carry, Chris Clarey, Sarah Clarke, Bud Collins, Novo Colonia, Jim Courier, Martin Crudacce, Tim Curry, Sally Duncan, Brad Faulkner, Robert Federer, Steve Flink, Andrew Friedman, Justin Gimelstob, Sven Groneweld, Martin Guntrip, Eben Harrel, Paul Hawkins, Pete Holtermann, David Law, Andrew Lawrence, Jon Levey, Pascal Maria, Stuart Miller, Diane Morales, Toni Nadal, Dave Nagle, Linda Pearce, Benito Perez-Barbadillo, Eleanor Preston, Roman Prokes, Ted Robinson, Perry Rogers, Greg Sharko, Miki Singh, René Stauffer, Kate Tuckwell, Mats Wilander, John Yandell, Neus Yerro ainsi que des « indics » et des fouineurs qui se reconnaîtront.

Jeff Spielberger, Tom Tebbutt, Tom Perrotta et Chris Hunt ont relu les différentes versions de mon manuscrit et l'ont considérablement amélioré. Pete Bodo m'a fourni beaucoup de bonnes idées. Je remercie également mon agent, Scott Waxman et ma chef de rédaction, Suzan Canavan, qui ont permis que ce projet aboutisse. Une fois de plus, Larry Cooper m'a prouvé ses qualités de réviseur émérite. Merci aussi à tous les gens qui communiquent avec moi par l'intermédiaire du site sur le tennis du magazine *Sports Illustrated* (si.com). Leurs observations, encouragements, aimables remarques et opinions divergentes m'ont beaucoup aidé. Ce type de communication m'avait déjà procuré dix années de plaisir hebdomadaire.

Je remercie enfin Allegra, Ben et Ellie qui m'ont dispensé leur amour, m'ont soutenu et m'ont assuré une relative tranquillité pendant les mois où je me suis plongé dans le tennis jusqu'au cou. Au moins, ce n'était pas un truc sur le combat libre en cage…

LJW

SOMMAIRE

Québec, Canada
2010

Imprimé sur du papier Silva Enviro 100% postconsommation traité sans chlore, accrédité Éco-Logo et fait à partir de biogaz.